HAÏTI 1995 - 2000

LE LIVRE NOIR DE L'INSÉCURITÉ

(Deuxième édition)

PROSPER AVRIL

Haïti 1995-2000:
Le Livre Noir de l'Insécurité
(Deuxième Edition)

Universal Publishers
Boca Raton, Florida • USA
2004

ISBN: 1-58112-492-9

www.universal-publishers.com

«Don de Dieu, la vie humaine est sacrée. Elle mérite le respect. Personne n'a le droit de la détruire ou d'en disposer à sa guise.»
(***Conférence Episcopale d'Haïti - Présence de l'Eglise en Haïti***, **p. 321).**

DU MEME AUTEUR

1. Le Tir au Fusil - Manuel d'Instruction Militaire
   Presse Nationales d'Haïti, Port-au-Prince, 1979 (130 pages)

2. Vérités et Révélations 1 - Le Silence Rompu
   Imprimeur II, Port-au-Prince, 1993 (264 pages)

3. Vérités et Révélations 2 - Plaidoyer pour l'Histoire
   Imprimeur II, Port-au-Prince, 1994 (264 pages)

4. Vérités et Révélations 3 - L'Armée d'Haïti, Bourreau ou Victime?

5. From Glory to Disgace - The Haitian Army 1804-1994
   Universal Publisher/ Upublish.com USA, 1999 (484 pages)
   ISBN 1-58112-836-3

6. An appeal to History - The Truth about a singular Lawsuit
   Universal Publisher/ Upublish.com USA, 2000 (304 pages)
   ISBN 1-58112-784-7

7. The Black Book on Insecurity
   Universal Publisher/Upublish.com USA, 2004 (355 pages)
   ISBN 1-58112-533-X

En collaboration

8. Mon Credo - Manuel d'Education Civique
   Imprimerie Laser, Port-Prince, 1995 (200 pages)

TABLE DES MATIÈRES

ILLUSTRATIONS

Après la page 156

9. Mme. Mireille Durocher Bertin, avocat, chef de parti politique, journaliste, assassinée par balles en plein jour, le 28 mars 1995.
10. M. Michel Gonzalès, homme d'affaires, ancien directeur de la ligne aérienne Air Haïti Cargo, assassiné par balles en plein jour, le 22 mai 1995.
11. M. Max Mayard, général retraité des FAD'H, ancien commandant en chef adjoint de l'armée, assassiné par balles en plein jour, le 3 octobre 1995.
12. M. Hubert Feuillé, député au Corps Législatif, assassiné par balles en plein jour, le 7 novembre 1995.
13. Révérend. Antoine Leroy, pasteur et dirigeant politique, assassiné par balles en plein jour, le 20 août 1996.
14. Mme Micheline Lemaire Coulanges, commerçante, assassinée par balles en plein jour, le 22 décembre 1997.
15. M. Jean Pierre-Louis, prêtre, curé de l'Eglise du Mont-Carmel, assassiné par balles en plein jour, le 3 août 1998.
16. M. Jimmy Lalanne, médecin, assassiné par balles en plein jour, le 27 février 1999.
17. M. Yvon Toussaint, médecin et sénateur de la République, assassiné par balles en plein jour, le 1er mars 1999.

dans des conditions obscures, aux environs de la date du 14 juin 1999.

8. Soeur Marie Géralde Robert, religieuse, animatrice et administratrice d'un centre de santé à Côtes-de-Fer (Département du Sud-Est), assassinée par balles, le 17 novembre 1999.
9. Colonel Jean Lamy, conseiller à la Police Nationale d'Haïti, assassiné par balles, le 8 octobre 1999.
10. Frère Hurbon Bernardin, des Frères de l'Instruction Chrétienne, assassiné à la Vallée de Jacmel, le 30 novembre 1999.
11. Mme. Carmen Boisvert Alexandre, torturée et assassinée le 25 juillet août 2000, à l'âge de 74 ans.
12. M. Patrice Gousse, gestionnaire, assassiné par balles en plein jour, le 17 septembre 2000.
13. M. Jean-Rood Guerrier Thénor Louis, Ingénieur, ancien député au Corps Législatif, assassiné par balles, le 20 décembre 2000.

PRÉFACE

Dans les sociétés organisées, le phénomène de l'insécurité se manifeste dans plusieurs domaines. On considère volontiers les diverses formes sous lesquelles il peut se présenter: insécurité sociale, insécurité routière, insécurité alimentaire, etc. Celle qui nous intéresse dans ce livre concerne la forme découlant du comportement violent d'individus envers d'autres personnes, violence qui atteint l'être humain dans sa vie, ses biens, son intégrité physique, son patrimoine...

Dans toute société humaine, les habitants ont souvent, certes, à souffrir des méfaits de comportements déviants de la part de certains membres de leur communauté. Dans ces cas, les structures pénales mises en place au sein de la société interviennent pour corriger les avatars et raffermir la confiance des habitants dans la fiabilité de leur système de protection contre l'action des criminels et des bandits.

Cependant, lorsqu'il y a multiplication à outrance des actes de violence, des homicides, coups et blessures volontaires, agressions, cambriolages et autres, on constate l'installation de l'insécurité, caractérisée par un sentiment permanent de peur, d'angoisse, d'inquiétude envahissant l'être humain et perturbant son quotidien. Cette situation devient alors préoccupante à plus d'un titre, car l'insécurité se transforme en un phénomène social et politique quand la sensibilité de la population à la violence grandit, quand les freins destinés à retenir les comportements violents sont relâchés ou tardent à remplir leur rôle.

C'est malheureusement la situation dans laquelle, depuis déjà trop longtemps, se débat la population haïtienne qui fait face, chaque jour, à une insécurité latente, c'est-à-dire, à un manque permanent de sécurité.

C'est quoi la sécurité?

La sécurité se définit l'«état d'esprit confiant et tranquille de celui qui se croit à l'abri du danger» (*Larousse*), ou encore la «situation de quelqu'un qui se sent à l'abri du danger, qui est rassuré» (*Petit Robert*).

A lire ces simples définitions, on comprend aisément toute l'importance que revêt la sécurité dans la vie de l'homme, dans celle d'une nation. Pas moyen pour l'homme de se développer, de circuler librement, de se mouvoir, de travailler, de dormir, de se distraire, sans ce légitime sentiment d'être à l'abri du danger. Et puisque toute nation est composée d'hommes et de femmes libres, c'est l'existence même de l'Etat qui est menacée lorsque persiste en son sein un climat d'insécurité détruisant cet esprit confiant et tranquille chez les citoyens composant sa population. Cette opinion est bien exprimée par le politologue français Sébastian Roché qui écrit: «La sécurité est un bien collectif par excellence. L'Etat a constitué son pouvoir sur sa capacité à l'assurer. Le socle de sa légitimité est là». (*Sociologie Politique de l'Insécurité*, p. 228).

Au cours de ces six dernières années, le pays a perdu un nombre considérable de ses fils et filles, emportés inutilement par la violence aveugle. Intellectuels, éducateurs, ingénieurs, médecins, prêtres, pasteurs, soeurs religieuses, frères religieux, laïcs, commerçants, hommes d'affaires, policiers, militaires, simples citoyens, hommes politiques, artisans, ouvriers, paysans, écoliers, enfants mineurs, vieillards, vacanciers, journalistes, banquiers, que savons-nous encore, sont tombés, fauchés par ce spectre de la mort violente qui sillonne tous les coins et recoins de notre pays où, pourtant, il faisait si bon vivre autrefois.

En abordant ce problème, ce qui déroute, exaspère, inquiète l'opinion, c'est le voile de l'anonymat qui recouvre souvent cette délinquance, cette criminalité en Haïti. La plupart du temps, il se révèle qu'aucune relation personnelle ou sociale ne lie ni n'oppose l'agresseur à la victime; ces crimes sont donc jugés aveugles, inutiles.

Compte tenu de l'importance primordiale du concept de la sécurité pour tout être humain et face à la gravité et à l'ampleur de la criminalité en croissance dans le pays ainsi menacé dans ses structures et son intégrité, nous avions pensé qu'il était impératif pour chaque Haïtien d'appréhender tous les aspects de ce fléau que constitue l'insécurité pour pouvoir le combattre efficacement et préserver le pays de la catastrophe. Nous croyons qu'il est indispensable de présenter devant la conscience nationale un recueil de documents et de faits sur le phénomène, donc **un livre blanc**, - nous dirions plutôt, dans cette circonstance, **un livre noir**, - sur le phénomène pour qu'en un seul coup d'oeil, chaque citoyen puisse bien évaluer la situation, cerner le problème et aider à le résoudre.

Pour accomplir cette tâche, nous avons utilisé à fond les opinions émises sur le sujet par des intellectuels et penseurs haïtiens et des renseignements fournis par la presse écrite haïtienne, donc des données accessibles à tous, de façon à rester le plus possible collé au réel quotidien national.

En offrant au lecteur une compilation des faits et données survenus au cours de la période de référence, et en proposant des solutions pour résoudre l'épineux problème que constitue l'insécurité en Haïti, l'auteur de *Haïti (1995-2000) - Le Livre Noir de l'Insécurité*, ne poursuit qu'un seul et noble but: apporter sa pierre à la construction de l'édifice national en essayant de provoquer chez les élites dirigeantes et au sein de tout gouvernement responsable le déclic capable de les inciter à travailler ensemble en vue de trouver, dans le plus bref des délais, les solutions adéquates tendant à l'éradication de ce «mal qui répand la terreur» dans toutes les familles.

Nous formons le voeu que ce travail de recherches, d'analyse, de compilations et de propositions de solutions ne soit pas un coup d'épée dans l'eau! Qu'il parvienne à sensibiliser tous les enfants d'Haïti, de l'éminent intellectuel au plus humble citoyen, pour que nous stoppions définitivement ce train de la mort qui détruit tout sur son passage fou: les vies, les promesses, les espoirs et les rêves. Puisse Haïti, la Perle des

Antilles, libérée du spectre de l'insécurité, retrouver bien vite son visage d'antan et le peuple haïtien, son sourire proverbial perdu depuis belle lurette.

Prosper Avril

INTRODUCTION

7 février 1986! Une date qui annonçait de grands changements pour Haïti, des changements dans le sens d'une correction des dérives du passé. En ce 7 février 1986, le peuple haïtien célébrait l'avènement d'une ère nouvelle caractérisée par la liberté d'expression, la liberté des choix politiques, le respect de la liberté individuelle..., dans l'ambiance d'un Etat sécurisé garantissant la paix des rues et des foyers, la paix publique, indispensable au grand démarrage économique tant souhaité, avec le support éventuel de la communauté internationale. Donc, après l'effondrement du régime des Duvalier, les Haïtiens s'attendaient à une amélioration des conditions et de la qualité de la vie de la population.

Qu'en est-il en cette fin de l'année 2000, quatorze années après l'émergence de cet espoir?

Nous avions constaté qu'à partir de l'année 1986, le pays avait connu toute une série de péripéties fâcheuses dans la réalisation de la transition vers un gouvernement démocratique stable et légitime. Plusieurs gouvernements éphémères s'étaient succédé au timon des affaires publiques sans réussir la transition vers un gouvernement légitime. Noyés dans le tumulte des revendications populaires exacerbées par l'action de leaders politiques agissant dans l'ombre, vaincus par une campagne de désinformation qui avait réussi à faire voir sous un mauvais jour tous les dirigeants politiques de l'après-Duvalier, détruits ou affaiblis par les actions déstabilisatrices, les coups d'Etat et tentatives de coup d'Etat, les différents gouvernements d'avant 1990 échouèrent tous dans leurs efforts pour instaurer en Haïti le climat serein nécessaire au lancement du pays dans la voie de la démocratie véritable.

L'espoir a pu renaître après les élections de décembre 1990 qui ont vu le candidat Jean-Bertrand Aristide bénéficier de la faveur populaire. Soulagé, tout le monde pensait que le pays allait jouir enfin d'un certain répit. Loin de là. Une tuerie allait se réaliser avant la prestation de serment du président élu, en réaction à la folle aventure du Dr. Roger Lafontant qui tenta vainement de s'emparer du pouvoir dans la nuit du 6 au 7 janvier 1991.

L'euphorie de la victoire du 16 décembre 1990 se mua alors en hystérie collective en ce matin du 7 janvier 1991 quand l'armée fit échouer le coup d'Etat Lafontant. Les partisans du président élu profitèrent de l'action des FAD'H pour occuper souverainement les rues. Ce jour-là, un grand nombre de compatriotes furent lynchés ou brûlés vifs sous les yeux approbateurs, indulgents ou tolérants des militaires qui craignaient de paraître favorables à l'initiative condamnable de l'usurpateur Lafontant. Ces carnages ont donc été perpétrés sous couvert de la plus totale impunité. Les Haïtiens pouvaient même regarder à la télévision d'Etat des gens exhibant au public des membres calcinés de leurs victimes.

Dès ce jour, la division du pays en deux camps distincts était renforcée. Le slogan "makout pa ladan" (macoutes s'abstenir) en honneur depuis la chute de M. Jean-Claude Duvalier était relancé avec plus de vigueur, le terme "macoute" désignant tous ceux qui, de près ou de loin, avaient eu des relations avec les gouvernements Duvalier.

Depuis, un clivage à allure manichéenne de la société haïtienne (les bons et les mauvais) allait empoisonner l'atmosphère politique du pays au niveau national. Pointés du doigt par la Constitution elle-même qui leur refusait l'accès aux fonctions électives pendant dix ans, les anciens partisans du régime Duvalier étaient livrés à la vindicte publique à la moindre occasion. Une fois installé, le nouveau pouvoir n'allait pas s'embarrasser de scrupules pour les accuser, souvent injustement, de crimes ou de complots à tort et à travers.

En fait, il n'a jamais été possible d'instaurer en Haïti un environnement stable et sûr depuis 1986. Bien que survenue dans des circonstances défavorables, une grande occasion de créer un climat politique et social serein dans le pays allait se présenter en 1994 à la faveur du deuxième débarquement de troupes américaines en Haïti, sollicité, au mépris de tout sentiment nationaliste, par le président Jean-Bertrand Aristide lui-même en vue de faciliter son retour au pouvoir.

Réussie sans coup férir, cette opération militaire était

chargée d'une mission précise comprenant trois volets bien distincts: 1o) Faire partir le régime instauré par les militaires après le renversement en 1991 du président légitime du pays, 2o) restaurer Jean-Bertrand Aristide dans ses fonctions de Président de la République et 3o) créer un environnement sûr et stable dans le pays pour la paix des familles haïtiennes et le plein fonctionnement des institutions nationales.

Si donc les Haïtiens devaient essuyer la honte de l'occupation, au moins, ils s'attendaient à bénéficier des retombées positives d'un pays sécurisé, apte à se lancer dans la voie du modernisme, du développement accéléré et durable, grâce à la paix retrouvée et aussi à l'aide massive promise par la communauté internationale.

Malheureusement, en l'an 2000, c'est-à-dire six années après l'intervention des forces militaires étrangères en Haïti, la stabilité politique, la paix sociale promises ne sont pas au rendez-vous. De nos jours, le pays est encore dépourvu des institutions vitales indispensables au bon fonctionnement d'une démocratie: un parlement légitime, des mairies non contestées, un conseil électoral constitutionnel, un système judiciaire fonctionnel et indépendant, etc. Le peuple haïtien vit dans un état latent d'insécurité.

La sécurité, cet «état d'esprit confiant et tranquille de celui qui se croit ou qui se sent à l'abri du danger», n'est plus à la portée du citoyen. Lisez une description de la situation haïtienne faite en guise d'inventaire au début du nouveau millénaire par Jean L. Prophète:

«Faites attention, soyez très prudent. Ne sortez pas le soir.

Ne prenez pas de taxi. Méfiez-vous des agents de l'immigration. S'ils vous demandent votre adresse, donnez-leur en une fausse. Surtout n'affichez pas vos dollars. Ne sortez qu'avec le strict nécessaire. Laissez chez vous votre passeport, vos cartes de crédit, tous vos papiers importants ainsi que vos précieux bijoux. Méfiez-vous de tous rapports humains dont vous n'êtes pas absolument sûrs. Craignez les véhicules aux vitres teintées, les piétons sournois et surtout les motocyclistes suspects. Soyez toujours sur vos gardes, sans cesse vigilant, sans cesse *veillatif.* Evitez autant que possible le centre-ville. Evitez la route de Carrefour, surpeuplée, encombrée, malaisée comme un calvaire païen... Pour aller en province, voyagez durant le jour. Hautement recommandé de prendre la route en caravane. Rigoureusement interdit de s'y engager seul la nuit...» (*Inventaire de Fin de Siècle*, p. 19).

Cette opinion reflète la perception actuelle de la vie en Haïti. Se rendre à son travail, gérer son commerce, utiliser les routes nationales, visiter les marchés ou supermarchés, aller à la banque, au cinéma, au bal ou bien se promener au clair de lune à la capitale ou en province constitue un risque dans le pays! Et ce constat n'est pas le fruit d'une imagination trop fertile. Au premier mois de la période couverte par cette étude, janvier 1995, le quotidien *Le Nouvelliste* touchait lui aussi la plaie du doigt:

«Un vent de violence très mal contenue souffle sur la capitale et sur certaines villes de province. A preuve, **il n'y a pas un jour sans que quelqu'un, quelque part, ne soit victime du climat d'insécurité ambiant.** Tant les actes de banditisme, d'assassinat, de cambriolage à main armée (arme à feu ou à l'arme blanche) se succèdent de jour comme de nuit, **la peur et l'inquiétude transpirent dans le regard de chaque individu de la population.**» (*Le Nouvelliste* du 30 janvier 1995, p. 1).

Aujourd'hui, il est choquant de constater qu'en dépit de tous les efforts et sacrifices consentis par le peuple haïtien, nonobstant les milliards de dollars investis en Haïti par la communauté internationale sous la rubrique de l'assistance à ce pays, tous les sondages, investigations et recherches indiquent que la qualité de la vie était meilleure en Haïti avant 1986.

Que s'est-il passé? Pourquoi le pays haïtien n'a-t-il jamais pu retrouver la quiétude des familles après le retour à l'ordre constitutionnel en 1994? Pourquoi l'insécurité, d'ordre surtout politique, en honneur pendant les trois années du coup d'Etat, loin de disparaître, a-t-elle, au contraire, envahi tous les secteurs de la vie nationale et s'est-elle répandue au pays tout entier? Quelle est l'étendue des dégâts? Pouvons-nous espérer, par nos propres moyens, renverser la situation?

Pour répondre à ces questions, nous allons essayer de passer au peigne fin le phénomène de l'insécurité en Haïti de 1995 à l'an 2000. Nous ferons un survol de l'état de la gouvernance du pays à partir de la rupture du processus démocratique par le coup d'Etat de 1991. Analyserons ensuite les choix politiques faits par les responsables du pouvoir après le retour à l'ordre constitutionnel en 1994. Puis mettrons en lumière les facteurs qui ont favorisé l'instauration d'un climat propice au développement du phénomène de l'insécurité dans le pays. Enfin, à l'issue de la publication d'une liste non exhaustive des victimes de mort violente pour chaque année de la période de référence, nous partagerons avec le lecteur quelques idées que nous proposons comme notre modeste contribution à l'éradication du mal.

Nous espérons sincèrement qu'après la publication de ce livre un pas sera franchi vers la conscientisation de tous, Haïtiens et partenaires de la communauté internationale, sur le phénomène de l'insécurité en Haïti, pour qu'enfin le pays puisse envisager, dans la sécurité, la paix et l'ordre, un développement harmonieux et durable, à l'image du rêve grandiose du peuple martyr d'Haïti.

CHAPITRE I

LES ANNÉES DE GOUVERNANCE AMBIGUË

Le 7 février 1991, dans l'euphorie et l'allégresse d'une population en quête de mieux-être, le monde entier a salué l'avènement du prêtre Jean-Bertrand Aristide au pouvoir en Haïti. Cet événement était consacré unique dans les annales de l'Histoire d'Haïti par la presse internationale qui estimait que, pour la première fois (sic), un président haïtien était sorti d'élections libres et démocratiques. L'atmosphère d'allégresse était certaine.

Pourtant, dès le jour de la prestation de serment du président élu, cette ambiance de fête s'était entachée d'un fait troublant : le R. P. Jean-Bertrand Aristide n'avait pas fini de ceindre l'écharpe présidentielle et de prononcer le serment solennel de «respecter la Constitution et les lois d'Haïti» que le Commissaire du gouvernement de l'époque, Me. Bayard Vincent, osa tendre un mandat de comparution au président sortant, Mme. Ertha Pascale Trouillot, dans l'enceinte même du Palais Législatif, la Maison du Peuple.

Ce fait insolite, à lui seul, hypothéquait déjà l'avenir de ce gouvernement si rempli de promesses, car il laissait clairement présager l'orientation du nouveau pouvoir vers la revanche, démarche qui allait mettre en danger la bonne gouvernance de l'Etat si nécessaire au redémarrage économique du pays. Sept mois plus tard, un coup d'Etat sanglant eut lieu qui engendra une période de répression politique, laquelle devait, bon gré mal gré, entraîner une deuxième occupation militaire du sol national.

A.- Le coup d'Etat

Le jour même de la prestation de serment du président Aristide, des nuages avaient donc assombri le climat politique du pays qui s'est obscurci complètement et rapidement dans la suite, sous l'effet d'une série d'actions gouvernementales qu'on pourrait qualifier d'antidémocratiques: l'emprisonnement illégal, arbitraire et humiliant au Pénitencier National de l'ex-chef de l'Etat, la juriste Ertha Pascale Trouillot; l'occupation quotidienne des rues par une foule commanditée, les agressions verbales et physiques contre des parlementaires, les incendies de locaux d'organisations politiques et syndicales, le durcissement du discours politique, etc., autant de faits qui devaient culminer, le 30 septembre 1991, en une rupture brutale du processus démocratique qui allait tout remettre en question par l'instauration dans le pays d'un climat d'intolérance exacerbée, d'anarchie et de répression latente.

La mise en état d'arrestation de Mme. Trouillot constitue, à n'en pas douter, le prélude de l'échec des huit premiers mois de gouvernement du président Aristide. Cet acte, indicatif d'un choix, constituait délibérément la ligne que ce nouveau régime comptait suivre dans la gestion de sa politique intérieure, en l'occurrence la vengeance. Quand on sait que ce Commissaire du gouvernement dépendait encore d'un ministre de Mme. Ertha Trouillot au moment de la rédaction de ce mandat judiciaire, on comprend que l'acte posé avait été planifié avant la cérémonie d'investiture du nouveau chef de l'Etat sur un fond de déloyauté d'un fonctionnaire public.

Les FAD'H, également, qui avaient oeuvré, dans l'ordre le plus parfait, à la réussite des récentes élections, étaient durement frappées le jour de l'avènement du nouveau président au pouvoir. Au moment de délivrer son message inaugural, le chef de l'Etat fraîchement intronisé en profita pour révoquer, en public et sur place, les membres de l'Etat-Major militaire, invités par le Service du Protocole à assister aux cérémonies d'investiture où étaient présents les officiels du gouvernement, le grand public, des ambassadeurs et invités étrangers.

Après l'installation du gouvernement, un vent de vengeance souffla sur la nation. Outre l'ex-président Ertha Trouillot, d'anciens ministres (Anthony V. Saint-Pierre), ou fonctionnaires des régimes passés (Fritz Joseph, René Maximilien...) sont arrêtés et emprisonnés. La rubrique «complot contre la sûreté intérieure de l'Etat» étant ressuscitée et devenue un slogan à la mode, le climat politique était très surchauffé à Port-au-Prince.

Du coup, une peur indicible envahissait tous les électeurs qui ne s'étaient pas manifestés en faveur du nouveau pouvoir. L'intolérance était pratiquée même à l'encontre de certaines figures politiques, hier partisans ou alliés de Lavalas, qui avaient contribué à l'accession au pouvoir de l'équipe dirigeante. Dans cet ordre d'idées, sous l'action de fanatiques inconditionnels du pouvoir, eurent lieu, au mois d'août 1991, la destruction et le sac du local du KID, une branche du FNCD, la coalition qui avait servi de bannière pour la présentation de la candidature de M. Jean-Bertrand Aristide. A la même époque, suite à des prises de positions non conformes aux vues des nouveaux dirigeants, devait aussi prendre feu, dans les mêmes conditions, le local de la CATH, une organisation syndicale également proche du pouvoir.

Cette atmosphère survoltée servit de cadre à la réalisation du coup d'Etat de la nuit du 29 au 30 septembre 1991 qui renversa le gouvernement légitime et engendra des conséquences les plus dramatiques pour la nation haïtienne. Le processus démocratique rompu, les militaires, contraints, durent remettre les rênes du pouvoir au président de la Cour de Cassation après avoir obtenu du Parlement une déclaration consacrant la vacance présidentielle, histoire de donner un vernis constitutionnel à l'acte antidémocratique posé.

Mais la communauté internationale ne l'entendait pas de cette oreille, elle avait trop investi dans les élections de 1990 pour cautionner une telle catastrophe, considérée comme une gifle administrée au nouvel ordre mondial. D'emblée, elle réclama le retour au pouvoir du président déchu.

Les partisans du président Aristide voulurent réagir au coup d'Etat, leurs réactions furent réprimées violemment, avec une rigueur impitoyable.

B.- La répression post-coup d'Etat

Dans la nuit du 29 au 30 septembre 1991, des centaines de citoyens perdirent la vie. Un rapport du Département d'Etat américain avance le chiffre des victimes de cette nuit-là estimé entre 300 à 500. (*Notes sur Haïti*, du Bureau des Affaires Inter-Américaines du Département d'Etat Américain, datées du 3 avril 1997). Un régime de répression ouverte fut alors instauré contre les ennemis ou adversaires des putschistes et les activistes lavalassiens. Ces derniers avaient organisé à l'intérieur du pays des foyers de résistance pour lutter contre le pouvoir des militaires.

Encouragés par la position ferme de la communauté internationale vis-à-vis du coup d'Etat, les partisans du président Aristide, en exil, renforcèrent la mobilisation à l'intérieur, empêchant ainsi le gouvernement fraîchement installé de consolider sa stabilité. Des postes militaires (à Chantal, Camp-Perrin, Morency, dans le Sud) furent attaqués, armes à la main, par les résistants Lavalas. Pour contenir l'action de ces militants déstabilisateurs du pouvoir établi, les bidonvilles furent quadrillés par le régime, ce qui provoqua des tueries avilissant l'image de l'armée et, conséquemment, l'exode de la population vers la province et la mer.

Au mois de décembre 1991, les sanctions économiques

prises à l'encontre d'Haïti par les pays de la communauté internationale commençaient à pleuvoir sur Haïti.

En fait de gestion des affaires publiques pendant ces trois années, la gouvernance était des plus ambiguës. Aux Etats-Unis d'Amérique, un gouvernement en exil fonctionnait sous la présidence de M. Jean-Bertrand Aristide en dehors du contrôle régulier du pouvoir législatif siégeant à Port-au-Prince et des normes des lois des finances et de la Comptabilité Publique. En Haïti, un autre gouvernement d'apparence civile assurait la marche de l'Etat. Cependant les officiers de l'état-major militaire ne laissaient pas les coudées franches aux technocrates civils appelés par eux-mêmes pour les aider à la tâche. Le service des Douanes, la Direction Générale des Impôts, les services publics, en général ne fonctionnaient qu'au ralenti. Entre-temps, l'embargo faisait rage. L'électricité, le transport en commun, les activités, en un mot, étaient littéralement paralysés par le manque de carburant consécutif à l'application des sanctions. L'aide externe était bloquée, l'approvisionnement normal du pays suspendu, l'exportation de denrées nationales réduite à néant.

A l'intérieur du pays, les quartiers populeux étaient toujours en ébullition. Raboteau aux Gonaïves, La Fossette au Cap-Haïtien, Ste Hélène à Jérémie étaient devenus des foyers d'insurrection. Les militants Lavalas possédaient des armes à feu. Ils arrivaient même à en fabriquer de type artisanal. Face à une pareille situation et à la montée de la résistance caractérisée par la lutte armée, le gouvernement eut recours à une répression encore plus sévère pour essayer de maintenir la paix publique. Rien n'y fit. Une rumeur persistante faisant état du lancement, par les partisans du président en exil, d'une opération dénommée *fè koupe fè*, (seul l'acier peut vaincre l'acier) la répression prit alors des proportions effrayantes. Des opérations militaires furent lancées dans les quartiers populeux en vue de combattre les foyers de résistance lavalassienne.

Le rapport de la *Commission Nationale de Vérité et de Justice* couvrant deux années (1995-1997) d'enquête sur les violations du droit à la vie perpétrées au cours des trois années de gestion des putschistes (1991-1994) est accablant.

> «Les violations du droit à la vie, lit-on dans le rapport, regroupent, dans le cadre des témoignages recueillis, les exécutions sommaires ou extrajudiciaires, les massacres - que la Commission a défini opérationnellement comme l'exécution sommaire d'au moins trois personnes dans un même événement (unité de temps et de lieu) - que l'on retrouve compilés statistiquement sous la rubrique exécutions - ainsi que les disparitions forcées qui peuvent être assimilées à des exécutions sommaires. Elles constituent, de même que les menaces de mort, des atteintes au droit à la vie. Les conséquences des tentatives d'exécution constituent également une atteinte au droit à l'intégrité physique dans la plupart des cas. La victime qui a survécu à l'attentat est souvent blessée voire mutilée.
>
> La Commission a analysé 1.348 cas de violations du droit à la vie. Soit 333 disparitions forcées, 576 exécutions sommaires et 439 tentatives d'exécutions sommaires. Dans tous les départements, on découvre des cas d'exécutions extra-judiciaires, de morts par torture, ou de disparitions. Cet aspect soutenu de la répression illustre le contexte de tous

les autres cas de violations et indique l'absence de freins aux violations des droits de l'homme. Les départements de l'Ouest (principalement Port-au-Prince), du Nord et de l'Artibonite (surtout Raboteau) ont été les plus durement touchés. C'est dans la région de Port-au-Prince que le droit à la vie a été le plus atteint: on y retrouve les trois quarts des cas de disparition et près de la moitié des exécutions sommaires dénoncées.

Une étude statistique fut menée à partir des registres de l'*Hôpital de l'Université d'Etat d'Haïti* sur une période de dix ans (1985-1995). Cet hôpital est le seul de la région de Port-au-Prince à disposer d'une morgue publique... Les registres de l'hôpital furent une source d'information providentielle. L'analyse statistique de ces dossiers indique comment, durant la période de référence, le nombre d'assassinats politiques a augmenté sensiblement comparativement aux années précédentes.

Sur le plan statistique, la différence est hautement significative et montre que le nombre moyen de victimes a plus que doublé - passant d'une moyenne de dix décès par mois durant les années précédentes à environ 24 décès par mois. De plus, cette période compte le nombre le plus élevé d'assassinats des dix dernières années, durant lesquelles il y a eu en Haïti un certain nombre de régimes non-démocratiques». (*Rapport de la Commission Nationale de Vérité et de Justice*, Chapitre V, B.1).

La *Commission Nationale de Vérité et de Justice* eut à recenser donc 909 cas d'Haïtiens victimes de mort violente au cours des trois années du régime putschiste (exécutions sommaires et disparitions forcées). En sus, 439 tentatives d'exécution sommaire furent dénombrées. Cette Commission mit en évidence certains cas d'assassinats spectaculaires de personnalités de marque, tels ceux d'Antoine Izméry, de Guy Malary ou du père Jean-Marie Vincent, dont nous ignorons toujours les résultats des investigations.

Cependant, il convient de signaler un point important : l'insécurité était surtout d'ordre politique. Malgré l'augmentation de la misère engendrée par l'application drastique des mesures criminelles et injustes de l'embargo commercial et économique imposé au pays, en dépit de l'obscurité complète des nuits provoquée par l'absence presque totale d'énergie électrique dans les villes principales, les citoyens non impliqués dans la politique ne se sentaient guère menacés par une insécurité généralisée. Les gens pouvaient vaquer à leurs activités coutumières sans éprouver ce sentiment actuel d'être en état de danger permanent.

Certes, on enregistrait sporadiquement des actes arbitraires et des exactions principalement dans les quartiers populeux où la résistance était très active et aussi dans les sections communales placées sous l'autorité des officiers de la police rurale, les chefs de Section, faits mentionnés dans le rapport de la *Commission Nationale de Vérité et de Justice* sous la rubrique de la répression politique.

La situation larvée de violence politique sous le régime des militaires putschistes ne s'est jamais améliorée au cours de ces trois années. Au contraire, elle alla en se détériorant pour aboutir à l'assassinat en plein jour du père Jean-Marie Vincent survenu le 28 août 1994, trois semaines avant le débarquement des troupes américaines en Haïti.

En conclusion, vu les graves violations commises dans le chapitre du respect des droits de l'Homme en Haïti, compte tenu surtout du nombre élevé de «boat people» qui se déversaient régulièrement sur les côtes américaines, et enfin devant la menace de chaos total qui guettait le pays, les *Nations Unies* décidèrent, à la demande du président Aristide, le débarquement sur le sol national de 23, 000 troupes provenant, en majorité, de la fameuse 82ème division aéroportée américaine aux fins de rétablir en Haïti la normalité constitutionnelle.

Débarquées le 19 septembre 1994, ces troupes, baptisées Force Multinationale, étaient investies de la mission de neutraliser l'insignifiante mais trop turbulente armée haïtienne de 7,000 soldats, de restaurer le président légitime dans ses fonctions et d'instaurer dans le pays un «environnement sûr et stable». C'est l'opération Uphold Democracy (Support à la démocratie).

C.- L'Opération Uphold Democracy

Le 3 juillet 1993, un document historique par son caractère inédit et singulier avait été signé, sous les auspices des *Nations Unies*, entre le président en exil Jean-Bertrand Aristide et le commandant des FAD'H, le général Raoul Cédras, en vue de résoudre la crise haïtienne. Cette initiative visait à aboutir à une solution pacifique pour restaurer l'ordre constitutionnel en Haïti, laquelle solution n'a jamais pu être appliquée à cause des réticences des deux principaux protagonistes.

Une année après la signature de ce document, par une lettre datée du 29 juillet 1994, le président en exil Jean-Bertrand Aristide informait le Secrétaire Général de cette haute instance internationale que « le moment était venu pour la Communauté Internationale, le principal témoin de l'Accord de l'Ile des Gouverneurs, de prendre une action prompte et décisive, sous l'autorité des *Nations Unies*, en vue de permettre sa complète application». C'était le feu vert attendu pour justifier l'usage de la force dans la résolution de la crise née du coup d'Etat du 30 septembre 1991, au bénéfice du président Aristide.

Le 19 septembre 1994, le débarquement des forces américaines fut effectif dans les villes de Port-au-Prince et du Cap-Haïtien, dans un vacarme assourdissant d'hélicoptères, de tanks, et d'avions de combat.

L'armée haïtienne n'offrit aucune résistance au déploiement de la force américaine. Le 18 septembre 1994, la veille du débarquement, une délégation composée de l'ex-président des Etats-Unis Jimmy Carter, du sénateur américain Sam Nunn et de l'ancien chef de l'armée américaine, le général Colin Powell, avait obtenu du président de facto haïtien Emile Jonassaint la garantie que les opérations se dérouleraient sans coup férir, qu'il n'y aurait pas de riposte de la part des militaires haïtiens. Parole tenue.

A ce propos, un document baptisé "Accord de Port-au-Prince" avait été signé en la circonstance par les membres de la délégation représentant le président des Etats-Unis Bill Clinton, d'une part, et le président de facto haïtien Emile Jonassaint, d'autre part. Cet accord offrait, en contrepartie de la capitulation de l'armée haïtienne, la perspective d'une amnistie générale en faveur des responsables du coup d'Etat. Promesse qui ne sera pas tenue en dépit du vote, le 6 octobre 1994, d'une loi d'amnistie en faveur des auteurs et complices du coup d'Etat par le Parlement haïtien.

Dans les jours qui suivirent le débarquement, l'armée américaine procéda au désarmement des troupes d'Haïti. Les soldats haïtiens, les premiers moments de frustration et d'inquiétude passés, attendirent dans l'anxiété les décisions sur leur sort. Ils avaient obéi à la lettre aux ordres de l'état-major militaire de ne pas résister et avaient pleinement confiance dans l'exécution de la contre-partie des négociations les concernant: pas de représailles. L'incident survenu au Cap-Haïtien où une dizaine de soldats furent tués, par méprise, par une unité de l'armée américaine ne changea rien à ce comportement. Le commandant en chef, le général Raoul Cédras, accompagnait personnellement le chef de l'expédition, le général américain Hugh Shelton, dans des tournées à travers les garnisons militaires pour s'assurer d'une reddition sans heurts.

Après cette étape importante, le général Raoul Cédras passa le commandement au général Jean-Claude Duperval et laissa le pays, le 12 octobre 1994, à destination de Panama, en compagnie du chef d'état-major, le général Philippe Biamby, en conformité des garanties qui leur étaient offertes en la circonstance. Selon *Haïti Progrès*, «le général Cédras avait bénéficié de plusieurs recommandations spéciales pour être admis au Panama, à commencer par celle du président Aristide qui en avait fait directement la demande à son homologue panaméen, Ernesto Balladares.» (*Haïti Progrès* du 19 au 25 octobre 1995, p. 3). Le colonel Michel François, le chef de la Police, n'ayant pas bénéficié des mêmes faveurs, avait quitté le pays la veille, par ses propres moyens à destination de la République Dominicaine.

Le premier point du programme est bouclé, les chefs militaires vaincus (sans avoir combattu) sont partis. Le pouvoir politique en Haïti est assumé temporairement par l'armée américaine en la personne du général Hugh Shelton et la sécurité générale par les troupes américaines investies de l'autorité de l'Etat. Le retour en Haïti du président Jean-Bertrand Aristide était imminent.

D.- Les promesses d'un retour

Le 15 octobre 1994, l'opération Uphold Democracy passait à sa seconde phase. Le président Jean-Bertrand Aristide rentrait triomphalement en Haïti, à bord d'un avion de la US Air Force, dans un pays très affaibli moralement, structurellement et économiquement. Le commandant intérimaire de l'armée haïtienne, le général Jean-Claude Duperval, se trouvait à l'aéroport pour accueillir le chef de l'Etat qui accepta, sans sourciller et apparemment de bon gré, de recevoir les honneurs militaires d'un bataillon de l'armée. Tout s'est passé dans l'ordre le plus parfait.

Au moment du débarquement des troupes américaines en Haïti, alors qu'un sentiment de honte oppressait les élites nationales, le pays était confronté à une situation générale des plus inquiétantes, caractérisée essentiellement par les multiples effets catastrophiques de l'embargo : rareté des biens de consommation courante, dégradation de l'écologie et de l'environnement, réduction systématique de la réserve forestière, accélération de l'érosion des montagnes et du processus de désertification, impossibilité de répondre aux besoins de santé de la population et surtout, augmentation du chômage, conséquence de la fermeture des industries de sous-traitance qui utilisaient les services de plus de 30,000 travailleurs salariés, affectant ainsi les bourses de près de 400,000 personnes si l'on doit tenir compte des effets collatéraux.

En outre, l'électricité et l'eau potable se faisaient rares, le réseau routier et le système de communication, inexistants en plusieurs points du pays, fonctionnaient de façon alarmante à l'échelle nationale. La production agricole régressait à une allure vertigineuse. Le revenu per capita atteignait un très bas niveau. Les biens de consommation de base ne venaient plus de l'extérieur. Enfin, à cette situation de pénurie au niveau national s'ajoutèrent une accentuation de la division entre les Haïtiens et une inquiétude frisant la panique chez les citoyens qui avaient manifesté leur opposition au retour du président Aristide.

Voilà le panorama général de l'environnement politique, économique et social à la veille du retour en Haïti du président Jean-Bertrand Aristide. Avec le rétablissement de l'ordre constitutionnel, tout le monde espérait la fin de cette situation d'incertitude et de marasme, la relance de l'économie, la reprise de l'assistance externe et une attitude plus agissante de la part de la communauté internationale, principalement des pays dits “amis d’Haïti”.

Ainsi, si le débarquement des troupes étrangères choquait le nationalisme de plus d’un, secrètement beaucoup d’Haïtiens se consolaient au moins de voir la fin du cauchemar de l’embargo et le profil à l’horizon d’une période de paix politique et sociale en Haïti.

Le 15 octobre 1994, Port-au-Prince se réveilla pavoisée aux mille couleurs de l’allégresse et du bonheur. Un avion de la présidence des Etats-Unis ramenait le président Aristide au pays, en exécution de la deuxième phase, la plus importante, de l’opération Uphold Democracy. La foule, en liesse, trémoussait de joie. Elle délirait. M. Aristide venait de démentir le proverbe haïtien : “On ne peut plus faire rentrer un oeuf dans le ventre de la poule après qu’elle l’eut pondu”. Oui, l’oeuf était bien rentré dans le ventre de la poule.

L’avion, un Air Force One, s’était posé sans encombres à l’Aéroport de Maïs Gâté à Port-au-Prince. Les honneurs rendus par un bataillon militaire, un convoi d’hélicoptères avec, à bord, le président Aristide, se dirigea vers le Palais National, occupé depuis le 19 septembre 1994 par les troupes américaines. Arrivé sur place, sous forte protection des griffes de l’Aigle, le président haïtien, fiévreusement, gravit les marches de la tribune érigée en la circonstance sur le péristyle du Palais où attendaient des délégations étrangères, les membres du Corps Diplomatique, les représentants des pays dits amis d’Haïti (USA, France, Canada, Argentine, Venezuela), les officiels du gouvernement Malval, les invités spéciaux, l'état-major de l'Armée, chacun assis à sa place respective. Aux abords du Palais National, accroché aux grilles, le bon peuple exultait, impatient d'entendre le discours de son charismatique leader.

Une déception: ces enthousiastes et inconditionnels partisans ne pouvaient voir directement le président placé derrière un écran vitré, par crainte pour sa sécurité pourtant techniquement bien assurée par les G.Is et les agents du Service américain d'Intelligence.

En cette journée du 15 octobre 1994, l'espoir semblait renaître chez le peuple haïtien. Avec l'appui si fortement souligné de la communauté internationale, il n'y avait pas de doute que le pays allait amorcer le grand démarrage. La nation entière était suspendue aux lèvres du président réhabilité pour recevoir et savourer ce message d'espoir dont dépendait l'avenir de tout un peuple.

Ce discours, distribué en plusieurs langues, était effectivement porteur d'espoir. En voici les fragments les plus pertinents:

> «Se jodi a, 15 oktòb 1994. Jodi a se jou solèy demokrasi a leve pou l pa janm kouche. Jodi a se jou limyè rekonsilyasyon an djayi pou l toujou grandi. Jodi a se jou zye lajistis louvri pou l pa janm fèmen. Jodi a se jou pou sekirite blayi maten, midi, swa. Maten, sekirite agogo. Midi, sekirite manch long. Aswè, sekirite gratis ti cheri.
>
> Sekirite bay lapè, lapè sa a se oksijèn pou Pati politik devlope, miltipliye, travay libelibè. Se oksijèn pou Senatè, Depite, Magistra, Manm Kazèk akonpli misyon yo jan konstitisyon an reklame l».

(Aujourd'hui, c'est le 15 octobre. Aujourd'hui, c'est le jour où le soleil de la démocratie se lève pour ne plus jamais se coucher. Aujourd'hui, c'est le jour où la lumière de la réconciliation jaillit au matin, à midi et au soir. Le matin, beaucoup de sécurité; le midi, encore plus de sécurité; le soir, la sécurité sans débourser un sou.
La sécurité engendre la paix; la paix est l'oxygène qui permet aux partis politiques de se développer, de se multiplier, de travailler en toute liberté. C'est l'oxygène qui permet aux sénateurs, aux députés, aux maires et aux membres des CASECs d'accomplir leurs missions selon les prescriptions de la Constitution - Traduction de l 'auteur).
...
«The individual efforts of all world citizens committed to democracy share responsibility for the great hope for the future that today symbolizes. You who traveled with us home to Haiti demonstrate that your journey with the people of Haiti continues. Your words, your energy, your enthusiasm, your spirit are rewarded by this momentous first step toward lasting peace.
With you, again and again, we will continue to say: No to violence,! No to vengeance! Yes to reconciliation!
Today we embark on a new beginning, ready to share peace, reconciliation and respect among all our citizens. The success of this mission in this small corner of the universe will reflect the kind of new world order that we can create».
(Les efforts individuels de tous les citoyens du monde qui se consacrent à la démocratie partagent la responsabilité du grand espoir pour l'avenir que cette journée symbolise. En faisant le voyage en Haïti pour me retourner à la maison, vous avez démontré que votre voyage avec le peuple haïtien

continue. Vos paroles, votre énergie, votre enthousiasme, votre courage sont récompensés par cet important premier pas vers une paix durable. Avec vous, encore et toujours, nous continuerons à répéter: Non à la violence! Non à la vengeance! Oui à la réconciliation!

Aujourd'hui, nous sommes embarqué pour un nouveau départ, prêt à partager la paix, la réconciliation et le respect avec tous nos citoyens. Le succès de cette mission dans ce petit coin de l'univers traduira le type du nouvel ordre mondial que nous pouvons créer. (Traduction de l'auteur).

...

Hoy, con le día y la noche reconciliados, se abre un nuevo futuro para nosotros. Planteamos juntos - mujeres y hombres, pobres y ricos, militares y civiles, ninos y ancianos - un bosque de tolerancia y de justicia, y contruyamos puentes entrelasados de amor y solidaridad.

(Aujourd'hui, avec le jour et la nuit réconciliés, s'ouvre à nous un nouvel avenir. Nous instaurons ensemble - femmes et hommes, pauvres et riches, militaires et civiles, enfants mineurs et adultes- une ère de tolérance et de justice, et nous tissons des liens entrelacés d'amour et de solidarité. (Traduction de l'auteur) (*Haïti en Marche* du mercredi 19 octobre 1994, p. 16).

Le langage enflammé, exclusif de 1991 avait disparu et fait place à un discours modéré, rassembleur. Le président restauré se révélait un nouvel homme politique. Les slogans «Oui à la réconciliation, non à la vengeance» étaient martelés dans plusieurs langues pour que le changement de la ligne d'action fût bien perçu par tous les Haïtiens et aussi par les Etrangers qui s'intéressaient au dossier haïtien. D'ailleurs, le président Aristide jugea nécessaire et utile de marquer des poses pour demander à la multitude de répéter en créole ces mots magiques. Ce que cette dernière fit de bonne grâce.

M. Aristide a prôné la sécurité pour tous, sécurité matin, midi et soir, «sécurité à gogo». «Plus une goutte de sang ne doit couler sur la terre d'Haïti», clama-t-il. Alors, tout le monde en était fasciné. Vraiment, l'homme semblait avoir changé, à la satisfaction de tous. *Haïti Observateur*, un hebdomadaire pourtant très critique à l'endroit du président Aristide exprima, de façon non équivoque, cet état d'âme dans son éditorial. Sous le titre «Enfin la réconciliation!», ce journal fit, à l'époque, les remarques pertinentes suivantes:

> «Nous sommes soulagés de constater qu'à son arrivée à Port-au-Prince, samedi dernier (15 octobre), le président Aristide, restauré dans ses fonctions, a répété plus d'une fois le mot magique - «la réconciliation» - et s'est dit opposé à «la vengeance».
>
> Nous applaudissons le prêtre-président aussi bien que les évêques d'Haïti qui se retrouvent désormais sur la même longueur d'ondes - celle de la réconciliation.
>
> Nous espérons que le président Aristide pourra convaincre ses partisans des avantages d'une société de droit, qui fonctionne sous l'égide des lois, au lieu d'un pays livré à la loi de la jungle. Nous voudrions croire que les récentes scènes de violence qui nous arrivent sur le petit écran ne soient que des spasmes d'un reptile mourant ou d'un serpent venimeux prêt à semer la pagaille de la mort.
>
> Nous osons croire que le président Aristide réussira cette fois. Toutefois, le paysan en nous nous fait penser à la

sagesse de nos humbles frères et soeurs qui utilisent leurs savoureux proverbes créoles pour dire de grandes vérités: «Amener la couleuvre à l'école est chose facile, mais la faire asseoir est une autre histoire».
Que le président Aristide qui comprend bien la psychologie des couleuvres démontre son aptitude à les discipliner». (*Haïti Observateur* du 19 au 26 octobre 1994, p. 14)

Toutefois, dans cette ambiance d'excès de confiance, un fait survenu le lendemain même méritait d'attirer l'attention. Dans la soirée du 16 octobre, le bruit circula que le nouveau commandant de l'armée, le général Jean-Claude Duperval, avait entrepris de réaliser un coup d'Etat contre le pouvoir. Mobilisés par des cerveaux inconnus, des groupes de partisans, déjà surchauffés à blanc par la joie que leur procurait le retour de leur leader, gagnèrent la rue, menaçants. Attila était aux portes de la ville. Tout pouvait arriver.

Heureusement, un communiqué du Grand Quartier-Général des FAD'H et l'intervention des forces d'Occupation avaient vite fait de calmer les esprits. Pourtant au cours de la nuit, concrétisant un mot d'ordre reçu, les postes et avant-postes militaires à travers le pays furent détruits, incendiés ou pillés. Aux Gonaïves, plusieurs maisons d'anciens partisans du régime putschiste, furent mises à sac, parmi lesquelles celle de la mère du général Duperval, le prétendu comploteur. A travers cet événement insolite, l'esprit averti pouvait lire en filigrane le message d'un avenir sombre pour le pays, car, comme l'avait signalé l'éditorial de *Haïti Observateur*, l'action des partisans zélés du Président démentait le discours de réconciliation tenu la veille.

Pourtant la présence des militaires étrangers en Haïti devait, en principe, prévenir la répétition de telles bavures. En effet, les troupes de la *Force Multinationale* de débarquement étaient restées sur place et devaient y demeurer pendant un certain temps en vue d'instaurer dans le pays «un environnement sûr et stable» avant d'être remplacées par une autre composante des *Nations Unies* qui aurait, elle, la mission de maintenir ce climat sécurisant. La présence des militaires américains sur le terrain, garantissant la paix des rues et des familles, apportait un certain apaisement mental dans les foyers. Leur rôle sur place, connu de tous, celui de permettre aux vainqueurs et vaincus, à la classe politique, de pouvoir vaquer librement et en toute sécurité à leurs activités quotidiennes, calmait les esprits.

Sur ce dernier volet, les hommes politiques se sentaient sécurisés au point que de nouveaux partis politiques n'allaient pas tarder à naître. Le FULNH de Raphaël Bazin, le MIN de Mireille Durocher Bertin, et le CRI de Paul Arcelin annonçaient leur entrée dans l'arène politique en vue de participer à la lutte démocratique. C'est d'ailleurs dans ce contexte qu'en novembre 1994, un groupe de citoyens jeta les bases du Parti CREDDO dont nous sommes le leader. Le président Aristide lui-même n'avait-il pas souhaité, dans son message, voir «les partis politiques se développer, se multiplier et travailler en toute liberté»? Tous les citoyens du pays étaient donc bien décidés à accepter les règles du jeu démocratique et à s'y conformer.

Malheureusement, l'ambiance de fête et de réconciliation

s'estompa bien vite. En janvier 1995, le président Aristide concrétisa son premier acte de vengeance en annonçant au cours d'une conférence de presse le démantèlement des *Forces Armées d'Haïti*. Ce choix politique délibéré devait être le premier d'une série d'autres options qui se révéleront très vite néfastes pour le futur de la jeune démocratie haïtienne et auront une incidence certaine et négative sur le problème qui nous concerne dans ce livre: le phénomène de l'insécurité en Haïti.

CHAPITRE II

LES CHOIX POLITIQUES NÉFASTES

Dans un article publié à l'aube de l'année 1995, le journaliste Pierre-Raymond Dumas se demandait comment demain serait fait si certaines voies n'étaient choisies par le pouvoir et la société civile pour prévenir et combattre le climat d'insécurité qui menaçait de s'étendre dans tout le pays. Lisez plutôt:

> «Devant notre communauté au bord de ce vide policier, écrit-il, devant cette armée en charpie, un mot vient à l'esprit, obsédant - et sur toutes les lèvres - qu'il faut utiliser avec parcimonie: insécurité. Il devient, peu à peu, à l'instar de la vie chère, le thème obligé de tout discours politique aussi bien dans le camp Lavalas que dans l'opposition...
> Le retour au pouvoir du président Aristide semble avoir mis une fin - une sourdine ? - à l'agitation permanente, aux actes de dechoukaj. Fini, pour le moment, le dechoukaj tout feu, tout flamme. Place au consensus, à la réconciliation

nationale, au pluralisme, à la tolérance, au respect du droit de vote. Tous les discours témoignent de ce grand retournement sociétal. L'avenir, dans ces conditions? On peut déjà discerner ses traits. L'apaisement en sera l'axe, le thème majeur. Famille, vie urbaine, décentralisation, gestion du loisir, relations politiques, travail, Etat: il s'agirait de bâtir (maintenant?) ce qui est attendu par tous, de reconstruire ce qui est ruine...
Ce ne sont pas des peurs et des silences qui s'annoncent, mais des «volontés». Il s'agira d'accoucher des policiers professionnels... Une police digne de ce nom est nécessaire pour contrôler les ravages de la drogue, les actes de banditisme, assurer le maintien de la paix publique...» (*Insécurité: et demain?*, *Le Nouvelliste* du 30 décembre 1994 au 2 janvier 2000, p. 22).

Les intellectuels haïtiens semblaient donc bien percevoir la voie à prendre pour arrêter la marche de cette insécurité galopante qui gagnait chaque jour plus de terrain: Consensus, réconciliation, pluralisme, tolérance, respect du droit de vote. Les choix politiques à faire par l'équipe dirigeante demeuraient un facteur déterminant pour la réussite ou l'échec de tout programme de relèvement économique et social. Tout régime démocratique, inévitablement, repose sur la compétition électorale honnête, l'indépendance de la justice, le pluralisme politique, une opposition parlementaire (majoritaire ou minoritaire), une presse libre, sans entraves, une force publique non politisée, le respect de la liberté individuelle, la tolérance, le libre fonctionnement des institutions nationales.

Cependant, dès le mois de janvier 1995, les hommes au

pouvoir manifestaient clairement la tendance à adopter une ligne politique ne cadrant nullement avec ces prémisses. L'expression de cette volonté, débutant avec la décision méditée d'abolir l'armée en tant qu'institution nationale, était également caractérisée par l'application d'une politique d'intolérance envers les partenaires politiques, la politisation et le contrôle des structures judiciaires et policières existantes et l'appropriation indécente de l'institution électorale au profit exclusif du parti au pouvoir. Autant d'options qui ne pouvaient qu'influencer négativement la situation de sécurité du pays.

A.- L'abolition des FAD'H

Bien avant son retour au pouvoir, le président Jean-Bertrand Aristide avait signalé dans ses écrits la politique qu'il comptait appliquer à l'endroit des forces armées haïtiennes, une fois rétabli dans ses fonctions de président de la République. Il écrivit ceci en 1993:

> «Il est aussi nécessaire que nous reconstruisions l'armée et la police : une tâche d'autant plus exaltante qu'elle permettra de vaincre le divorce entre elles et le peuple. Les chefs dirigeants qui sont coupables de crimes contre l'humanité doivent être traduits en justice. Un grand nombre de soldats qui ont été abusés et ensorcelés sont paniqués par crainte de perdre leur emploi ou par crainte de la désintégration de leur institution. D'autres ont eu peur ou n'avaient d'autres choix que d'obéir. Quelques-uns ont déserté et des officiers ont été déplacés ou renvoyés par l'Etat-Major Général.
>
> Le peuple a toujours été victime de l'armée. Au nom de l'amour, parce que j'ai eu foi dans la cause de la non-

violence pendant vingt années, je me suis opposé à la loi de la vengeance. J'ai agi et j'agirai pour créer une commission d'enquête pour restaurer et purifier l'armée; **la commission fixera les responsabilités sans avoir à juger l'armée de façon collective**. Les victimes me connaissent. Nous devons créer les moyens de ce changement: Ceux qui conduisent les tanks et ceux qui ont l'estomac vide et qui crient leur besoin de dignité doivent savoir qu'ils font partie d'une même famille...» *(Aristide, an Autobiography*, p. 163). (Traduction du texte anglais par l'auteur.)

A son retour au pays en 1994, le président Aristide n'avait pas manqué, une fois de plus, de mettre les militaires en confiance. Dans son message historique, il s'adressa à eux en ces termes :

«Ofisye, souzofisye, solda, mwen vin pote kè poze pou nou. Men nan men avè n, ansanm n ap rebati peyi nou an, nan bon jan relonsilyasyon. Lemond antye ap swiv Ayiti pazapa. Pami pèp ki chanpyon nan fè sa ki bon, nou se yon pèp echatiyon. **Vyolans pa. Vanjans pa. Rekonsilyasyon, wi.**»

(Officiers, sous-officiers, soldats, je viens vous apporter la tranquillité d'esprit. Avec vous, la main dans la main, ensembles, nous rebâtirons notre pays, dans la réconciliation. Le monde entier suit de très près Haïti. Parmi les peuples champions dans la réalisation de bonnes choses, nous sommes un échantillon. **Violence, non! Vengeance, non! Réconciliation, oui!**) (Traduction de l'auteur) (Haïti en Marche du 19 octobre 1994, p. 20).

Cette ligne de pensée a été confirmée de nouveau à une conférence de presse donnée au Palais National, le 19 octobre

1994. *Le Nouvelliste* avait relaté les propos du président en ces termes:

> «Je suis le président de ceux qui ont lutté pour mon retour et de ceux qui ne voulaient pas de retour», déclara le chef de l'Etat qui a profité de cette rencontre avec la presse «pour plaider à plusieurs reprises, pour la réconciliation entre tous les Haïtiens et la création d'une opposition légale, tout en affirmant que **la professionnalisation des Forces Armées d'Haïti et la séparation de la police et de l'armée restent les priorités de son programme en 11 points**.» (*Le Nouvelliste* du 20 octobre 1994, p. 1.)

Pourtant, contrairement à ces multiples affirmations, au cours du mois de janvier 1995, assimilant l'institution militaire aux hommes qui la servent, le président Aristide annonça sa décision de démanteler les *Forces Armées d'Haïti.* Cette disposition, un véritable défi à la Constitution et aux lois en vigueur, fut relayée comme s'il s'agissait d'un fait banal par le ministre de la Défense du gouvernement, le général Wilthan Lhérisson : «L'armée n'existe plus», laissa-t-il tomber laconiquement, faisant chorus avec le chef de l'Etat. En effet, cette disposition gouvernementale, aussi importante qu'elle puisse paraître, n'était consacrée par aucun document officiel.

Cette décision devait induire des conséquences néfastes sur le plan de la sécurité du pays tout entier. Pourquoi?

En fait, les FAD'H accomplissaient un très large éventail de tâches. C'est d'ailleurs le caractère généraliste de sa mission qui, à ce tournant de la vie nationale, a mis en péril sa survie et servi également de prétexte pour imputer à l'institution militaire haïtienne tous les maux du pays.

La mission constitutionnelle et légale de l'armée haïtienne comprenait la protection terrestre, maritime et aérienne du pays, la protection des familles, des places publiques, des magasins, des entreprises industrielles, la défense des installations stratégiques (barrage de Péligre, sites de télécommunications, aéroports...), la police des campagnes et des villes, la garde des frontières, etc. En outre, à cette armée de 7,000 hommes pour une population de sept millions d'âmes incombait également la tâche de lutter contre les narcotrafiquants, de terrasser les contrebandiers, de contrôler la bon fonctionnement des aides à la navigation dans les ports de la République, d'assurer la communication électronique à travers le pays; autant de tâches qui ne pouvaient souffrir de solution de continuité.

Pourtant, aucune considération n'était faite du danger que devait représenter pour la sécurité générale cette rupture brutale dans les us et coutumes du pays, ni du vide béant qu'allait créer l'absence d'une armée dans un pays comme Haïti, un pays porté sur les fonts baptismaux par des militaires. La situation dè vide total ayant perduré, elle eut un impact négatif sur la sécurité de la population. Certains se demandent même si cet acte n'était pas posé de façon délibérée!

Par ailleurs, au caractère brusque de la décision, il faut aussi ajouter le fait que les archives de l'armée ont été emportées aux U.S.A. après l'invasion de 1994 et se trouvent encore hors de portée des responsables de la sécurité nationale. Avec cette perte incommensurable, les nouvelles forces de sécurité sont privées, au départ, d'un instrument de taille qui aurait pu aider énormément les enquêteurs dans leur travail de recherche des auteurs des crimes et délits.

Outre le transfert de cette portion non négligeable de la mémoire de la nation, tous les dossiers concernant la sécurité territoriale, tant du point de vue stratégique, politique que délictuel, avaient également disparu. Les plans de défense ou de protection du pays, l'inventaire des sites importants à protéger, les dossiers des criminels et terroristes dangereux, les archives cryptographiques couvrant quatre-vingts années de patientes compilations, tout cela s'était volatilisé ou n'était plus disponible. Les nouvelles forces de sécurité étaient obligées de recommencer, de tout reconstituer, de repartir à zéro.

Au point de vue de la sécurité des villes et des campagnes, le très long moment de flottement et l'absence de ces documents de référence de base ont été donc fatals. Les délinquants ont eu le temps de proliférer. Les entreprises commerciales et industrielles, aux abois, sont obligées d'organiser leur propre système de surveillance ou d'engager une compagnie de sécurité à cette fin. Certaines maisons privées et établissements scolaires, également, ont dû alourdir leur budget d'une rubrique pour leur protection, autant de facteurs qui augmentent substantiellement le coût de la vie.

Un nouveau phénomène vit alors le jour en Haïti, une nouvelle classe d'hommes d'affaires émerge. C'est la montée en puissance de nouveaux acteurs institutionnels : les marchands de sécurité, compagnies ou agences, prolifèrent. Aucune entreprise commerciale privée ne prend le risque de fonctionner sans un agent de sécurité à sa porte. Les responsables de l'Etat, à quelque niveau de l'administration publique qu'ils se trouvent, sont tous, de nos jours, toujours flanqués de gardes du corps, fait rarement perceptible autrefois. Tout le monde se sent contraint de combler tant soit peu le grand vide créé par l'absence de l'institution militaire.

Quant à la campagne, elle est abandonnée à elle-même. L'absence de toute structure pour assurer la police des cultures et de la vie rurale laisse les paysans sans secours. Les récoltes, le bétail, les poulaillers, les droits d'arrosage ne sont plus protégés contre l'action des bandits, des délinquants ou des profiteurs. C'est la loi de la jungle où chacun doit se débrouiller pour vivre et ne pas se laisser dévorer par les autres. Souvent, le paysan est forcé de se faire justice lui-même.

Certes, beaucoup d'abus se commettaient autrefois dans la campagne. Le chef de section qui avait la charge de la police rurale se conduisait comme un véritable potentat. La section communale étant dépourvue de tribunal, il était le seul juge des litiges entre les paysans en cas de destruction de récoltes par le bétail, de vols d'animaux, de voies de faits, de conflits dans la répartition des heures d'arrosage, etc., et ses décisions étaient sans appel. Inutile de dire qu'un tel système aboutissait à des prébendes et à des abus, et méritait d'être redressé. Toutefois, un pouvoir politique responsable ne pouvait-il pas apporter les corrections nécessaires sans créer ce vacuum dangereux pour la sécurité des paysans? D'ailleurs, de nos jours, la section communale étant toujours dépourvue de protection policière, ceux qui, sans aucun mandat légal, tentent de combler le vide, étant des membres d'une chapelle politique, affichent souvent le même comportement répréhensible vis-à-vis du paysan que les anciens chefs de section.

En règle générale, la position hégémonique de l'armée d'Haïti sur la société constituait donc la cause fondamentale de la perpétration de nombre d'abus reprochés aux membres de l'institution militaire. Le fait était connu, et, tant du point de vue national qu'international, tout le monde souhaitait la formation en Haïti d'un corps de police séparé de l'armée. Se référer donc aux problèmes existant à l'époque pour ordonner le démantèlement d'une institution gardienne du Drapeau National est une idée simplement aberrante qui ne pouvait déboucher que sur l'insécurité généralisée.

D'autre part, il n'est pas possible de concevoir la construction d'un Etat de droit en Haïti en dehors du respect de la Constitution, une Constitution mise en vigueur à la suite d'un referendum populaire qui l'a consacrée à plus de 90% des suffrages exprimés au cours d'un scrutin où le taux de participation dépassait 80%. Or, cette Constitution prescrit l'existence d'une force militaire.

Au lieu de démanteler l'institution militaire, il fallait, à notre avis, en même temps que se jetaient les bases de la nouvelle force de police, entreprendre fermement, avec l'aide des forces étrangères sur place, l'épuration de l'armée tout en la confinant dans son rôle constitutionnel. A propos, lisez cette opinion, publiée en 1994 dans un journal pro-Aristide, concernant la ligne que le président Aristide s'était engagé d'adopter :

«La loi de séparation de la Police et de l'Armée, de création constitutionnelle, a été prévue en juillet dernier dans les accords de l'Ile des Gouverneurs et dans le Pacte de New York, conformément aux voeux de la Constitution de 1987. **Le tout a été signé et approuvé par les protagonistes de la crise haïtienne**. Toutes les institutions haïtiennes doivent prêter main forte pour l'exécution de ce principe constitutionnel. A cette fin, un projet de loi a été soumis à l'examen et au vote du Parlement haïtien. **Personne ne peut se soustraire au respect dû au prescrit de la Constitution ni y déroger, de quelque autorité qu'il puisse disposer**. C'est une règle et une exigence constitutionnelle. Force doit rester à la Constitution.» (*16 Décembre Magazine*, février 1994, p. 3).

Nous partageons cette opinion. Comme l'éminent géographe Georges Anglade, nous disons: «Vraiment nos institutions exécutives sont à repenser entre présidence et armée, gouvernement et police. De toute urgence». (*Cartes sur Table,* Tome I, p. 18).

C'est le mot de la raison. Car si, comme on a voulu le faire accroire, les abus commis par des membres de l'armée étaient dûs au caractère nocif de l'institution elle-même, ces méfaits auraient disparu au sein de la force publique nationale après l'abolition de l'armée. Au constat de la persistance de ces écarts après le remplacement des FAD'H par la PNH, on doit se rendre à l'évidence que le mal se trouvait autre part et non dans la nature de l'institution militaire.

B.- La politique d'intolérance

A l'annonce du démantèlement des FAD'H, les

observateurs comprirent ipso facto que le discours d'apaisement délivré le 15 octobre 1994, n'était qu'un leurre. Deux mois après la décision d'abolir l'armée, l'intolérance allait de nouveau se manifester de façon brutale par l'assassinat, en plein jour, de l'avocate Mireille Durocher Bertin, une figure remarquable de l'opposition au gouvernement Aristide.

Deux jours après la perpétration de ce crime odieux qualifié de politique par l'opinion tant nationale qu'internationale, le même discours de réconciliation, agrémenté d'un engagement pour la tenue d'élections libres et honnêtes, était pourtant renouvelé par le président Aristide à l'occasion de la visite historique en Haïti du président des Etats-Unis, Bill Clinton. Compte tenu de ce qui venait juste de se produire à la capitale, ce discours devrait être perçu comme un nouvel engagement personnel du chef de l'Etat haïtien vis-à-vis du leader du pays le plus puissant de la planète de s'engager dans la voie de la réconciliation. En voici un fragment:

> «Tous les hommes naissent égaux, leur créateur les a dotés de certains droits inaliénables dont le droit à la vie, à la liberté et à la quête du bonheur. Pour partager ce bonheur autour de la table démocratique, du 15 octobre à nos jours, le soleil de la réconciliation brille et brillera toujours.
> La réconciliation est et demeure le pivot autour duquel gravitent justice, paix, respect, dignité humaine et progrès économique. Dans cette optique, nous marchons résolument vers l'organisation des élections libres, honnêtes et démocratiques. Si la démocratie était un fleuve, le principe "one man, one vote" en serait le pont.» (*Le Nouvelliste* du 3

avril 1995, p. 14).

Double engagement donc : réconciliation nationale, élections crédibles et ouvertes à tous, sans distinction. Cependant, à l'occasion des élections programmées de cette année-là, l'esprit d'intolérance du gouvernement allait se manifester de façon encore plus marquée. Il se révéla à nu à l'occasion de la formation du Conseil Electoral Provisoire qui allait être investi de la mission d'organiser ce scrutin. Ce Conseil provisoire, à défaut d'être conforme aux prescriptions de la Constitution, aurait pu être le produit d'un consensus et revêtir ainsi un caractère démocratique. Au contraire. Le gouvernement n'a tenu aucun compte des suggestions formulées par les partis politiques de l'opposition qui ont tous été écartés de «la table démocratique».

Outre cette intention manifeste d'exclure les autres du processus électoral, des actions ont été déclenchées contre certains leaders politiques sous couvert d'accusations fausses et fantaisistes, comme nous le verrons au chapitre IV. La rubrique «complot contre la sûreté intérieure de l'Etat» était de nouveau utilisée à tort et à travers pour réduire au silence les adversaires politiques ou les forcer à l'exil.

Après le transfert du pouvoir le 7 février 1996, la même politique d'intolérance fut adoptée par M. René Préval, élu, avec un faible taux de participation populaire, à la présidence de la République. Le slogan "makout pa ladan"refit surface. Etait mise à l'index toute personne manifestant une confession politique différente de celle prônée par le pouvoir en place. De farouches opposants au régime des Duvalier, tel le pasteur

Antoine Leroy, étaient considérés comme des "macoutes". Même les partisans ou alliés d'hier qui se sont démarqués du régime en place n'étaient pas épargnés. L'exemple le plus éloquent concerne M. Léon Jeune, ancien ministre et prétendant prématurément désigné, en 1995, pour succéder à M. Aristide à la présidence de la République. Un commando armé allait débarquer chez lui et procéder à son arrestation.

Les protestations soulevées à l'occasion des élections du 6 avril 1997 vinrent à nouveau confirmer le fait que le gouvernement n'avait pas dévié d'un iota de la ligne d'intolérance qu'il s'était tracée. Cette intolérance mêlée d'intransigeance de la part des autorités gouvernementales fut à la base du rejet des résultats de ce scrutin par la classe politique qui accusa le pouvoir en place de vouloir tout accaparer, en écartant même les anciens alliés lavalassiens d'hier. Cette situation créa une impasse qui perdurera jusqu'à la fin du mandat des députés et des deux tiers des sénateurs, en janvier 1999, culminant en une crise institutionnelle grave.

En février 1997, A l'expiration de la période de dix ans prévue par la Constitution pour la mise à l'écart des affaires publiques des anciens partisans du régime des Duvalier, le chef de l'Etat, président de tous les Haïtiens, n'a prononcé aucun discours invitant démocratiquement ceux visés par cette disposition constitutionnelle, enfin réhabilités, à venir participer, en tant que citoyens à part entière, à la construction de l'Etat. Au contraire, tous les partis politiques ayant été sollicités indistinctement à participer à des ateliers de travail sponsorisés par l'Institut Républicain International (IRI) en

1998, cette initiative fut publiquement prise à partie par le chef de l'Etat, M. René Préval, au cours d'un discours officiel prononcé le Jour du Drapeau à l'Arcahaie.

Dénonçant la présence de certaines formations politiques de tendance duvaliériste à ces réunions démocratiques, le chef de l'Etat qualifia l'initiative des partis politiques de se réunir en une Conférence de coup d'Etat idéologique contre le pouvoir. Il n'était donc pas permis à une idéologie différente de celle du pouvoir en place de faire surface. Le principe même du pluralisme idéologique était officiellement condamné par la plus haute autorité politique du pays.

Face à cette manifestation publique d'intolérance, la *Conférence Haïtienne des Partis Politiques* (CHPP), formée à la suite de ces réunions de travail par 26 partis politiques de tendances diverses, s'est dissoute de fait.

Quelques mois plus tard, l'IRI sera même forcé de discontinuer son programme en Haïti.

Donc, selon l'optique de l'équipe au pouvoir, il ne peut être question de partage du pouvoir ni d'alternance démocratique. Donc pas de bonnes consultations populaires. Le principe admis, c'est l'existence d'un seul catéchisme: le credo Lavalas. En dehors de cette confession, tous les opposants sont menacés ou en état de danger grave.

Au fil du temps, loin de s'améliorer, cette attitude d'intolérance, génératrice d'insécurité et d'instabilité, s'est plutôt radicalisée. Elle est même plus accentuée de nos jours où elle épouse un nouveau style : l'expression de la violence politique entretenue par les organisations populaires (OP) pour faire admettre les points de vue du pouvoir.

Dans ce contexte, naît un phénomène nouveau, inédit, macabre baptisé par la malice populaire de "chimère", en référence à ce «monstre fabuleux de la mythologie à tête et poitrail de lion, ventre de chèvre, queue de dragon, qui crache des flammes» (*Petit Robert*).

Les "chimères", nouvelle race d'anarchistes, de casseurs à la solde de l'autorité légale, sont utilisés comme boucliers ou fantassins pour intimider les citoyens, semer la terreur au sein de la population lorsqu'il s'agit d'imposer à la nation une idée ou un projet politique. De nos jours, il est courant d'assister à des menaces musclées ou à des agressions contre des dirigeants, à des incendies de biens privés, des bris de voitures de particuliers, des destructions du petit commerce de marchandes de rues, des agressions et crimes contre des citoyens, des interventions intempestives dans des bureaux publics et même des tribunaux, etc. En toute impunité!

Parfois, même les biens de l'Etat ne sont pas épargnés : incendies ou sacs de commissariats de police, de véhicules, de bureaux ou de matériels électoraux. Un officier de police de la ville de Mirebalais a succombé au supplice du collier (pèlebren), en 1999. Un autre a failli y laisser sa peau de la même manière en pleine capitale, en l'an 2000. Si, dans le passé, les "macoutes" avaient des chefs à qui, parfois, on pouvait se plaindre pour obtenir gain de cause, personne ne sait où et à qui s'adresser quand on est victime des actes néfastes posés par ces "chimères".

Dans un texte daté du 26 septembre 2000, M. Jean-Claude

Bajeux, un ancien ministre de la Culture du gouvernement de M. Aristide, met à nu la gravité de cette situation :

> «...La mort subite est devenue, en effet, ces dernières années, un fait divers quotidien, à tel point que les agences de voyage se font un devoir d'en avertir les clients qui demandent un ticket pour Haïti. Dans son dernier livre, paru le mois dernier, Michel Hector conclut que la période qui a suivi le départ des Duvalier a été et est la plus sanglante de toute notre histoire.
>
> Le discours de violence est toujours présent sur les ondes de nos stations de radio. Il contamine toutes sortes de revendications. «Si la rue n'est pas blanche demain matin, elle deviendra toute rouge», a-t-on entendu dire. Même les déclarations concernant «la paix» sont formulées dans un contexte qui les rend menaçants et qui fait peur. Un leader d'une organisation dite populaire, a parlé d'éliminer toute opposition pour les cinq années qui viennent et a même énuméré les leaders qui devaient être la cible de cette «élimination». Que contiennent exactement les euphémismes: «neutraliser», «éliminer», «supprimer»,, «écarter», «mettre de côté», et en créole, «démanteler»?
>
> Ce type de discours est d'autant plus inquiétant qu'il n'est suivi d'aucun effort, de la part des parrains politiques de ces militants, de corriger ces écarts et de profiter de l'occasion pour exercer une action «pédagogique» (*Pour qui sont ces serpents...?, Le Nouvelliste* du 3 octobre 2000, p. 15.)

Ce texte montre bien, s'il en était encore besoin, l'importance et le rôle de ces "chimères" dans ce régime d'intolérance et le laxisme des autorités légales. Il met clairement en lumière la négation pure et simple par le pouvoir en place, du pluralisme idéologique, du multipartisme et du principe de l'alternance démocratique. Qui pis est, cette politique d'intolérance est appuyée, cela va de soi, par les structures judiciaires (police, tribunaux et prisons) utilisées comme une épée de Damoclès suspendue sur la tête des citoyens qui nourrissent des idées contraires à celles véhiculées par le pouvoir.

C.- Le contrôle des structures judiciaires

Un autre facteur favorisant la criminalité en Haïti est le contrôle exercé par l'Exécutif sur les structures judiciaires : police, parquets, tribunaux, prisons. Au rétablissement du gouvernement légitime en octobre 1994, a été initiée, avec l'aide de la communauté internationale, une réforme des structures judiciaires nationales. La tâche à abattre s'avérait ardue, immense, exaltante. Mais, loin de se colleter en toute objectivité et impartialité à cette oeuvre de restructuration, le pouvoir restauré choisit, de préférence, de mettre les structures judiciaires au service de ses intérêts propres jugés mesquins par certains.

1- Le contrôle de la Justice

Depuis 1994, la volonté du pouvoir exécutif de contrôler à des fins politiques les structures judiciaires est manifeste. Jusqu'en l'année 2000, des prévenus, bénéficiaires de non-lieu du juge d'instruction ou même libérés suite à des jugements en cour d'assises avec assistance de jury, se trouvaient en prison sur ordre de l'Exécutif qui n'approuvait pas ces décisions de la justice. Le cas de M. Bob Lecorps qui, après avoir été déclaré non coupable par le Jury et libéré par le Tribunal en juin 1996, a été de nouveau incarcéré sur ordre personnel du président de la République, M. René Préval, illustre éloquemment le caractère scandaleux de tel comportement de la part du pouvoir. Après le prononcé du verdict d'acquittement, le président de la République avait déclaré à la presse ne pas approuver la décision du Jury d'innocenter l'accusé. M. Lecorps n'a pu recouvrer la liberté que quatre années plus tard, en janvier 2000, toujours sur simple décision du pouvoir exécutif.

Souvent les enquêtes judiciaires sont bloquées, traînent en longueur ou ne sont pas entreprises du tout. Il arrive fréquemment que des délinquants appréhendés soient relaxés sans une explication à l'opinion. Parfois des suspects sont identifiés au sein même des structures du pouvoir et ne sont nullement inquiétés.

Le contrôle de l'Exécutif sur l'appareil judiciaire peut s'exercer à plusieurs niveaux:

- D'abord, au niveau du commissaire du gouvernement. A travers cette instance, le pouvoir exerce une mainmise absolue sur la liberté du citoyen qui peut être arrêté à n'importe quel moment et maintenu en prison préventive, sous couleur légale, en utilisant n'importe quel prétexte. Par cette structure institutionnelle également, l'Exécutif arrive à garder en prison des citoyens bénéficiaires de non-lieu du juge d'instruction ou même ceux déclarés innocents par les tribunaux.

- Puis, au niveau des juges d'instruction. Par l'entremise de ces derniers, l'Exécutif peut faire traîner en longueur les enquêtes de l'instruction préliminaire. Pendant le temps que dure cette enquête judiciaire, le citoyen sera privé de sa liberté, parfois pendant 2, 3 ou même 4 ans, sans que jamais son dossier ne soit déclaré prêt pour le jugement au tribunal.
- Ensuite, au niveau des juges. Plus de 10 ans après la promulgation de la Constitution, les structures permettant de les choisir légalement n'ont pas été mises en place. Alors, utilisant à plein son pouvoir de facto de nommer et de révoquer les juges à volonté, l'Exécutif en profite pour les vassaliser.
- Enfin, au niveau du Pénitencier National. Cette structure, sous la dictée de l'Exécutif, garde en détention de nombreux citoyens qui n'ont jamais été présentés devant un juge, voire condamnés par un tribunal.

Cette situation pour le moins préoccupante est bien mise en évidence dans un rapport daté de février 1999 du Département d'Etat américain sur les Droits de l'Homme en Haïti par l'affirmation suivante:

> «Il était connu de tous que les autorités (haïtiennes) utilisaient le système criminel de justice pour exercer des représailles contre les personnes politiquement indésirables, et détenaient de telles personnes, au mépris des ordonnances émises pour leur mise en liberté. Des personnes détenues de cette manière peuvent également être impliquées dans des conflits privés avec des personnalités politiques influentes. Avant la fin de l'année (1998), la *Mission Civile*

Internationale OEA-ONU (MICIVIH) a dépisté 67 cas dans lesquels aucun jugement n'a été rendu ou bien les personnes apparemment ont été détenues pour des raisons politiques. Au cours de l'année, les autorités n'ont pas exécuté des ordonnances de non-lieu prises par des juges dans au moins sept cas importants et politiquement sensibles (Traduction de l'auteur). (*U.S. Department of State, Haiti Country Report on Human Rights Practices for 1998 Released by the Bureau of Democracy, Human Rights, and Labor*, February 26, 1999).

2 - Le contrôle de la Police

En ce qui concerne l'institution policière, la question de son indépendance et de son caractère apolitique posait, dès sa conception, un problème. Il faut se rappeler que, en 1994, lorsqu'il se fut agi d'organiser la nouvelle force de police haïtienne, les concepteurs avaient eu l'idée de constituer les bases de la nouvelle institution avec des recrues choisies dans les rangs des réfugiés se trouvant derrière les barbelés du camp de réfugiés de Guantanamo, à Cuba. Tout le monde sait que ces réfugiés étaient, pour la plupart, des partisans farouches du président en exil, Jean-Bertrand Aristide, qui s'étaient faits "boat people", aux temps du régime putschiste. Ainsi, à l'origine de la création de la nouvelle police, une institution à vocation apolitique, se trouvaient des activistes et des partisans farouches d'un leader qui nourrissait le projet de revenir au pouvoir en Haïti.

En conséquence, la nouvelle institution de police était très mal partie sur le plan de sa neutralité dans l'accomplissement de sa tâche et quant à son caractère d'institution apolitique. Elle était vouée à devenir une force politique au service d'un homme ou d'un parti politique.

En Haïti, aucune référence politique n'est officiellement réclamée des postulants comme critère de choix pour être admis à faire partie du Corps de Police. Cependant, l'observateur attentif ne saurait manquer de retenir que les agents diplômés de l'Académie de Police en 1995, avaient publiquement promis allégeance au mouvement Lavalas. Il leur était demandé de terminer le prononcé de leur serment par le slogan politique Lavalas : «Yon sèl nou fèb, ansanm nou fò, ansanm ansanm nou se Lavalas».

La nouvelle force publique affirmait donc sans ambages son appartenance à un mouvement politique, avec tout ce que cela comporte de dangers pour l'avenir de la jeune institution.

A suivre le cheminement de la police dans les faits, on constate que les séquelles de ce mauvais départ ont persisté tout au long des années qui ont suivi sa création. Des membres de la police sont accusés d'être trempés dans des activités répréhensibles allant du trafic de la drogue au massacre collectif de citoyens. La nouvelle force publique a trop souvent été impliquée dans des actes illégaux mais officiels, ce qui laisse transpirer la dévotion de beaucoup de ses membres à une chapelle politique.

La politisation de l'institution policière est bien mise en évidence par M. Adama Dieng, Expert Indépendant des

Nations Unies. Suite à une mission effectuée en Haïti du 27 juillet au 8 août 2000, il s'exprimait en ces termes dans un rapport adressé au Secrétariat Général :

> «Un autre exemple qui conforte la tendance à la politisation de la Police, lit-on dans ce rapport, est le cas des incidents survenus à Maïssade, les 11 et 12 juillet 2000, et qui auraient entraîné des arrestations et détentions illégales, des mauvais traitements et des destructions de propriété. Ces faits ont fait l'objet d'une enquête menée par des conseillers de la MICAH (Section des droits de l'homme). Il ressort de leurs investigations que les incidents de Maïssade sont le fait de membres de l'Espace de Concertation et de membres de Fanmi Lavalas. Qu'en outre, ils ont occasionné des blessés et endommagé des maisons. Ils ont constaté que les perquisitions et arrestations opérées sur la base d'informations fournies par des membres de Fanmi Lavalas, se sont effectuées uniquement dans les rangs des membres de l'Espace de Concertation. Aucune perquisition n'a été effectuée chez les membres de Fanmi Lavalas. Des personnes impliquées dans les agressions de l'après-midi du 12 juillet, n'ont été ni interrogées ni arrêtées par la Police». (*Rapport sur la situation des droits de l'homme en Haïti* - Nations Unies - Document A/55/ Section III, 23).

A l'occasion des élections du 21 mai 2000, il a été aussi dénoncé la participation active de la PNH dans des opérations de fraudes électorales au profit d'un parti politique, fait rapporté par d'autres partis politiques, le président du Conseil Electoral Provisoire lui-même et récemment par des commissaires de Police dans la presse dominicaine (*El Siglo*).

Cette implication publique de la force de police dans le processus électoral nous amène à considérer un autre volet de notre étude : le choix fait par le pouvoir de dominer politiquement l'institution électorale nationale.

D.- Le contrôle de l'institution électorale

Le coup d'Etat de septembre 1991 ayant constitué un frein au processus démocratique, il a fallu attendre le retour à l'ordre constitutionnel, en 1994, pour espérer voir se réaliser enfin de bonnes élections en Haïti. Plus que jamais, s'était présenté le moment de faire le bon choix : La création d'une nouvelle institution électorale pouvant assurer une certaine neutralité entre les postulants aux postes électifs du pays.

Mais à quoi avons-nous assisté?

Loin de suivre la voie tracée par la Constitution pour la formation du CEP provisoire, ou, à défaut, de faire appel à tous les partis politiques pour trouver un compromis acceptable à la majorité, une approche arbitraire a été adoptée par le pouvoir Exécutif. Prétendant s'être inspiré des prescrits de la Constitution de 1987 concernant la formation du CEP permanent, le chef de l'Etat procéda de la façon suivante pour le choix des neuf membres dudit Conseil:

- Trois membres ont été, de droit, désignés par le Président de la République.
- Trois membres ont été choisis par la Cour de Cassation dont les juges venaient d'être nommés unilatéralement et

directement par le Président de la République en dehors des contraintes imposées par la Constitution.

- Le Sénat de la République désigna trois membres, parmi lesquels, paradoxalement, figurait un éminent militant Lavalas en l'année 1991.

Il s'ensuit que dans ce CEP nouvelle version créé au début de 1995, sept membres sur neuf appartenaient corps et âme au secteur du pouvoir. Ainsi, au sein de cette entité où les décisions importantes se prennent à partir du vote des membres, le pouvoir avait délibérément choisi de s'approprier une majorité plus que confortable en vue d'assouvir ses fins.

Or, dans tout système démocratique, la tenue d'élections crédibles, honnêtes, libres, sincères constitue un moyen sûr pour garantir la stabilité des institutions de l'Etat. Cette stabilité génère la paix et la sécurité des familles. Quand un régime, dans une ambiance qualifiée de démocratique, s'approprie le contrôle de l'institution électorale, il crée et entretient un climat de tension entre les forces politiques du pays, d'où l'aggravation des conditions de sécurité de la population. En outre, lorsque les institutions politiques manquent de légitimité, le règne de l'arbitraire s'installe avec son cortège de conséquences : tensions sociales, affrontements politiques, corruption administrative, persécutions politiques, discorde, autant de facteurs qui engendrent un environnement malsain propice aux actions malhonnêtes des délinquants en puissance, des bandits et gangsters.

Récapitulons. En ce qui concerne la tenue d'élections dans

le pays, à quoi avons-nous assisté depuis 1995?

Les élections législatives, municipales et territoriales du 25 juin 1995 ont eu lieu sur fond d'exclusion et de manipulations. Elles furent contestées par les partis de l'opposition tant les irrégularités furent nombreuses et criantes. Les élections présidentielles tenues en décembre 1995 ont été boycottées par la majorité des partis politiques, comme conséquence du mépris essuyé dans leurs revendications relatives aux résultats du 25 juin. A cause de ce boycott, seulement 15% de la population avaient pris part au scrutin. Ensuite, furent organisées les élections du 6 avril 1997 pour lesquelles le taux de mobilisation populaire atteignit à peine 5%. En ce qui concernait ce scrutin, le second tour ne devait jamais se tenir, comme exigé par la loi.

Malgré ces résultats décevants, la politique de maintenir le CEP sous contrôle de l'Exécutif n'a pas changé. Cette mainmise sur l'appareil électoral a contribué énormément à augmenter l'insécurité dans le pays. Le professeur Leslie Manigat, parlant, en 1998, de la situation haïtienne, présente la question électorale comme un élément constitutif de ce qu'il appelle "le noeud gordien au niveau conjoncturel":

> «S'y ajoute, écrit-il, sur le plan politique, la crise électorale ouverte depuis les élections frauduleuses de juin 1995, aggravée par celles d'avril 1997 dont les résultats contestés sont restés en suspens sans possibilité d'arriver à un second tour dix-neuf mois plus tard! Ce blocage du système électoral, dans le contexte du boycott des élections par les partis indépendants et d'opposition, se complique d'un

abstentionnisme électoral scandé par une participation populaire de 25% au second tour des élections parlementaires et législatives de 1995, de 15% aux élections présidentielles de décembre 1995 et de moins de 5% aux sénatoriales et locales d'avril 1997. C'est là aussi un élément constitutif du noeud gordien au niveau conjoncturel». (*Les Cahiers du CHUDAC*, No 14-15, octobre-décembre 1998, p. 39).

L'échec des élections du 6 avril principalement a constitué un élément majeur dans l'aggravation de la situation d'instabilité et d'insécurité du pays. En janvier 1999, la majorité des élus au Parlement ayant finalement atteint le terme de leur mandat sans que des élections correctes aient été tenues selon le voeu de la Constitution, le chef de l'Etat allait profiter de cet état de fait pour décider le renvoi du Parlement, plongeant le pays encore plus profondément dans la crise.

C'est dans ce contexte qu'a été annoncée la formation du dernier Conseil électoral pour la tenue de nouvelles élections appelées à combler les fonctions législatives, municipales et territoriales prévues par la Constitution. Cette dernière version du CEP a-t-elle échappé au concept de mainmise de l'Exécutif sur l'institution électorale? Loin de là!

En 1999, dans ce nouveau Conseil provisoire mis en place par le pouvoir, le gouvernement s'est approprié six places et a concédé à un groupe de cinq partis politiques baptisé *Espace de Concertation* la faculté de désigner les trois autres membres. Les autres secteurs de la classe politique furent tenus à l'écart! Au lieu de rechercher un consensus pour monter un Conseil vraiment crédible, le chef de l'Etat s'était donc contenté de l'aval de cinq partis politiques sur plus de 50 évoluant légalement sur l'échiquier politique national. Le chef de l'Exécutif se taillait donc la part du lion dans ce Conseil où les décisions se prennent à la majorité simple.

Rien d'étonnant donc que les élections du 21 mai 2000 aient abouti à un fiasco. Le climat pré-électoral, dominé par un esprit d'intolérance exacerbée, avait été des plus violents. Au cours d'une campagne difficile pour tous les partis politiques, à l'exception d'un seul, plus d'une quinzaine de personnes (candidats, membres et sympathisants de partis politiques) avaient été assassinées, parmi lesquelles Légitime Athis et son épouse pour le MPSN, Ducertain Arnaud pour le PDCH, Branor Sanon pour le PLB, Ferdinand Dorvil pour l'OPL, pour ne citer que ceux-là. Nous pouvons mentionner également la destruction par le feu, en plein jour, du Quartier-Général de *l'Espace de Concertation*, devenu, par suite de divergences majeures avec le pouvoir, l'une des principales formations de l'opposition.

Cependant, en dépit de ce climat de violence entretenu, l'opposition, avait décidé de braver la conjoncture. Elle avait demandé aux citoyens majeurs de se présenter aux urnes pour accomplir leur devoir civique.

Le jour du scrutin, la population en âge de voter fit effectivement le déplacement. L'opposition se frottait les mains de satisfaction, doutant fort que l'inédit allât se produire après la fermeture des bureaux de vote.

Pour la première fois dans l'histoire de la force publique en Haïti, des urnes furent raflées et des procès-verbaux de bureaux de vote falsifiés par des éléments de la police, selon ce que rapportèrent les partis politiques et des journalistes de la presse.

En guise d'illustration du caractère flagrant de cette pratique de domination du CEP par l'Exécutif, le président de l'institution électorale, M. Léon Manus, un octogénaire, dut s'exiler aux Etats-Unis d'Amérique pour «échapper aux pressions» qu'il dit avoir essuyé de la part de l'Exécutif et «aux menaces de mort» dont il était l'objet devant son refus de valider des résultats incorrects et frauduleux.

A la suite de ces élections du 21 mai 2000, l'*Espace de Concertation*, le partenaire privilégié du pouvoir dans la réalisation de ces élections, indigné par le caractère frauduleux du scrutin, exigea la démission de ses trois membres placés au sein du CEP. Deux d'entre eux obtempéraient à l'ordre reçu.

Néanmoins, malgré la dénonciation des nombreuses irrégularités relevées, la démission des deux représentants de l'*Espace de Concertation*, l'exil forcé du président de l'institution électorale, le président René Préval annonça, sans se gêner, la tenue prochaine des élections présidentielles, après avoir procédé unilatéralement au replâtrage du CEP en y nommant trois nouveaux responsables.

Les 9 membres du Conseil électoral, une institution constitutionnellement indépendante, sont donc aujourd'hui nommés par le chef du Pouvoir Exécutif, M. René Préval, et par lui seul. Or, M. Préval n'a jamais caché sa dévotion à une formation politique, en l'occurrence, Fanmi Lavalas, le parti de l'ancien président Jean-Bertrand Aristide, candidat à la présidence aux élections annoncées.

Comme nous l'avons vu dans ce chapitre, les choix faits par l'Exécutif dans la gestion des affaires du pays : esprit de vengeance, intolérance, contrôle des structures judiciaires et policières et appropriation des structures électorales, ne pouvaient qu'engendrer un climat de tension qui a favorisé et favorise encore dans le pays une conjoncture d'intimidations, de menaces, d'attentats meurtriers, de crimes et d'actes de banditisme. Mais à côté de ces raisons, d'autres causes profondes, agissant comme des catalyseurs déclenchant ou stimulant les activités de délinquance, contribuent forcément à l'aggravation du phénomène de l'insécurité en Haïti. Nous nous proposons de les approfondir au prochain chapitre.

CHAPITRE III

LES CATALYSEURS DU CLIMAT D'INSÉCURITÉ

A la fin du 2ème millénaire, cinq années après le retour à l'ordre constitutionnel, l'Haïtien se retrouve en butte à un climat d'insécurité qui lui enlève le sommeil. Paniqués, nos intellectuels et penseurs cherchent en vain les racines, les causes de ce mal si profond. Ils en arrivent même à parler de "terrorisme d'Etat".

Puisque l'Etat détient le monopole des structures légales de répression des crimes et délits, n'est-ce pas à lui qu'il revient, en effet, de résoudre les problèmes de sécurité de la population? Son incapacité sous cet angle ne menace-t-elle pas automatiquement sa légitimité? Les citoyens, de leur côté, n'ont-ils pas le droit d'exiger de l'Etat qu'il leur procure la sécurité leur permettant de vaquer normalement à leurs occupations?

Justement alarmé par le laxisme des autorités face à cette situation plus que troublante, Jean L. Prophète exprime ici l'opinion d'une grande majorité de citoyens:

> «Le climat d'insécurité est donc un fait indéniable. Ni volonté, ni capacité d'y mettre fin. Au contraire, il est maintenu dans l'intérêt de quelque puissance occulte comme une forme à peine subtile de terrorisme d'Etat appelé à intimider, voire à éliminer tout bonnement les insoumis et les rebelles.
>
> Ainsi le phénomène d'insécurité se présente et se définit dans le cas d'Haïti, autant par la nature agressive et meurtrière des actes de brigandage et de terrorisme perpétrés ici et là, par leur multiplication quotidienne, leur fréquence, leur régularité, que par l'impunité dont les coupables semblent être assurés. Et d'autant plus angoissante, l'absence d'institution d'Etat ou de force contraignante gouvernementale efficace susceptible de juguler ces actes et de poursuivre les criminels.» (Jean L. Prophète, *Op. cit.*, pp. 22, 23).

L'écrivain Prophète a, d'un seul coup, identifié les catalyseurs du climat d'insécurité en Haïti : l'incapacité des instances du pouvoir à y mettre fin, l'impunité dont les coupables semblent être assurés, la fréquence des agressions meurtrières non élucidées, enfin l'absence de volonté de contrer le phénomène. Concernant ce dernier point, nous ne manquerons pas d'analyser l'attitude des forces étrangères basées en Haïti durant la période couverte par notre étude pour en dégager leur exceptionnelle responsabilité.

A.- La Faiblesse de la Force publique

Ce point ne saurait être débattu sans considérer une question pertinente : D'où vient ce phénomène d'insécurité qui étrangle de nos jours le peuple haïtien?

A cette question fondamentale, nous mettons volontiers sous les yeux du lecteur quelques idées émises sur le sujet par M. Dominique Joseph dans les colonnes de *Le Nouvelliste* :

> «Depuis plus de deux semaines, écrivit-il en 1996, on enregistre d'une façon accrue des actes de tuerie, de banditisme et d'enlèvement. C'est dans cette atmosphère de peur que se débat la nation avec son cortège de misère, de déception, d'inquiétude, d'angoisse. Ainsi, de la ville à la campagne s'accentue le sentiment de peur qui semble ralentir la vie de tous les jours. Les civils autant que les policiers sont inquiets...
>
> A l'analyse, on pourrait dire que cette situation d'insécurité a des causes structurelles et des causes conjoncturelles. Comme causes structurelles, nous pourrions citer, entre autres, la misère économique, le chômage, la pression démographique, etc. Les causes conjoncturelles se dégagent à travers les actions et décisions politiques inopportunes et des situations exceptionnelles. On peut encore trouver d'autres éléments de justification de l'insécurité qui sévit dans le pays:

1) Nous ne produisons presque pas. Nos ressources sont de plus en plus limitées par rapport au taux de croissance de la population. Cette situation crée inévitablement une lutte pour la vie qui prend une allure d'un sauve-qui-peut pour une catégorie qui est aux abois.

2) Nous constatons avec tristesse **l'effondrement de notre système de défense et de sécurité**, l'effritement de nos valeurs morales et le déséquilibre social et institutionnel. Ce qui donne l'impression qu'aucun principe, aucune loi, aucun ordre hiérarchique ne gouvernent le comportement des individus. Il semble avoir un vide normatif, juridique qui rendrait chacun de nous vulnérable et fragile.

3) Il se pose également la question à savoir si cette insécurité actuelle ne découle pas de la division et de l'insatisfaction enregistrées dans les différents secteurs politiques, division qui provoquerait l'indifférence et offrirait un espace propice à toute mésaventure.» (*L'OCODE et l'insécurité, Le Nouvelliste* des 5 et 6 juin 1996, p. 10).

Du côté du pouvoir, les autorités ne cessent de pointer du doigt les anciens militaires dans tous les cas d'insécurité enregistrés dans le pays. Et, bien que la police, la presse et même les médias d'Etat n'aient jamais fait état d'un seul ancien militaire arrêté ou lynché suite à la perpétration d'actes de banditisme, cette opinion semblait logique à plus d'un puisque le chef de l'Etat lui-même lançait à toute occasion cette accusation, en évoquant le fait que le désarmement n'a pas été complet à l'arrivée de la force multinationale d'occupation en 1994.

Cette façon simpliste et injuste d'approcher le problème ne fait qu'aggraver le phénomène.

Qu'en est-il, en fait, du désarmement des anciens membres de l'armée? Nous savons, selon un rapport de sources autorisées diffusé par l'*Agence France Presse*, que «20,224 armes ont été confisquées par les GIs après le débarquement de septembre 1994, dont 15,985 provenant des stocks de l'armée et 4, 239 récupérées par rachat» (*Le Nouvelliste* du 28 au 29 mars 1995, p. 2). Ce résultat semble appréciable en considérant le corps sous-équipé de 7,000 hommes qu'était l'armée d'Haïti, une institution qui détenait dans ses archives un reçu et un document de référence pour chaque arme ou équipement qu'elle confiait à ses membres.

Toutefois, s'il est fort possible que certains anciens militaires de l'armée détiennent encore des armes à feu, il convient de signaler un état de fait qui a toujours été occulté et qui, présentement, émerge à la surface : des militants Lavalas, des milliers peut-être, possèdent des armes de guerre. A ce sujet, les affirmations de l'ancien député des Cayes, M. Gabriel Fortuné, sont plus qu'édifiantes. Ecoutons les :

> «On a arrêté Paul Denis parce qu'on dit qu'il possède des armes. Mais les armes qui sont entre les mains de Paul Denis, au cas où ce serait la vérité, sont des «armes de la résistance». **Ce sont tous les militants de Lavalas qui détiennent les «armes de la résistance»!** Et ce sont ces «armes de la résistance» qui ont permis à Aristide de revenir au pouvoir! C'est grâce à ces «armes de la résistance» que nous avons détruit Camp-Perrin. C'est à l'aide de ces «armes

> de la résistance» que nous avons fait Fort Platon; c'est à l'aide de ces «armes de la résistance» que nous avons fait Chantal, que nous avons fait Morency. Ce sont ces «armes de la résistance» qui ont détruit l'armée d'Haïti pour pouvoir créer la PNH.
>
> Alors, après l'arrestation de Paul Denis, puisque je sais que tous les citoyens engagés dans le mouvement Lavalas possèdent ces «armes de la résistance», je demande au président Préval de prendre un décret disant qu'il ne reconnaît plus les «armes de la résistance», de façon que tous les militants aillent remettre les «armes de la résistance» à la police.» (Traduction du créole au français par l'auteur) (Emission des nouvelles de la *Radio Vision 2000* du 26 mai 2000)..

Nous savons qu'au chapitre «Des Forces Armées» de la Constitution, l'article 268-1 proclame que «tout citoyen a droit à l'auto-défense armée, dans les limites de son domicile, et au port d'armes avec autorisation du chef de la Police». Mais la Constitution n'accorde nullement au citoyen le droit de détenir des armes de guerre. Elle prescrit, au contraire, en son article 268-3:

> Article 268-3: Les *Forces Armées d'Haïti* ont le monopole de la fabrication, de l'importation, de l'exportation, de l'utilisation et de la détention des armes de guerre et de leurs munitions, ainsi que du matériel de guerre.

Il est clair que depuis un certain temps, les prescriptions de la Constitution sont cavalièrement foulées au pied. Cependant, peut-on, en toute décence et sans exposer le pays aux pires déboires, transférer des prérogatives des *Forces Armées d'Haïti* à des militants de groupements politiques?

Cet ex-parlementaire, lavalassien dissident, fit ces déclarations à l'occasion de l'arrestation de M. Paul Denis, ancien lavalassien lui aussi, candidat malheureux au Sénat de la République aux élections contestées du 21 mai 2000. Ces révélations venant d'une voix crédible, celle d'un ex-parlementaire, on s'imagine alors les dégâts que peuvent causer ces armes enregistrées nulle part et détenues par des personnes qui n'ont, peut-être, pas reçu l'entraînement adéquat pour les maîtriser.

Le côté alarmant de cette situation plus que déroutante, ces affirmations publiques, si graves qu'elles puissent paraître, n'ont eu aucun effet sur les pouvoirs publics. Aucune suite n'y a été donnée par les instances concernées.

De nos jours, en Haïti, personne ne sait qui est autorisé à se servir d'armes de guerre. L'éditorial de *Le Nouvelliste* daté du début du mois d'août 2000 est plus qu'explicite sur ce point de vue. En voici un extrait:

> "Le vendredi 4 août en cours, vers 11 heures du matin en l'absence du Président (celui du Sénat), un groupe de candidats du parti politique "Fanmi Lavalas" aux dernières élections législatives a pénétré l'institution en compagnie d'un groupe de civils lourdement armés : une mitrailleuse petit calibre, deux fusils d'assaut AK47, deux fusils d'assaut T65, 4 pistolets-mitrailleurs semi-automatiques UZI,

plusieurs pistolets 9 mm, des revolvers calibre 38 et des grenades".

Ce n'est pas le scénario d'un Western hollywoodien. C'est un compte rendu détaillé de la visite des sénateurs élus aux élections contestées du 21 mai, fait par le sénateur Edgard Leblanc Fils, président de ce qui reste du Sénat de la République...» (*Le Nouvelliste* du 4 au 6 août 2000, p. 1).

Pour le comble, tandis que le pouvoir en place pointe du doigt les anciens militaires comme les acteurs principaux du phénomène de l'insécurité parce qu'étant ceux qui, selon lui, possèdent encore des armes; tandis qu'un ancien député affirme que des militants lavalassiens ont encore en leur possession «les armes de la résistance utilisées contre l'armée d'Haïti et contre le régime putschiste»; alors que le président du Sénat dénonce le fait que des membres du parti politique au pouvoir circulent en pleine ville munis d'armes de guerre, une figure de proue du mouvement Lavalas, le révérend père Paul Déjean, ancien ministre de l'actuel gouvernement, porte, lui, des accusations très graves. Sous le titre «Le ministre Paul Déjean estime que Aristide est un obstacle à la démocratie», *Le Nouvelliste* écrit:

«L'interview accordée par le ministre Paul Déjean au journaliste Roger Edmond de *Radio Kombit Flamboyant* de Montréal... fait depuis l'essentiel de l'actualité politique à Port-au-Prince.

Paul Déjean, ancien prêtre, est connu comme l'un des plus proches amis de l'ex-président Aristide et cela bien avant que ce dernier ne se lançât dans la politique. Et c'est pour cette raison, dit Déjean, qu'il se sent le devoir de lui tenir aujourd'hui ce langage ferme.

"Je suis l'ami de Platon, mais je suis davantage l'ami de la vérité" dit Déjean qui déclare clairement que l'ancien président "mu par une ambition démesurée" du pouvoir est le principal responsable de la situation politique actuelle, faite de tension, d'insécurité, de crime et de désordre.

Paul Déjean estime que Jean-Bertrand Aristide crée la confusion et l'inquiétude dans le seul dessein de montrer que lui seul peut ramener le pays à la stabilité et à la paix. M. Déjean a déclaré que M. Aristide est actuellement le plus grand obstacle à la démocratie en Haïti, démocratie que l'ex-président, dit-il, a contribué à ramener dans le pays.

Graves déclarations s'il en est de Paul Déjean, lavalassien notoire et au dessus de tout soupçon, qui n'hésite pas à mettre en garde contre un remake de 1957...

M. Paul Déjean a directement accusé l'ancien président Jean-Bertrand Aristide de distribuer argent et armes pour déstabiliser le pays et créer le climat d'insécurité que l'on connaît...» (*Le Nouvelliste* du 27 mai 1997, pp. 1, 2).

Ainsi, face à l'ampleur du mal, le gouvernement, des hommes politiques, des membres de la société civile, d'anciens inconditionnels du régime, etc., affolés, désemparés, pris de panique, pointent du doigt des leaders politiques, d'anciens chefs d'Etat, d'anciens militaires, des militants lavalassiens, des macoutes, des membres de la force publique, enfin le gouvernement lui-même, comme auteurs ou commanditaires des nombreux crimes qui se commettent dans le pays. Pour notre part, loin de tomber dans la logique des accusations à l'emporte-pièce ou à tort et à travers, nous nous situons dans la ligne de l'opinion exprimée par M. Dominique Joseph, et nous dirions de préférence avec Jean-Claude Fignolé:

> «Délinquance, truanderie, banditisme, violence, s'ils ont des causes politiques, économiques, sociales, morales même trouvent essentiellement leur aliment (on serait tenté de dire leur justification) dans les sociétés où l'Etat est faible du fait de la désorganisation de ses institutions. Alors, de plus en plus, de jour en jour, agressions, vols, assassinats sortent du domaine de l'exception pour entrer dans celui du fait divers» (*Le Nouvelliste* du 30 décembre 1996 au 2 janvier 1997, p. 7.)

En d'autres termes, au lieu de s'évertuer à trouver des boucs émissaires pour expliquer le phénomène et se donner bonne conscience, il conviendrait plutôt de rendre l'Etat plus fort, de mieux organiser nos institutions pénales, de renforcer les structures de notre force publique pour que les enquêtes aboutissent, le taux d'élucidation des crimes progresse à la hausse et qu'un nombre plus élevé de criminels soient démasqués, appréhendés, remis à la justice, jugés et condamnés.

Il ne fait point de doute que le travail de la police, face aux nouveaux défis de la modernité, est rendu beaucoup plus difficile et a fortement augmenté surtout avec la recrudescence du trafic de la drogue en Haïti. Selon les services des narcotiques américains, Haïti, avec ses structures affaiblies, est devenue de nos jours une plaque tournante idéale pour l'acheminement de la cocaïne et d'autres substances nocives aux Etats-Unis d'Amérique.

Pendant la période de référence, la quantité de drogue transitée par Haïti atteignit un niveau supérieur au volume de ces substances qui passait par Haïti pendant la période du coup d'Etat, selon la presse étrangère.

Dans un article récemment publié par le *Miami Herald*, il est dit que, en Haïti, «la justice, les douanes et l'autorité portuaire étaient infestées par la corruption», et que «plus d'une cinquantaine d'officiers ont été renvoyés de la force de police pour trafic de drogue.» Ce journal rapporte, en outre, ces propos d'un agent de la DEA au sujet d'Haïti: «Nous avons une mauvaise situation dans ce pays. C'est une bombe à retardement» (*The Miami Herald*, lundi 24 janvier 2000). Cette montée en flèche du trafic de la drogue s'accompagne inéluctablement de son cortège d'actes de banditisme : assassinats, règlements de compte, enlèvements, etc.

Un autre facteur non négligeable qui aggrave la situation d'insécurité dans le pays et complique davantage la tâche de la police, consiste dans la décision récente des Etats-Unis de vider leurs prisons des délinquants et criminels de droit commun d'origine haïtienne et de les déverser sur Port-au-Prince. Ce phénomène surprend totalement la législation haïtienne qui n'est pourvue d'aucune structure permettant, dans le cadre de la loi, le traitement de ces cas. Ces criminels et délinquants sont d'autant plus dangereux pour la société haïtienne qu'ils sont rompus à des techniques totalement inconnues des jeunes structures de répression des crimes et délits du pays.

Il est donc facile de comprendre les difficultés confrontées par la police quand il s'agit de découvrir les auteurs des crimes qui se commettent à un rythme vraiment effarant et se réalisent souvent avec des armes lourdes en circulation illégale dans le pays.

La police haïtienne, telle qu'elle est structurée, ne peut, à elle seule, affronter des bandits équipés d'armes de guerre. Pour contrer efficacement ce genre de délinquance, il faut une institution spécialisée dans la lutte antiterroriste, spécialité qu'on ne retrouve pas au niveau d'une force de police régulière.

Les *Forces Armées d'Haïti* ont été démantelées sauvagement et sans aucune considération. Or, elles constituaient les freins qui retenaient, au niveau national, les comportements déviants de criminels de tout acabit. Aussi, l'absence brusque, inopinée de cette institution crée-t-elle un vacuum dangereux pour la sécurité de la population.

M. Boutros Boutros-Ghali, Secrétaire général des *Nations Unies* à l'époque où cette décision a été prise, a reconnu explicitement que l'abolition des FAD'H en Haïti se trouve à la base de la situation d'insécurité dans laquelle est plongé le pays.

Se référant à un rapport adressé au début de l'année 1995 par le Secrétaire Général au *Conseil de Sécurité des Nations Unies*, *Haïti Progrès* rapporte:

> «Au niveau de la sécurité, Boutros-Ghali indique qu'il y a eu certains progrès notables et il s'attache à montrer que l'insécurité actuelle et la criminalité ne sont pas «*politiquement motivées*». Elles seraient plutôt liées à *«un vide en matière de sécurité découlant de la désintégration de l'armée et de la dissolution du corps des chefs de section»*, *d'où «la nette augmentation des actes de banditisme et de délinquance dans l'ensemble du pays...»* S'il tend à prouver qu'il y a eu de nets progrès, le rapport du secrétaire général de l'ONU a surtout ceci d'intéressant qu'il rend nettement compte des «*menaces pour la stabilité future*» selon sa propre expression (*Haïti Progrès* du 25 au 31 janvier 1995, p. 1).

M. Boutros-Ghali avait donc vu dans la disparition de l'armée une «*menace pour la stabilité future*» d'Haïti. Il reconnaît lui-même que la recrudescence de la criminalité en Haïti vient du fait de l'absence de l'armée qui «*a laissé un vide en matière de sécurité*» dans le pays. Mais il fallait administrer la potion au malade, même s'il devait en pâtir. «Périssent les colonies plutôt qu'un principe!» (Maximilien Robespierre).

Etait-il sage d'entériner ou d'avaliser le démantèlement inconsidéré d'une institution prévue par la Constitution d'un pays alors qu'on savait pertinemment que la conséquence immédiate de pareille mesure serait de livrer une population entière aux griffes des bandits et des assassins? La démocratie peut-elle être instaurée dans un pays où règnent l'instabilité politique, l'insécurité chronique et le banditisme organisé? Si non, le maintien d'un climat de paix et de sérénité en Haïti ne devait-il pas être retenu comme la grande priorité de tout programme mis en place par les décideurs?

Depuis le mois de janvier 1995 qui marque le démantèlement de l'institution de sécurité du pays, Haïti est en train de subir le stress de ce changement majeur survenu inopinément dans ses structures de base. Les familles haïtiennes se sont retrouvées pendant un certain temps dépourvues de toute protection, car en fait, lorsque le démantèlement de l'armée a été effectif, les membres de la Police Nationale d'Haïti (PNH) n'étaient pas encore prêts pour assurer la relève. Ils venaient à peine d'être recrutés.

La nouvelle force publique, totalement inexpérimentée, avait besoin d'une période d'adaptation avant d'être à même de combler le vide laissé par l'institution ayant remplacé notre vieille armée Indigène et qui, depuis quatre-vingts ans, remplissait courageusement, malgré tous les reproches dont on peut l'accabler, sa mission de protéger les familles contre l'action des criminels et des bandits.

Il faut reconnaître que la PNH souffrait, au départ, d'un handicap majeur : elle fut contrainte de partir à zéro. Les fichiers de l'ancienne police des FAD'H devant lui servir de référence dans ses investigations faisaient défaut. Les dossiers du 2ème Bureau du Grand Quartier Général concernant les armes et leurs propriétaires n'étaient plus disponibles. L'enregistrement de nouvelles armes connut une époque floue. Beaucoup d'armes en circulation, celles dites de la résistance, par exemple, ne sont nullement répertoriées.

En outre, les formalités de préparation de la fiche signalétique de tout Haïtien lors de l'accomplissement des faits importants de la vie ne sont plus exigées par les services publics. Le prélèvement et la classification systématique des empreintes digitales des citoyens ont été éliminés du système de contrôle de l'identité des Haïtiens. Ainsi, la PNH, nouvelle institution chargée de la police des villes et des campagnes, se retrouvait totalement désarmée, au moment d'entrer en scène, face à sa principale mission de prévenir les crimes et de rechercher les criminels, leurs forfaits une fois commis.

Enfin, pourquoi avoir laissé la paysannerie sans une structure de police des campagnes? Pour la première fois depuis Toussaint Louverture, c'est-à-dire depuis plus de deux siècles, aucune structure étatique n'assure cette tâche de protection des paysans. Hélas! Ils sont abandonnés à eux-mêmes.

Tout ce chambardement s'est opéré au nom du changement. Lequel?... Laissons parler Alvin Toffler qui opine si justement :

«Que les changements soient perçus comme bons ou

mauvais, la vitesse accrue des événements et la réduction des temps de réaction produisent leurs propres effets... Les individus, les organisations et même les nations peuvent plier sous le poids d'un changement trop massif ou intervenant trop tôt, au point de s'en trouver désorientés et désormais incapables de réagir par des décisions intelligentes, bref, de souffrir d'un choc du futur.» (*Les Nouveaux Pouvoirs - Savoir, Richesse et Violence à la veille du 21ème Siècle*, p. 12).

La faiblesse de la Police Nationale, ajoutée à l'incapacité de la Justice à bien remplir son rôle, favorise un autre phénomène qui aggrave le climat d'insécurité dans le pays: le règne de l'impunité.

B.- Le règne de l'impunité

En Haïti depuis un certain temps, les criminels ne sont, le plus souvent, ni identifiés ni appréhendés lors de la perpétration des crimes, que ce soit à la capitale ou en province. L'anonymat, donc l'impunité, fleurit. En témoigne le nombre de dossiers non résolus restés dans les tiroirs des systèmes de répression des crimes et délits ou bien qui n'y sont jamais entrés.

En outre, beaucoup de crimes n'ayant souvent pour explication ni le profit ni les conflits relationnels, l'opinion manifeste la tendance à les catégoriser comme étant de nature politique ou encore comme résultant de règlement de comptes en rapport avec le commerce de la drogue qui constitue, de nos jours, une source importante de l'activité délinquante en Haïti.

L'impunité en Haïti s'est développée dans toute son ampleur et sa laideur à partir de l'instauration du principe du "dechoukaj" en honneur dans le pays depuis la chute du régime Duvalier, le 7 février 1986. Des assassinats, lynchages, destructions de propriété, etc. étaient commis ouvertement à la faveur de ce soulèvement populaire. Il était admis comme un fait courant ou banal que des maisons de particuliers fussent pillées par des vandales, que des êtres humains fussent lapidés, brûlés vifs, tués à l'arme blanche ou décapités par leurs bourreaux. Ces crimes restaient impunis, simplement parce que les victimes étaient de présumés partisans du régime déchu (membres de la milice civile, de la police politique, ou même anciens fonctionnaires de l'administration publique).

Naturellement, dans cette atmosphère de passions exacerbées, un grand nombre de citoyens paisibles furent victimes de la part d'autres compatriotes qui avaient profité de la conjoncture pour assouvir contre eux leur haine personnelle. Les criminels n'étaient pas appréhendés après avoir commis, au vu et au su de tous, ces crimes prémédités, sous le couvert de l'euphorie de la victoire de l'opposition de l'heure.

Face au déferlement des passions populaires, le gouvernement de l'époque, en l'occurrence le Conseil National de Gouvernement, déjà suspecté d'être à contre-courant du mouvement déclenché contre le régime déchu, et évitant d'être perçu comme tel, n'avait pas jugé bon de mettre en mouvement l'action publique contre les auteurs de ces crimes, de les appréhender et de les traduire devant leurs juges. Haïti vivait à l'heure de la «bamboche démocratique».

Les foules, manipulées par des politiciens de tous bords, étaient devenues maîtresses des rues, de la paix des familles. Les assassins et pillards, de leur côté, profitaient de la conjoncture et commettaient les crimes les plus abominables dans la plus complète impunité. Il s'ensuivit un effritement de l'autorité de l'Etat empiré par un processus de déstabilisation des structures de la Justice répressive, fait inédit dans l'histoire judiciaire de ce pays.

Depuis 1986, les tribunaux n'ont jamais pu fonctionner normalement. Les responsables de la justice ne se sentaient point en sécurité pour interpeller et punir des assassins qui se disaient les tombeurs du régime déchu et menaçaient même les juges dont plusieurs ont eu leurs maisons saccagées. Nombre de citoyens n'osaient porter plainte contre les "déchouqueurs" de leurs maisons ou les assassins de leurs proches. D'autres voyaient leurs plaintes tout simplement ignorées. Cette situation porta certains d'entre eux à se faire justice eux-mêmes.

Cette faiblesse de la Justice a perduré pendant toute la période transitoire jusqu'à l'avènement du gouvernement légitime, le 7 février 1991. A ce moment, un autre phénomène pernicieux allait bientôt s'y greffer : la vassalisation des structures judiciaires au profit du pouvoir, matérialisée à l'occasion du procès des participants au coup d'Etat manqué du Dr. Roger Lafontant dans lequel l'Exécutif était intervenu publiquement pour influencer le verdict de la Cour. A la demande du président de la République, le Tribunal avait infligé aux condamnés des peines supérieures à celles prévues par la loi en la matière.

Le coup d'Etat du 30 septembre 1991 est venu augmenter le phénomène de l'impunité en Haïti. Une situation de belligérance prévalait dans le pays après ce coup de force : Répression féroce contre les citoyens démocrates qui n'acceptaient pas le fait accompli, réaction des militants Lavalas contre les militaires et les installations de l'armée. Conséquence: les crimes pullulaient de part et d'autre, sans aucune possibilité d'intervention de la Justice. Même les assassinats publics spectaculaires n'ont été suivis d'enquêtes, voire de procès judiciaires.

Une lueur d'espoir commença à poindre en octobre 1994, après le retour à l'ordre constitutionnel, mais, malheureusement, elle s'éteignit bien vite. L'impunité continua à régner dans toute sa splendeur. Les enquêtes en cours tardaient à apporter des conclusions aptes à calmer les appréhensions de la société sur ce point crucial.

Qu'il s'agisse d'actes de banditisme, de trafic de drogue, de crimes de droit commun, les criminels sont très rarement dépistés, appréhendés et jugés. Jamais ils ne le sont quand il s'agit de crimes qualifiés de politiques. Enfin, la presse et, souvent, le porte-parole de la PNH lui-même, font état d'associations de malfaiteurs patronnées par des policiers criminels de la nouvelle force de police.

Dans un tel climat, les délinquants et criminels, ne se sentant guère menacés, sont encouragés à se jeter corps et âme dans le banditisme, persuadés qu'ils ont toutes les chances de pouvoir s'évanouir dans la nature après leurs forfaits. Ils deviennent plus audacieux, plus arrogants, plus agressifs.

D'autre part, fait jugé très grave, dans bien des cas, les choses se passent comme si, en Haïti, les structures judiciaires étaient interdites d'intervenir dans les situations où l'agression ou le crime concerne certaines catégories de citoyens, ceux qui, publiquement, ont été désignés par le pouvoir en place comme étant des opposants au régime. Un cas récent connu est celui du colonel retraité Roger Cazeau.

Vers la mi-juin 2000, une rumeur persistante faisait état de la découverte de son cadavre à *Titanyen*, une blessure par balle à la tête, les mains attachées derrière le dos. *Radio Focus* de New York avait relaté ce crime au cours de son émission du 14 juin 2000 en diffusant les préoccupations de la famille qui n'avait point reçu des nouvelles de l'ancien colonel depuis plusieurs jours. De sources dignes de foi, le colonel Cazeau a bien été assassiné, mais ce meurtre a laissé indifférentes les structures d'enquêtes judiciaires du pays. La peur aussi a paralysé les parents qui, semble-t-il, n'ont pas pu poursuivre davantage les recherches pour faire luire toute la lumière sur ce crime crapuleux.

Pourtant, M. Cazeau est loin d'être un personnage de peu d'envergure. Militaire de carrière, il a passé vingt-sept années dans les FAD'H, a été instructeur à l'*Académie militaire d'Haïti* pendant de nombreuses années, puis commandant du Corps d'Aviation et enfin assistant-chef d'Etat-Major G-2 au Grand Quartier-Général. Depuis sa retraite en 1983, il avait gardé un profil très bas jusqu'à l'année 1998 au cours de laquelle il émergea subitement comme le défenseur des anciens soldats des FAD'H démantelées qui réclamaient du gouvernement le paiement de leurs prestations légales. On le vit alors entreprendre d'incessantes et publiques démarches en faveur de ces anciens militaires auprès de l'ambassade américaine à Port-au-Prince.

Comme conséquence de cette activité, cet officier de carrière devait bien vite s'interdire de circuler librement suite à l'émission à son encontre, au mois de juillet 1998, d'un mandat d'amener par la justice haïtienne pour «complot contre la sûreté intérieure de l'Etat», l'accusation très en vogue en Haïti depuis quelque temps.

Depuis la diffusion de la nouvelle de sa mort affreuse par *Radio Focus*, personne n'a pu retrouver les traces de ce compatriote, à part une allusion au sujet de sa disparition par *Haïti Observateur* dans son édition du 27 septembre au 4 octobre 2000 (p. 9) affirmant que «le colonel Cazeau a été sauvagement torturé avant d'être assassiné» et que «son cadavre, mutilé et abandonné à *Titanyen* aurait été volé par les 'forces de sécurité' après que les parents se furent adressés aux autorités judiciaires pour le constat légal.» Néanmoins, la mort suspecte du colonel Roger Cazeau, liée, peut-être, à ses dernières initiatives en faveur des soldats démobilisés, est demeurée occultée.

Le même comportement a été adopté par la police après l'assassinat par balles devant le local de la *Chambre de Commerce d'Haïti*, le 27 mai 1999, de l'ancien sergent Urélan Jeudilien, le porte-parole officiel des militaires démobilisés. Dans son cas également, la justice n'a pas été alertée. Les deux victimes ont été privées de sépulture. Les cadavres n'ont pas été remis aux parents. Ni sépulture, ni même acte de décès. C'est la dure vérité. Dans les deux cas, pas même un début d'enquête. Il en est de même des assassinats du colonel Dumarsais Romulus, du major Michel-Ange Hermann, du général Max Mayard, du pasteur Antoine Leroy, de M. Jacques Florival, etc. Dans tous ces cas, les criminels continuent à jouir de la plus complète impunité.

Ainsi, puisque la police n'ouvre pas de véritables investigations sur plusieurs cas d'assassinat, même lorsqu'il s'agit de crimes spectaculaires commis en plein jour, il n'est pas étonnant que l'impunité soit encouragée. C'est vraiment le moment d'attirer l'attention sur cet autre facteur qui favorise le climat d'insécurité en Haïti : la fréquence des crimes commis en plein jour et de façon spectaculaire, mais demeurés impunis.

C.- Les crimes spectaculaires

Un autre facteur important qui alimente et catalyse le climat d'insécurité en Haïti est le nombre élevé de crimes spectaculaires demeurés, malgré tout, non élucidés plusieurs années après leur perpétration. Concernant les crimes de cette nature, la *Commission Nationale de Vérité et de Justice*, analysant les circonstances du meurtre de M. Antoine Izméry commis en 1994, a abouti à une conclusion pertinente qui invite à une réflexion approfondie sur la gravité de la situation actuelle:

> «Le fait que l'incident se soit déroulé en plein jour est la preuve du sentiment d'impunité totale avec lequel les assassins ont opéré, et de l'existence d'une structure de répression agissant de façon impitoyable dans la réalisation de ses objectifs... Ce sont là des facteurs qui distinguent l'assassinat d'Antoine Izméry d'un simple homicide et le place dans le cadre d'une politique systématique d'élimination sélective d'adversaires politiques, au profit d'un régime illégal et en vue de terroriser la population toute entière.» (*Rapport de la Commission Nationale de Vérité et de Justice*, Cas célèbres. Chapitre V, B.1.4.1.)

La conclusion logique que les circonstances entourant ce crime a inspirée à cette entité hautement crédible nous incite à nous poser la question suivante : combien y a-t-il de crimes perpétrés après 1995 répondant à ces mêmes critères utilisés comme base de raisonnement par la Commission?

La réponse est : plusieurs. Au cours de la période couverte par notre étude, les cas sont nombreux où des personnalités remarquables de la société haïtienne sont assassinées en plein jour, souvent dans des endroits publics très fréquentés, sans que leurs auteurs soient appréhendés et poursuivis pour leurs forfaits. Nous avons sélectionné 12 cas pour illustrer cette affreuse réalité.

1. Mireille Durocher Bertin (28 mars 1995)

Mireille Durocher Bertin, avocate militante, juriste d'Affaires Internationales et avocat-conseil d'Entreprises, professeur du Droit des Affaires à l'INAGHEI, est présidente fondatrice d'un parti politique, le *Mouvement d'Intégration Nationale* (MIN) et directrice-propriétaire de la revue d'information *La Vigie*. Opposant farouche au retour de M. Jean-Bertrand Aristide au pouvoir, durant la période 1991-1994, elle s'exprimait ainsi au sujet du débarquement de 1994, à l'issue d'une conférence sur la crise haïtienne prononcée dans la ville du Cap-Haïtien :

> «Le 19 septembre 1994, les idéaux de grandeur et de liberté exprimés à l'occasion de cette conférence ont été brutalement ébranlés par un débarquement "pacifique" de milliers d'hommes en armes, imposé sous le qualificatif de "la mission militaire américaine". Cette fois, la turbulente Haïti donnait au monde le spectacle inédit d'un peuple passif, résigné, mentalement écrasé par une longue et inexorable campagne subversive, applaudissant les démonstrations de force de l'occupant libérateur...
>
> Le cas haïtien constitue bel et bien un précédent: La jurisprudence avant la loi. Un nouveau droit international est

né, auquel les anciennes règles écrites devront désormais s'adapter. Avec toutefois des réserves, car si tous les pays sont en principe égaux devant les instances internationales, force est de constater que, dans la pratique, certains sont plus égaux que d'autres.

Il est cependant trop tôt pour parler de succès de l'opération "Uphold Democracy". Si la tuerie généralisée a pu être évitée, seuls les effets à moyen et long terme sur la situation générale du pays et l'amélioration du sort de sa population autoriseront à se prononcer sur la réussite de l'expérience. Seul l'avenir dira le reste. Gagner la guerre est une chose; mais gérer la victoire en est une autre bien plus compliquée.» (*La Crise Haïtienne dans le Droit International Public*, pp 21, 22).

Et Mireille Durocher Bertin avait vu juste. En l'an 2000, tout le monde est unanime à reconnaître l'échec de l'expérience. Mais Mireille devait payer cher ses prises de position. Le 28 mars 1995, aux environs de 3 heures de l'après-midi, elle revenait d'un rendez-vous de travail dans la zone de l'aéroport international accompagnée d'un client, M. Eugène Baillergeau Junior, pilote de profession, quand sa voiture fut attaquée par un groupe d'hommes lourdement armés, à la rue Nazon, à Port-au-Prince. Les deux occupants du véhicule furent criblés de balles.

Le professeur Patrice Dalencour rapporte ainsi ce tragique événement:

«Mardi 28 mars, en plein "environnement sûr et stable", la consternation s'est répandue dans le pays avec l'onde porteuse de l'horrible nouvelle: on avait osé! On venait d'assassiner Mireille Durocher Bertin. En pleine lumière. En pleine ville. Avec à ses côtés un client de son cabinet d'avocat en compagnie de qui elle se rendait - ô cruelle ironie! - au Camp "*Democracy*".

A cette jeune femme qui toujours lutta à visage découvert, sans autre arme que sa compétence, la force de ses convictions et son courage, trente balles à bout portant ont imposé silence. Du plomb en réponse aux idées. Ils ont tué notre "Vigie" pour qu'elle cesse de déchiffrer les signes du temps. Savent-ils cependant que le silence qui fait suite au vacarme de leurs rafales sonne plus haut que toute autre mise en garde? De l'au-delà Mireille nous crie: "ils veulent nous prendre l'un après l'autre".

Mireille Durocher Bertin est morte, assassinée par un lâche commando en toute impunité. Nulle déclaration tardive n'effacera ce fait ni ne travestira son sens en voilant sa portée...»(*Le Hideux Rictus de leur Démocratie*, *Le Nouvelliste* du 29 mars 1995 p. 6).

Dans quel contexte cet assassinat a-t-il été perpétré? Quels sont les antécédents pouvant expliquer ce crime inouï? Nous nous référons à un article de *Le Nouvelliste* pour essayer de trouver une réponse à cette question. Sous le titre «L'assassinat cet après-midi de Me. Mireille Durocher Bertin», ce quotidien rapporte:

«L'avocate Mireille Durocher Bertin, responsable d'un mouvement politique d'opposition, a été tuée par des inconnus cet après-midi, aux environs de 3 h 45, à l'avenue Martin Luther King.

D'après des témoignages, des hommes armés, circulant à bord d'un taxi, ont ouvert le feu sur la voiture de maître Bertin, obligeant celle-ci à stopper. Mettant pied à terre, ils déchargèrent leurs mitraillettes sur l'avocate qui était accompagnée d'un de ses clients, Eugène Baillergeau Jr, alors qu'ils revenaient du camp Democracy "pour régler une affaire", selon son mari Jean Bertin. Criblés de balles, les deux occupants de la voiture ont sur le champ rendu l'âme.

Vêtue d'un corsage beige et d'un pantalon noir, Me. Bertin tenait fermement dans ses mains un lot de dossiers vraisemblablement en rapport avec ses activités de juriste.

Deux heures après l'assassinat, les cadavres des deux victimes gisaient encore dans la voiture. Des proches de Me. Bertin, dont son mari, affirment qu'elle était depuis tantôt un mois, l'objet de virulentes menaces par téléphone, venant de secteurs non identifiés.

Réagissant au meurtre, le bâtonnier de l'Ordre des Avocats, Me. Rigaud Duplan, a estimé que "ça ne peut plus continuer ainsi". "Ce n'est pas possible... Le gouvernement doit prendre des mesures", a déclaré Me. Duplan qui n'a pas caché son indignation.

Dans un commentaire à chaud, le **porte-parole de l'Ambassade américaine, Stanley Shrager, n'a pas exclu que l'assassinat de Me. Bertin pourrait avoir une «origine politique»**. «On ne peut pas résoudre les problèmes du pays par la violence», a-t-il dit.

Me. Mireille Durocher Bertin, qui avait soutenu le coup d'Etat militaire contre Aristide en septembre 1991, avait formé, la semaine dernière, un parti politique d'opposition, le *Mouvement pour l'Intégration Nationale.*

Ouvertement anti-Aristide, elle était à la tête de la quasi-totalité des manifestations publiques contre le retour de ce dernier et contre l'intervention étrangère en Haïti. Elle avait eu des démêlés avec l'Ambassade américaine en Haïti, dont elle dénonçait l'ingérence dans les affaires internes du pays.

Me. Bertin qui avait largement contribué à l'intronisation, le 11 mai 1994, du gouvernement de fait d'Emile Jonassaint, avait également initié, par voie pétitionnaire, des démarches auprès des parlementaires de la 45ème législature pour obtenir le jugement du président Jean-Bertrand Aristide par-devant la Haute Cour de Justice pour «violation de la Constitution».

Depuis sa sortie inattendue et inexpliquée du gouvernement de Jonassaint, elle avait gardé un profil bas jusqu'à son assassinat ce mardi 28 mars 1995.» (*Le Nouvelliste* du 29 mars 1995, p. 1).

Des voix féminines, dont celle de Mme. Odette Roy Fombrun, naturellement s'élevèrent pour rendre hommage à Me. Bertin et «dénoncer cette violence qui n'était pas certainement due au hasard» mais «visait des personnes engagées, des personnes symboles dont la vie était tranchée par vengeance ou en guise d'avertissement».

Anxieuse, Mme. Fombrun souhaita «vivement que ce barbare assassinat ouvre les yeux aux aveugles et aux inconscients» et les fasse «comprendre enfin qu'en assassinant la paix, ils assassinent la nation et leur propre chance qu'un développement harmonieux du pays leur apporte une meilleure qualité de vie.» (*Le Nouvelliste* du 4 avril 1995, p. 9).

L'assassinat par balles de cette jeune militante constituait un précédent dangereux dans les annales du crime en Haïti. Il a mis la capitale en émoi et provoqué la réprobation générale. Les partis politiques, la société civile étaient choqués par cet acte de barbarie perpétré en plein jour sur une mère de quatre enfants en bas âge, victime, selon l'opinion publique, de ses options politiques.

Le crime paru tellement outrageant pour la société nationale que le gouvernement, pour tenter de se couvrir, sollicita du président des Etats-Unis, par une requête personnelle du président de la République, l'envoi d'une équipe d'enquêteurs du service américain dénommé "Federal Bureau of Investigation" (FBI). Cette enquête spéciale dont les résultats n'ont pas été divulgués ne permettra jamais d'aboutir à l'arrestation des assassins par la Justice haïtienne.

Beaucoup d'encre a coulé, depuis, au sujet de ce double meurtre, mais, à ce jour, ce crime politique est resté impuni.

2. Michel Gonzalès (22 mai 1995)

Moins de deux mois après le meurtre inqualifiable de Mireille Durocher Bertin, l'homme d'affaires bien connu, Michel Gonzalès, fut tué, lui aussi, en plein jour, à Port-au-Prince, dans la zone de Tabarre. M. Gonzalès a dirigé pendant de nombreuses années la première ligne aérienne haïtienne de transport international, la Air Haïti. Le 22 mai 1995, vers 3 heures de l'après-midi, il fut fauché, victime d'un attentat, non loin de sa résidence privée. Près de la barrière de sa demeure, quatre individus à moto abordèrent sa voiture et firent feu dans sa direction. Mortellement atteint, M. Gonzalès rendit l'âme sur le champ, sous le regard médusé de sa fille qui l'accompagnait, heureusement épargnée.

Commentant cet assassinat, *Le Nouvelliste* titrait en première page: «Assassinat du directeur de Air Haïti Cargo» et relatait ce qui suit:

> «Le directeur général de la compagnie aérienne Air Haïti Cargo, M. Michel Gonzalès, a été tué par balles, le lundi 22 mai 1995 à Tabarre (en Plaine), non loin de la résidence du président Aristide.
>
> M. Gonzalès, 61 ans, se trouvait au volant de son véhicule quand quatre individus armés circulant à bord de deux motocyclettes lui ont tiré dessus. M. Michel a été atteint à la tête. Les trois autres occupants du véhicule en sont sortis indemnes. On ignore jusqu'ici le mobile de ce meurtre. M. Gonzalez, un voisin limitrophe du président Aristide, a travaillé à Air France.
>
> Dans une note de presse, le bureau de la présidence indique que cet acte entre dans le contexte de l'insécurité globale dont un père de famille est tombé victime...» (*Le Nouvelliste* du mardi 23 mai 1995, p. 1).

Dans ce quartier pourtant hautement surveillé, les agresseurs purent laisser les lieux du drame sans être inquiétés. Suite à cet assassinat, l'hebdomadaire *Haïti en Marche* fit une description de la situation générale de la sécurité en Haïti qui mérite de retenir l'attention:

> «En fait, les escadrons de la mort continuent leur oeuvre avec une totale impunité sauf que les victimes seraient soigneusement ciblées. Répondant aux ordres d'on ne sait qui, ils sortent, frappent en faisant à chaque fois mouche et regagnent leurs bases sans être inquiétés. Tueurs opérant avec un total sang froid, professionnels dont la main ne tremble pas, ont observé les experts, et que rien ne désarçonne, comme de découvrir dans la voiture de Michel Gonzalès sa fille à quelques semaines d'avoir un bébé ou chez ce commerçant qui fut assassiné à Delmas, ses trois filles abattues également sans pitié.
>
> Bref, il existe actuellement en Haïti un *underwood,* un milieu, comme on dit, une pègre incroyablement bien organisée et pourvue de tous les moyens pour accomplir sa besogne criminelle: armes, finances, informations, ses planques où se mettre en lieu sûr après avoir frappé, ses stratèges, ses cerveaux et ses centres de décision, une mafia qui ne manque de rien, y compris la garantie d'échapper à la justice. Ni vu ni connu. Je vais, je tire et je reviens. N'est-ce pas un danger, le danger majeur pour une jeune démocratie? Davantage en un pays qui ne dispose plus d'aucune institution digne de ce nom, et d'abord en matière de sécurité et de justice.» (*Haïti en Marche* du 31 mai au 6 juin 1995, p. 1).

Ce crime qui bouleversa les consciences et jeta la consternation dans le secteur des hommes d'affaires est, jusqu'à ce jour, resté impuni. Les criminels courent encore les rues.

3. Max Mayard (3 octobre 1995)

Le mardi 3 octobre 1995, à 1 heure p.m., Max Mayard, un ancien général de l'armée démobilisée, se rend au bureau de la Téléco de Delmas. Il est sauvagement agressé par des hommes armés circulant à bord d'un véhicule tout-terrain qui le criblent de balles. Il succombe immédiatement à ses nombreuses blessures.

Leurs forfaits accomplis, les assassins se retirent tranquillement des lieux. A cette heure, la circulation automobile sur cette autoroute est pourtant très intense.

Le général Mayard, unique enfant de sa mère, une femme de modeste condition, est connu comme l'un des officiers les plus modérés de l'armée haïtienne. Il fut nommé, au lendemain du retour à l'ordre constitutionnel, commandant en chef adjoint des FAD'H et occupa ce poste seulement pendant un court laps de temps. Retraité de l'armée à la fin de l'année 1994, cet officier distingué menait, depuis, une vie paisible.

Ce crime innommable, qualifié par l'opinion d'acte de vengeance contre l'institution militaire, ne sera jamais élucidé.

Sous le titre "L'assassinat de Max Mayard reste un mystère", *Haïti en Marche* s'exprimait ainsi au sujet de ce meurtre:

> «Une semaine après, l'assassinat en plein jour de l'ex-général Max Mayard, 46 ans, reste un total mystère. Dans les conversations à la capitale, il est impossible de lier ce

meurtre ni à la politique, ni à la drogue, comme ceux qui l'ont précédé. Selon *Le Nouvelliste*, Max Mayard, camarade de promotion du général Raoul Cédras et un des alliés dans le coup d'Etat du 30 septembre 91, a été relativement un modéré en comparaison avec les autres auteurs du coup sanglant...

C'est le mardi 3 octobre, entre midi et deux heures, que, devant la Téléco, à Delmas 41, des hommes sans masque sur le visage mais au physique imposant, ont bloqué la voiture de l'ex-général en arrosant les pneus de balles pour l'immobiliser, et ont abattu Henri Max Mayard de plusieurs rafales, l'un d'eux lui donnant ensuite le coup de grâce de cinq projectiles décochés en pleine poitrine, alors que la victime était déjà par terre.

Au moins vingt ex-militaires et hommes d'affaires ont été exécutés de la même manière depuis qu'une force multinationale est entrée en Haïti pour réinstaller le président Aristide le 15 octobre 1994. Signe particulier de ces crimes: leur exécution par des tueurs professionnels, en plein jour, sans souci du regard des témoins et la disparition ni vu ni connu des auteurs.

"Pour le moment, ces crimes sont inexplicables et le seul point commun est qu'ils aient été commis par des professionnels", dit Eric Falt, le porte-parole des Nations Unies. "Qu'ils soient des actes politiques ou non, cela reste à prouver"...

Toujours d'après Eric Falt, "il y a une grande différence entre le mandat de l'ONU de maintenir un climat de sécurité et le fait de réduire la criminalité, voire empêcher des opérations de style commando, qui sont très difficiles à prévenir dans un tel pays"...» (*Haïti en Marche* du 11 au 17 octobre 1995, p. 16).

Les assassins du général Mayard ne seront point retrouvés. Dans l'Haïti d'aujourd'hui, même quand les criminels opèrent en plein jour, à visière levée et dans les endroits les plus fréquentés, ils ne sont jamais identifiés. Néanmoins, le ministre de la Justice avait ordonné qu'une enquête fût ouverte en la circonstance et tout s'arrêta là. Les résultats de cette enquête ne sont, à ce jour, point connus et les responsables de ce crime affreux courent encore les rues en toute impunité.

4. Hubert Feuillé (7 novembre 1995)

7 novembre 1995. Turgeau. 2 heures p.m. La nouvelle frappe Port-au-Prince comme un coup de tonnerre. Hubert Feuillé, un député au Corps Législatif, vient d'être abattu par un commando d'hommes armés qui circulaient en voiture. Il est tué sur le coup, criblé de balles. Ce meurtre, aussi spectaculaire que celui perpétré contre Mireille Durocher Bertin, survint un mois après celui du général Max Mayard. Port-au-Prince, en vérité, était redevenue Port-aux-Crimes!

Un autre député au Corps Législatif, M. Gabriel Fortuné, qui accompagnait le député Hubert Feuillé, échappa par miracle à l'odieux attentat. Néanmoins, il reçut des blessures suffisamment graves pour qu'il fût obligé de voyager à l'étranger à dessein de recevoir les soins médicaux adéquats.

L'assassinat du député Feuillé souleva la réprobation générale, particulièrement la colère du président de la

République qu'on dit être un parent, un cousin de la victime. Cette fois, un secteur est ciblé: les adversaires du gouvernement. Ils seraient les seuls à avoir des armes en leur possession, n'ayant pas été tous désarmés après l'invasion des forces américaines. Un bouc émissaire est désigné: le lieutenant-général en retraite Prosper Avril, ancien président de la République. Le gouvernement prétend lui imputer la paternité de cet acte vil. Des actions en représailles furent exercées contre lui au cours de la nuit du 7 au 8 novembre où sa maison a été investie et, au mépris scandaleux des prescriptions constitutionnelles, des membres de sa famille, dont sa fille, son gendre et son frère, illégalement arrêtés et mis sous les verrous.

Le samedi suivant, jour des funérailles, branle-bas à Port-au-Prince et dans certaines villes de province. Suite au discours truffé d'émotions délivré par le président Aristide à la Cathédrale de Port-au-Prince, la foule gagne les rues, dresse des barricades à certains carrefours, incendie des maisons. Les manifestants, exécutant les consignes reçues, opèrent à travers le pays des fouilles pour désarmer les citoyens, profitant, bien sûr, de la circonstance pour s'armer eux-mêmes en s'appropriant les armes des citoyens.

La folie des représailles se déferla également sur la ville des Cayes. La répression fut terrible. A ce sujet, *Le Nouvelliste* rapporta dans son édition du lundi 13 novembre que «l'assassinat de mardi avait provoqué mercredi, aux Cayes, de violentes manifestations qui avaient fait un tué - un présumé néoduvaliériste battu à mort - et 18 maisons incendiées ou saccagées».

Aucun dédommagement subséquent. Beaucoup d'innocents ont payé pour les coupables qui continuent encore de nos jours à courir les rues en toute impunité.

Sans aucun doute, l'assassinat du député Feuillé était d'ordre politique. Le député Gabriel Fortuné, le rescapé de l'attentat, avait, de toute évidence, identifié les agresseurs. Il affirma trois mois plus tard, au cours d'une interview accordée à *Haïti en Marche*, que «les tueurs étaient venus du Palais National.»

> «Je l'ai dit et je l'ai redit, déclara le député Fortuné, l'attentat du 7 novembre 1995 a été autorisé. Les jeunes jouisseurs et rapaces du Palais National détiennent jusqu'à présent les rênes du pouvoir réel. Donc, je suis dans l'expectative. Tout semble indiquer que le ministre de la Justice, René Magloire, aurait reçu l'ordre de ne pas mettre l'action publique en mouvement contre les complices de l'attentat.» (*Haïti en Marche* du 3 janvier 1996).

En effet, l'enquête au sujet de l'assassinat du député Hubert Feuillé n'a abouti à rien de tangible. A la connaissance du public, le député Fortuné, malgré ses accusations publiques, n'a jamais été appelé à déposer devant aucune instance judiciaire. Les tueurs ont, cette fois encore, bénéficié de l'impunité la plus totale.

5. Antoine Leroy (20 août 1996)

A la mi-août, au cours du congrès annuel du parti *Mobilisation pour le Développement National* (MDN) organisé dans la ville du Cap-Haïtien, le président de ce parti, le professeur Hubert Deronceray, annonça l'ouverture de son organisation politique à tous les citoyens qui le désirent. Il profita de l'occasion pour lancer une invitation spéciale aux anciens militaires démobilisés.

Monsieur Deronceray se proposait de convertir ces citoyens à la mouvance démocratique, démarche noble, s'il en fut, dans tous les pays du monde. Immédiatement, le MDN fut accusé de vouloir comploter la chute du gouvernement.

Quelques jours après la tenue de ce congrès, une descente des lieux fut exécutée au local du parti, à Port-au-Prince, où la police procéda à l'arrestation arbitraire de plusieurs adhérents qui s'y trouvaient, dont d'anciens militaires,

Un membre important de ce parti politique, M. Jacques Florival, fut aussi mis sous les verrous, M. Antoine Leroy se rendit alors chez son collègue pour se renseigner auprès de ses parents. Un groupe d'hommes armés débarquèrent et procédèrent à l'exécution sommaire du pasteur Antoine Leroy. Les témoins, rapporte *Haïti Observateur*, ont déclaré que «les tueurs avaient ramené sur les lieux Jacques Florival qui fut, lui aussi, abattu de sang froid dans la cour même de sa maison.» (*Haïti Observateur* du 21 au 28 août 1996).

Ce double meurtre eut lieu vers 4 heures de l'après-midi, sous les regards ahuris des passants.

Les individus ayant commis cette action abominable

circulaient à bord d'un véhicule tout-terrain. Après leurs forfaits, ils eurent même l'audace d'embarquer les cadavres qui ont été retrouvés plus tard sur la galerie de la morgue de l'*Hôpital de l'Université d'Etat d'Haïti*. La classe politique en fut choquée. En considérant les techniques utilisées pour exécuter ces crimes, certaines formations politiques, comme le FNCD, n'ont pas hésité à émettre des accusations sérieuses contre le gouvernement dans cette affaire.

A cet effet, *Le Nouvelliste* rapportait:

> «Le *Front National pour le Changement et la Démocratie* (FNCD) a ouvertement accusé ce vendredi le gouvernement d'être à l'origine de l'assassinat mardi dernier de deux membres du Parti Mobilisation pour le Développement National (Antoine Leroy et Jacques Florival) et de plusieurs policiers tués durant ces derniers mois.
>
> Se refusant à fournir des preuves, Evans Paul, ancien candidat évincé à la mairie de Port-au-Prince et Turnep Delpé, ancien candidat malheureux au sénat de la République, expliquent qu'ils ne le feront que si le président René Préval accepte d'étayer les déclarations selon lesquelles les anciens militaires seraient à l'origine des actes d'insécurité survenus dans le pays.
>
> Pour Evans Paul, personne d'autre que le gouvernement n'a intérêt à tirer sur le commissariat de police et sur le parlement. Selon l'ancien maire, le gouvernement a ourdi ces complots pour créer une situation de confusion dans le pays et accuser ceux qu'ils présentent eux-mêmes comme étant du secteur "anti-changement"...» (*Le Nouvelliste* du jeudi 22 août 1996, pp. 1, 3).

Jusqu'à ce jour, le parti MDN, la classe politique et la société civile n'ont pas été informés de l'existence d'une enquête sur ce double meurtre. Les criminels n'ont jamais été inquiétés.

6. Micheline Lemaire Coulanges (22 décembre 1997)

Micheline Lemaire Coulanges est une femme d'affaires et une commerçante. Attaquée en plein jour par de jeunes détrousseurs qui voulaient lui soutirer son sac à main, elle fut atteinte de deux balles à l'abdomen. Le crime eut lieu vers 5 heures de l'après-midi, devant son magasin, dans une zone où circule une foule grouillante. Mme. Coulanges, âgée de 44 ans, est mariée et mère de trois enfants.

Le secteur du commerce était profondément bouleversé, M. Jean Gérard Pierre lui dédia un poème publié par *Le Nouvelliste* qui donne toute sa dimension funeste au crime commis. En voici le texte en prose:

> «Tu es tombée, toi aussi parmi tant d'autres, sous les balles assassines de ces "fils" de néant, à la rue Tiremasse, ce lundi 22 décembre, laissant derrière toi père, mère, frères, soeurs, oncles, tantes, cousins, cousines, époux, enfants, petits-enfants, amis qui tous te chérissent, t'adorent, t'admirent...
>
> Le bruit de ta mort a atteint tous les points de la terre par Internet. C'est tout le monde qui te pleure, choqué, indigné, vexé, révolté, de la manière que tu termines ton parcours de combattante! C'est tout le monde qui s'interroge, blasé, déprimé, résigné, terrassé de la réaction de ceux-là chargés

de la sécurité des vies au sein de la société! C'est tout le monde qui s'indigne, honteux, terrifié devant la peur qui paralyse, bloque l'ensemble des citoyens...

Dans l'esprit de tout le monde, de tout un chacun, s'interpellent les femmes et les hommes vaillants pour dire non et bloquer ce génocide lent qui nous menace tous.

Combien de temps notre société restera-t-elle otage des méchants, insensés, criminels, irresponsables, inconscients? Combien de temps les citoyens se laisseront-ils paralysés, bloqués par ce laxisme sans nom? Le moment n'est-il pas arrivé pour la société haïtienne de retrouver sa solidarité, sa vaillance d'antan! Et aujourd'hui même, réunis autour de toi, ne puissions-nous pas déjà dire que Micheline ne soit l'une des dernières de la série de ces crimes honteux, par notre non-réaction même!

Et puissions-nous dire à toi, Micheline, tu peux aller en paix puisque ton sang aura contribué à recréer ce climat de sécurité, de paix qui caractérisait jadis notre société. Puisse ta mort enfin, nous apporter la sérénité nécessaire pour poursuivre le combat, en souvenir de toi! Puisse ce message de ta mort apporter à la famille, parents et amis, le réconfort dans l'espérance de ta résurrection par le souvenir qu'ils garderont de toi et dans le combat actif pour le renouveau de ton pays que tu aimes!

Ainsi, nous aurons reçu les nombreux messages que tu nous lançais par-delà ton comptoir de la rue Tiremasse chaque fois qu'il nous a été donné de te voir. Sois-en certaine, Micheline, qu'ils ne tombaient pas dans le néant! Tu continueras à vivre en nous par tes paroles, tes souvenirs, ton sourire. Ici prend fin ta mission, tu peux t'en aller en paix.

Adieu Micheline.» (*Le Nouvelliste* du 12 janvier 1998, p. 10).

L'initiative la plus directe a été celle des enfants de la défunte. Ils ont pensé, vu l'ampleur de la situation d'insécurité dans le pays, à adresser une «lettre ouverte aux autorités gouvernementales, aux instances internationales et aux Haïtiens». Cette lettre, datée du 23 janvier 1998 et signée des trois enfants de Mme. Micheline Lemaire Coulanges (Sabine, Olivier et Michaël), saisit, dans toute son acuité, la réalité poignante dans laquelle vit le pays. En voici la teneur dans son intégralité :

«Chers Messieurs,

Nous venons à peine d'enterrer notre mère, Micheline Lemaire Coulanges. Elle n'avait que 44 ans, et nous avions encore besoin d'elle. A la sortie de son travail, le 22 décembre dernier, elle a eu les organes ravagés par deux balles reçues à bout portant, en plein jour.

Les assassins: deux adolescents qui, apparemment, en voulaient à son sac. Mais ces jeunes, nous en sommes persuadés, ne sont pas les seuls et vrais coupables. Ils sont victimes d'une société malade on ne peut plus... société malade par manque d'amour... société malade qui entraîne les plus faibles dans la voie des ténèbres.

Les bandits sont recrutés dans toutes les couches de la société et sont, pour la plupart, manipulés par des cerveaux et des mains criminels qui semblent bénéficier d'une impensable (ou inconcevable) impunité... Un mois s'est écoulé. Pas un policier n'est venu enquêter, ne serait-ce que pour la forme, sur les circonstances de sa mort.

Notre société se meurt. Nous avons certes un rôle à jouer, une part de responsabilité. Mais, si vous, de la Communauté Internationale, êtes ici depuis bientôt trois ans c'est bien parce que vous jugez que nous ne disposons pas encore des moyens pour garantir cette transition démocratique qui nous permettra d'accéder à une société plus juste et plus humaine.

Et vous, responsables du gouvernement et d'institutions dont l'objet est de nous défendre et de nous protéger, que faites-vous pour enrayer la situation, pour éviter cette dégringolade dans l'abîme?

Nous vous demandons, au nom de notre mère qui aimait son pays, au nom de toutes les familles - tous milieux confondus - qui, comme nous, pleurent les victimes de cette «insécurité», de prendre les mesures nécessaires pour nous donner la possibilité de vivre dans notre pays.

La liste de nos morts est déjà bien trop longue. Pourquoi attendre qu'elle s'allonge encore avant d'essayer de contrôler les gangs qui opèrent en plein jour? ... de freiner l'entrée de la drogue dans le pays, qui exacerbe une violence latente? ... de cesser de rapatrier sans contrôle des criminels endurcis vers ce pays en pleine crise, encore incapable d'offrir une protection minimale à ses citoyens? ... de surveiller les prisons pour éviter les évasions devenues courantes?

Certes, la colère des premiers moments et la douleur nous poussaient à désirer nous venger, même aveuglément. Mais la vengeance est un cercle vicieux. Micheline, notre mère, ne nous avait pas enseigné la violence. Aujourd'hui, nous sommes tourmentés par un sentiment d'impuissance... Si seulement nous pouvions vous faire comprendre que cette situation ne peut pas continuer. Trop de gens, qui ne peuvent et ne sauraient vous écrire, souffrent. La patience a ses limites.

Nous sommes atterrés par ce que nous réserve l'avenir. Vous aurez constaté que nos compatriotes ont recommencé à fuir ce pays. Les plus pauvres se lancent de nouveau désespérément à la mer. Ceux des couches plus aisées envisagent d'émigrer.

Tous les investissements déjà consentis par vous, garants de la paix, auront-ils été nuls? Avez-vous raté la possibilité d'aider un peuple à s'affranchir de la peur, du désespoir? Et vous, nos dirigeants, votre passage au pouvoir n'aura-t-il signifié que l'aggravation d'une situation déjà invivable? Quelle satisfaction pourrez-vous tirer de cet échec?

Nous sommes certains que tous ceux qui nous ont manifesté leur soutien dans cette tragédie, que tous ceux qui ont vécu la même douleur, que tous ceux qui craignent pour la vie des leurs n'attendent qu'un signe pour s'engager à vos côtés pour barrer la route aux criminels qui détruisent notre pays.

Pouvons-nous avoir la consolation de penser que la mort de notre mère servira à éviter que le sang d'innocents continue à couler?» (*Le Nouvelliste* du 28 janvier 1998, p. 6).

Comme on a pu le noter, ce document expose le problème de l'insécurité dans toutes ses dimensions : persistance de la criminalité, importance de la délinquance juvénile, laxisme des autorités gouvernementales, indifférence des forces étrangères stationnées dans le pays, etc. Mais sa publication n'a pas eu pour effet de retrouver les jeunes assassins de Micheline Lemaire Coulanges qui courent encore les rues sans avoir été appréhendés pour être placés dans une maison de correction et de rééducation.

7. Jean Pierre-Louis (3 août 1998)

Jean Pierre-Louis, prêtre catholique, est curé de l'Eglise Mont-Carmel de Bizoton, Port-au-Prince. Le 3 août 1998, alors qu'il se rend à son centre d'oeuvres sociales, il est attaqué en plein jour à l'Avenue du Chili par des bandits armés circulant à moto qui lui logent deux balles dans le corps. L'Archevêché de Port-au-Prince, consterné et indigné, fait diffuser immédiatement la note suivante:

> «L'Archevêché de Port-au-Prince annonce avec regret et consternation la triste nouvelle de la mort du Père Jean Pierre-Louis, âgé de 54 ans, abattu froidement de deux balles par deux individus armés, le lundi 3 août 1998, à l'Avenue du Chili.
>
> Le Père Jean Pierre-Louis surnommé "Ti-Jan" est très connu dans tous les milieux et de toutes les couches sociales. Ordonné prêtre le 28 juillet 1969 à Trois-Rivières, Canada, il est venu au pays où il a exercé le ministère pastoral comme vicaire à Sainte-Anne, à la Cathédrale, puis comme curé à Léogane, à Savannette et à Mont-Carmel de Bizoton.
>
> Conséquemment à un choix personnel, il a donné le

témoignage d'une vie marquée par la pauvreté évangélique et une authentique option préférentielle pour les pauvres. Avec persévérance, il a mené le combat pour le droit et la justice. Son engagement radical portait sur l'instauration de la démocratie en Haïti et un changement véritable des conditions de vie de la population, avec un accent particulier sur la situation misérable des paysans. Tous les cris des pauvres et des démunis trouvaient écho dans son âme d'apôtre. C'est pourquoi il criait si fort, réclamant justice pour les exploités et respect du droit de tous les citoyens.

N'est-il pas absurde que Père Ti-Jan, qui portait à un haut degré le souci du bien-être et de la sécurité de ses frères, soit tombé, victime de la violence?

Père Ti-Jan, vous avez gardé jusqu'au bout la fidélité au service de votre Dieu et de vos frères humains, paix à votre âme! Puisse le Dieu de la vie concrétiser vos rêves, en accordant à Haïti grâces en abondance, pour qu'enfin cesse la violence gratuite et stérile dont tant d'innocents sans défense sont trop souvent victimes et que s'installe un nouveau mode d'existence où les pauvres et les démunis vivent dans la dignité et le respect.

Que tous les croyants, au nom de la solidarité humaine et chrétienne, s'unissent à la prière fervente pour tous ceux qui pleurent cette brutale disparition.» (*Le Nouvelliste* du 4 août1998, pp. 1, 5).

Des funérailles émouvantes ont été célébrées à la mémoire du père Jean Pierre-Louis. Ses assassins, introuvables, restent encore impunis.

L'enquête sur cet infâme assassinat semble se poursuivre.

8. Jimmy Lalanne (27 février 1999)

Jimmy Lalanne est docteur en médecine. Le 27 février 1999, il travaillait paisiblement dans son cabinet sis au Chemin des Dalles, à Port-au-Prince, quand un tueur, calmement, pénètre dans l'enceinte même de la clinique et l'abat en présence des patients éberlués.

La communauté des médecins, terriblement secouée, émit une note de protestation signée par toutes les organisations regroupant les professionnels de la santé qui décrit bien l'atmosphère dans laquelle les citoyens sont acculés à vivre en Haïti à cette époque :

> «Les professionnels de la santé, justement alarmés par la spirale de violence et de crimes qui continuent à frapper aveuglément tous les secteurs de la nation, expriment leur profonde indignation, protestent énergiquement et condamnent l'assassinat crapuleux du Dr. Jimmy Lalanne dans l'enceinte même de sa clinique à la *Polyclinique Centrale* au Chemin des Dalles, dans la matinée du samedi 27 février 1999, à la suite de menaces publiques proférées dans l'exercice de ses fonctions.
>
> La liste des médecins tués, soit dans l'exercice de leur profession, soit sur le chemin du travail ou vacant simplement à leurs activités familiales ne cesse de s'allonger, sans que, même en une seule fois, JUSTICE n'ait été rendue à leurs familles. Nous en voulons pour preuve le cas des Drs. Lowensky Sévère, Wilfrid Figaro, Maryse Plaisimond, Fritz Jocelyn, Anne-Marie Guirand (pour ne citer que ceux-là). Pas une fois un coupable n'a été identifié pour être déféré par-devant ses juges naturels.

Faut-il que la peur règne parmi les citoyens et les professionnels haïtiens au point de paralyser toutes les initiatives de progrès et de développement? Va-t-on laisser le pays se transformer en une vraie jungle et forcer les cadres haïtiens à s'expatrier à la recherche de sécurité sous des cieux plus cléments?

Encore une fois, devant ce crime qui vient brutalement mettre fin à la vie d'un jeune médecin orthopédiste reconnu pour sa compétence, son sens de l'éthique et de la déontologie, son entregent et qui révolte la conscience de tous, l'*Association Médicale Haïtienne* (AMH), les *Sociétés Spécialisées*, l'*Association Nationale des Infirmières Licenciées d'Haïti* (ANILH) et tous les professionnels haïtiens de la santé expriment leur colère et exigent que justice soit faite.

Il ne suffit pas de clamer sur les toits que Haïti vit dans un Etat de droit. Il devient impératif que le droit à la vie soit garanti pour tous par des actes publics qui mettent fin à l'impunité et restaurent la confiance des familles.» (*Le Nouvelliste* du 1er mars 1999, pp. 1, 4).

En signe de protestation contre ce meurtre inouï, le Corps médical avait organisé une grande marche pour réclamer l'identification et l'arrestation du tueur et dire non à l'insécurité galopante qui sème le deuil dans le pays. Cependant, si la marche avait eu un succès extraordinaire, le meurtrier du docteur Jimmy Lalanne, lui, introuvable, continue à jouir de l'impunité après son forfait.

9. Yvon Toussaint (1er mars 1999)

Médecin de son état, Yvon Toussaint, sénateur de la République en fonction, fut abattu de plusieurs balles le 1er mars 1999, à Delmas 31, par un tueur à gage dénoncé par les dirigeants du parti politique *Organisation du Peuple en Lutte* (OPL) auquel Toussaint appartient. Ce crime crapuleux, qualifié d'assassinat politique par la direction de l'OPL, eut lieu dans un quartier très peuplé et fréquenté par des centaines d'élèves.

La classe politique, bouleversée, exprima sa profonde indignation dans de nombreuses notes de presse. *Le Nouvelliste*, de son côté, relata ainsi les faits:

> «Une nette recrudescence de la violence a été constatée à Port-au-Prince où six personnes, dont un médecin, ont été tuées par balles au cours du week-end alors que lundi matin, un sénateur a été abattu par des inconnus d'une balle dans la tête.
>
> Jean Yvon Toussaint, 47 ans, médecin formé en Belgique et sénateur du Département du Centre, appartenait au parti de l'*Organisation du Peuple en Lutte* (OPL), une des formations membres de l'"*Espace de Concertation*" qui regroupe une partie de l'opposition.
>
> Le sénateur Toussaint a été abattu à la rue Xaragua, à Delmas 31, par des individus qui ont pris la fuite, pendant qu'il vérifiait, d'après des témoins, une panne de pneu qui lui avait été signalée (dit-on) par ceux-là ou ceux qui devaient le tuer par la suite d'une balle à la tête.
>
> Le Dr. Toussaint qui était un membre influent de l'OPL

avait été élu en 1995 premier sénateur du Département du Centre, son mandat devait échoir dans deux ans. Il occupait le poste de questeur au Sénat. Il était originaire de Mirebalais, marié et père de plusieurs enfants. L'OPL dans une note de presse a pris position:

«Au cours des deux dernières semaines, des assassinats en cascade ont endeuillé les familles haïtiennes: de simples citoyens, des socioprofessionnels, pour enfin aboutir au crime révoltant contre le questeur du Sénat, le Dr. Yvon Toussaint de l'OPL, qui a eu récemment maille à partir avec le ministère des Finances au sujet du salaire de ses collègues, indique la note.

Face à cet assassinat odieux du sénateur du Plateau Central, l'OPL élève la plus énergique protestation et, constatant qu'il est impossible de continuer à négocier dans un tel climat, décide de rompre toutes discussions avec le président Préval jusqu'à ce que le jour soit fait sur l'assassinat du sénateur Toussaint.» (*Le Nouvelliste* du 1er mars 1999, p. 1).

Des funérailles nationales furent organisées en l'honneur du sénateur Yvon Toussaint, mais ses présumés assassins ne sont pas appréhendés jusqu'à ce jour, malgré les dénonciations publiques faites en la circonstance par les membres de son parti politique, l'OPL.

10.Roland Décatrel (31 août 1999)

Roland Décatrel, un homme d'affaires possédant un commerce à la rue Pavée, à Port-au-Prince, *Les Etablissements Roland Décatrel*, fut atteint d'une balle à la tête devant son magasin, vers 9 heures, le matin du 31 août 1998. Il semble que M. Décatrel se trouvait sur la ligne de tir d'un groupe de bandits qui s'attaquaient à des cambistes à dessein de les détrousser.

Le secteur commercial, une fois de plus, était rudement frappé. L'éminent journaliste Aubelin Jolicoeur nous fit une description de l'événement :

> «Dans une effervescence et des crépitements de balles, des bandits armés qui venaient de commettre un forfait dans le périmètre de la rue Montalais et de la rue Pavée, dans leur fuite, prirent pour cible Roland Décatrel qui venait d'ouvrir son magasin d'appareils électroniques au No. 164 de la rue Pavé et l'abattirent de deux balles, à la stupéfaction de ceux qui l'entouraient. C'était le mardi 31 août, vers 9 heures du matin. Ainsi, Roland Décatrel qui avait quitté son épouse Marie José, tout vibrant de vie, avait subi les caprices de la destinée.
>
> Aucun être qui meurt ne doit nous laisser indifférent, car la mort est un sort commun à nous tous et nous unit dans cette fatalité qui fait de nous des frères. Nous pouvons mourir avec la pleine conscience de la venue de cette compagne inéluctable. Quand elle vient si bêtement comme dans le cas de Roland, même s'il est incertain où elle nous attend, on ne peut s'empêcher de se révolter.
>
> Roland avait trop de vie, trop de volonté, de cette joie de vivre dans le bonheur des siens pour avoir une quelconque préméditation de la mort. Et la faucheuse est venue brutalement l'enlever à l'amour de sa femme, à l'affection de ses enfants Lena et Roland, de ses petits-enfants, de ses

frères et soeurs, de sa belle-mère, à l'amitié de ses nombreux amis...

La société haïtienne qui ne cesse de compter ses morts depuis que l'armée qui lui servait de garde-fou a été abolie, a défilé le vendredi 3 septembre devant la dépouille de Roland Décatrel installée dans un parterre de fleurs au salon mortuaire de l'Eglise Saint-Pierre de Pétion-Ville par les soins de Pax Villa, pour marquer sa solidarité dans l'adversité de Mme. Marie-José Décatrel, inconsolable, à ses enfants Roland Jr. et Lena Martinez, et les autres membres de la famille.» (*Le Nouvelliste* du 6 septembre 1999, pp. 1, 18).

L'enquête sur la mort brutale de Roland Décatrel se poursuit. La police n'arrive pas encore à mettre la main au collet des bandits qui ont commis cet acte odieux.

11. Jean Dominique (3 avril 2000)

Jean Dominique, agronome de son état, est un journaliste émérite, un directeur d'opinion responsable, le propriétaire de l'une des plus remarquables stations de radio de Port-au-Prince: *Radio Haïti Inter*. Comme chaque jour, il se rendait à son lieu de travail, à Delmas, en ce matin du 3 avril quand, arrivé dans la cour de la station de radiodiffusion, il fut abattu, ainsi qu'un employé de la station, M. Jean-Claude Louissaint, de plusieurs balles. Ce dernier succomba sur-le-champ. Lui-même rendit l'âme un peu plus tard, à l'*Hôpital de la Communauté Haïtienne*.

Ce crime crapuleux, perpétré vers 7 heures du matin, mit Port-au-Prince en émoi. La corporation des journalistes, les organisations politiques et de la société civile, le gouvernement, tout le monde fit chorus pour condamner ce double assassinat. Depuis l'assassinat de Mireille Bertin, c'est le crime qui a suscité le plus d'interrogations dans la société haïtienne.

Dans une déclaration publique, la *Chambre de Commerce et d'Industrie d'Haïti* déclarait en la circonstance :

> La *Chambre de Commerce et d'Industrie d'Haïti* a appris avec consternation la nouvelle de l'assassinat de l'éminent journaliste Jean Léopold Dominique et proteste énergiquement contre cette forme de violence qui vise à bâillonner le droit d'expression, un acquis irréversible du processus démocratique.
>
> La *Chambre de Commerce et d'Industrie d'Haïti* ne cessera d'interpeller les autorités qui ont la responsabilité de mettre la justice en action pour réprimer les actes perpétrés contre la société, de punir les coupables et de prévenir les crimes qui jettent le deuil dans les familles haïtiennes.
>
> Aujourd'hui, le journaliste Jean L. Dominique est tombé. Demain ce sera un autre professionnel qui paiera de sa vie l'exercice de ses droits dans la société.
>
> Il est temps que ces meurtres inutiles cessent! Il est temps que les familles vivent en paix et dans la sécurité!» (*Le Nouvelliste* du 4 avril 2000, p. 14).

A l'initiative de sept organisations féminines, des milliers de femmes gagnèrent les rues de la capitale pour dénoncer cet assassinat. Jean Dominique eut droit à des funérailles nationales célébrées au stade Sylvio Cator avec une forte participation populaire.

Pour bien exprimer l'ampleur du désastre, trois journées de deuil national furent décrétées par le gouvernement avec la mise en berne du drapeau national sur toute l'étendue du territoire. Le Commerce et l'Industrie ont chômé également le jour des funérailles.

Comme ce fut le cas pour le meurtre du député Hubert Feuillé, un bouc émissaire fut également identifié. Cette fois-ci, M. Evans Paul était désigné à la vindicte publique. Le Quartier Général de son parti politique, sis au Bois-Verna, fut incendié par les 'chimères', en manière de représailles, en toute impunité.

Fait nouveau et encourageant depuis la date du retour à l'ordre constitutionnel en Haïti, la condamnation de la *Mission Internationale Civile d'Appui en Haïti* (MICAH) relative à ce crime ne laissait point d'équivoque. La fermeté avec laquelle la mission onusienne a réagi marquait, à n'en pas douter, un tournant dans le comportement de la communauté internationale vis-à-vis du phénomène de l'insécurité en Haïti. Lisez plutôt le communiqué de presse rendu public en la circonstance:

> «Le meurtre de M. Jean Dominique, Directeur de Radio Haïti Inter, et d'un gardien de la station de radio, est un acte odieux et répugnant. Il vient hélas s'ajouter à une liste, déjà trop longue, d'actes semblables qui ont ensanglanté ces

derniers jours la vie en Haïti et constitue une atteinte grave à la liberté d'expression et d'opinion sans laquelle il ne saurait y avoir un débat démocratique véritable dans un espace politique libre et pluriel, respectueux des droits de la personne humaine.

Ce crime, tout comme les nombreux actes de violence qui l'ont précédé, augmente de manière dangereuse et préoccupante les obstacles de toute sorte qui sont érigés pour affaiblir la démocratie en Haïti et perturber davantage le climat de paix, de sécurité et de dialogue nécessaire à la réalisation d'élections libres, transparentes et crédibles, sans intimidation ni harcèlement et débarrassé de tout esprit d'intolérance.

La *Mission Internationale Civile d'Appui en Haïti* (MICAH) condamne avec la plus grande fermeté cet assassinat et tout recours à la violence qui ne peut que provoquer le recul de la démocratie en Haïti et mettre en péril ses acquis, arrachés au prix de sacrifices immenses de la part du peuple haïtien.

La *Mission Internationale Civile d'Appui en Haïti* souhaite vivement que des mesures adéquates soient prises pour arrêter, une fois pour toutes, cette spirale de violence et défendre la liberté d'expression, celle de la presse notamment, et demande instamment que toute la lumière soit faite pour identifier et châtier les responsables de ce crime.» (*Le Nouvelliste* du 4 avril 2000, p. 14).

Hélas! Malgré toute cette avalanche de supports et de protestations, les meurtriers de Jean Léopold Dominique et leurs commanditaires n'ont pas été, à ce jour, retrouvés pour payer leur crime.

12. Ary Bordes (6 mai 2000)

En dépit de tout le tapage créé par le très osé assassinat du journaliste Jean L. Dominique et nonobstant la réaction ferme de la communauté internationale, les criminels refusèrent de chômer.

A un mois exactement de la mort brutale du directeur de *Radio Haïti Inter*, dans la matinée du 3 mai 2000, un prêtre catholique fut tué à Delmas, tandis qu'il se trouvait au volant de sa voiture, d'une balle à la tête, attaqué par trois individus circulant à motocyclette. Il s'agit du père Lagneau Belot, curé de Thomassique, bourg situé dans le Plateau Central. Trois jours après ce coup dur porté à l'Eglise catholique, un autre meurtre était commis, cette fois-ci, sur la personne d'un membre de la communauté médicale, le docteur Ary Bordes.

Ary Bordes, docteur en médecine, ancien ministre de la Santé Publique, est le fondateur et le premier président de l'*Association de Santé Publique d'Haïti* (ASPHA). Ancien président de l'*Association Médicale Haïtienne* (AMH). Il est l'auteur de nombreux écrits sur l'histoire de la médecine en Haïti, sur l'hygiène publique et la planification familiale. Il s'est adonné également à beaucoup de recherches et d'études dans le domaine de la médecine communautaire.

Le docteur Bordes venait de prendre livraison de sa voiture au garage et retournait chez lui. C'est à la rue Nazon qu'en plein midi, plus précisément à 1 heure p.m., il fut agressé. Son véhicule bloqué dans un embouteillage, le tueur, émergeant d'une voiture circulant en sens inverse, traversa la chaussée et alla lui loger une balle dans la tête. Le docteur Bordes devait succomber quelques heures plus tard à l'*Hôpital du Canapé Vert*.

En 1996, revenant d'un périple en Afrique du Sud, le docteur Bordes avait émis cette opinion à propos de la terre natale de Nelson Mandela:

> «Pays de contrastes, comme le nôtre, ses ressources mises à part; au passé de lutte comme le nôtre pour la libération de l'homme noir; mais qui, en bout de piste, a eu la chance de ne pas sombrer dans la violence. J'en suis parti avec une vive admiration pour Nelson Mandela en souhaitant que son expérience réussisse et survive. En souhaitant aussi que nous nous y intéressions et qu'elle nous serve de leçon et de boussole dans la recherche de notre équilibre.» (*Le Nouvelliste* du 4 janvier 1996, p. 8).

L'expérience de M. Mandela n'a pas servi de leçon à notre pays comme le docteur Ary Bordes l'avait souhaité et il est aujourd'hui victime de cette violence qu'il dénonça dans son article. Son assassinat survint une année à peine après la grande marche réalisée le 4 mars 1999 par plus d'un millier de médecins et de professionnels de la santé pour protester contre l'assassinat spectaculaire du docteur Jimmy Lalanne perpétré dans l'enceinte même d'un centre médical à Port-au-Prince.

Aux cris de «jamais, plus jamais», les participants à cette manifestation avaient brandi à l'époque des pancartes où étaient inscrits ces slogans: «Oui à la justice, non à la violence, non à l'impunité». Alors que l'assassin du docteur Lalanne n'était pas encore sous les verrous, voilà qu'un autre membre du corps médical venait d'être fauché, victime du même climat de violence que les marcheurs avaient dénoncé une année plus tôt.

Le meurtre du docteur Bordes provoqua beaucoup de remous dans le monde médical haïtien et jeta la panique dans la société haïtienne tout entière. Le quotidien *Le Nouvelliste* exprimait ainsi son opinion de la situation haïtienne, en ce début de mai 2000, dans un éditorial publié deux jours après le meurtre de cet éminent médecin :

> «Violence aveugle, crise institutionnelle, situation financière proche de la banqueroute, pourrissement de la situation socio-politique, telles sont les données qui prévalent à quelque deux semaines des élections.
>
> Les bandits ont les rues, les consciences et surtout l'impunité. L'impuissance de la société civile et de l'Etat à gérer le chaos est plus que manifeste. Alors, on se croise les bras. Et, dans l'affaissement le plus tragique, revient la question: le prochain sera qui?
>
> La fin de la semaine dernière, c'est notre collaborateur Ary Bordes qui a payé les frais. L'actualité, si on se met à suivre la tendance est plutôt d'ordre nécrologique. La vérité est que personne n'en est exempte.
>
> Peut-être qu'il est temps de vaincre les peurs, cette peur qui nous évite d'identifier le taureau afin de le prendre par les cornes. Peut-être qu'il faut crier - quoiqu'il advienne - à vive voix le grand cri d'une homélie plutôt visionnaire: n'ayez

pas peur!» (*Le Nouvelliste* du 8 mai 2000, p. 1).

Le sentiment de panique qui traversait la société est magistralement exprimé dans la note suivante de *l'Association Médicale Haïtienne* :

> «Une fois de plus, une fois de trop, trop de fois déjà la violence aveugle, gratuite et impunie a encore frappé. Cette vague meurtrière, institutionnalisée depuis quelque temps, a encore fauché l'une des plus éminentes personnalités de la corporation médicale, le Dr. Ary Bordes, le samedi 6 mai 2000.
>
> A un moment où cette figure de proue de notre communauté bravait vaillamment les affres d'une terrible maladie et se faisait l'apôtre de sa prévention et de son dépistage par ses témoignages, la fantaisie irresponsable, voire la désinvolture maniaque d'auteurs de crimes, ont arrêté net le parcours de cet exemple et de cette référence médicale.
>
> Nous, de l'*Association Médicale Haïtienne*, citoyens tout court, professionnels exerçant la pratique médicale dans des circonstances à la limite de l'acceptable, sommes fatigués de subir, impuissants, ce déferlement de violence et protestons énergiquement contre cet état de fait où le crime est la seule façon de résoudre les problèmes, quelle que soit leur nature.
>
> Au-delà de cette protestation, nous nous insurgeons contre cette passivité, cette résignation docile, se limitant à la simple condamnation de ce couloir de la mort violente en attendant que chacun y passe.
>
> Cet assassinat du Dr. Ary Bordes, un symbole de la médecine haïtienne, doit interpeller la conscience de tous. Nous demandons à tous les secteurs de la société civile, tant

> en Haïti qu'à l'étranger, de s'unir à nous en vue d'une réplique commune à cette cascade de violence insolente afin que tout soit mis en oeuvre pour assurer le bien-être et la sécurité de tous les citoyens.» (*Le Nouvelliste* du 8 mai 2000, pp. 1, 4).

Le docteur Bordes eut des funérailles dignes de sa stature d'honnête citoyen. Au cours de cette cérémonie, le président de l'*Association Médical Haïtienne*, docteur Claude Surena donna lecture d'une "Déclaration de l'AMH" signée par 1,726 personnes, dont voici un extrait :

> Depuis quelques temps, notre société est devenue la proie d'actes terroristes révoltants. Pas un jour ne se passe sans que la presse ne relate des crimes odieux commis par des bandits sur de paisibles citoyens. C'est «un mal qui répand la terreur» et pire encore la banalisation du crime lui-même, ce nouveau mal terrible qui tend à s'insérer dans nos moeurs comme une manière de vivre de notre société.
>
> Le désarroi et la peur se lit sur tous les visages. L'insécurité nous enveloppe et nous étrangle jusqu'au sein de nos familles et sur leurs lieux de travail. Nous perdons jusqu'à l'élan de solidarité qui, en d'autre temps, nous avait permis de résister et de survivre aux pires calamités...
>
> L'insécurité, qu'importe son origine et ses mobiles, est collée à notre quotidien. Tous les Haïtiens, quelles que soient leurs conditions sociales ou économiques, leurs croyances religieuses, ou leurs convictions politiques se sentent comme des bêtes traquées...
>
> La liste des victimes s'allonge et s'alourdit à chaque seconde qui passe. Le massacre aveugle d'innocentes vies,

endeuillant de nombreuses familles, plonge la société haïtienne dans une terreur qui rappelle celle de «la période des baïonnettes»... (*Association Médicale Haïtienne - Hommage au docteur Ary Bordes*, p. 30).

Enfin, le discours pathétique prononcé à ces funérailles par la nièce du disparu, Mme. Evelyne Bordes David, rappelait à tous les dernières consignes laissées par l'intègre et sage homme, juste quelques jours avant d'être ainsi sauvagement assassiné: «Il nous faut réapprendre à aimer ce pays». Mme. David demanda alors à l'assistance de «garder une lueur d'espoir» pour que la mort du docteur Bordes ne soit pas inutile et qu'enfin Haïti sorte de la spirale de la violence et de l'assassinat gratuit et impuni.

Cette fois, la police allait annoncer au mois de juillet 2000 que les auteurs de ce crime avaient été identifiés et arrêtés. Est-ce un tournant?...

Nous espérons que ces suspects seront bientôt inculpés et traduits en justice.

Nous nous arrêtons à ces douze cas d'exécutions sommaires et spectaculaires. Nous aurions pu en citer davantage, tel celui de la mairesse de la ville de Chansolme, dans le Nord-Ouest, Mme. Erla Jean-François, tuée dans la matinée du 30 mai 1996 à Port-au-Prince ou celui de l'homme d'affaires Serge Brierre tombé en plein quartier commercial à Port-au-Prince, le 8 novembre 1999. Mais la liste serait trop longue. Au constat de ces crimes, tous commis en plein jour par des tueurs professionnels agissant à visière levée, nous n'irons pas jusqu'à conclure, à l'instar de la *Commission Nationale de Vérité et de Justice*, à « l'existence d'une politique systématique d'élimination sélective d'adversaires politiques... en vue de terroriser la population tout entière». Nous nous bornerons à mettre l'accent sur un point essentiel : l'incapacité des pouvoirs publics à démasquer, à appréhender les criminels et les bandits, même lorsque les crimes sont perpétrés en plein jour et de façon spectaculaire.

Comme conséquence d'un tel état de fait, non seulement les délinquants sont encouragés à se lancer plus allègrement sur la piste d'autres crimes odieux, mais encore les citoyens n'entendent plus faire confiance aux institutions de sécurité du pays.

En effet, si des criminels qui opèrent en plein jour et à visière levée ne peuvent être dépistés, comment la société peut-elle se sentir protégée contre des délinquants opérant la nuit ou dans les endroits déserts? ...

La situation est sérieuse, déconcertante. Elle devrait non seulement interpeller la conscience de tous les Haïtiens, mais aussi alerter la communauté internationale qui s'est tellement dépensée pour rétablir en Haïti l'ordre constitutionnel en 1994. Malheureusement, au lieu d'une action de suivi ferme de cet effort, la communauté internationale, à travers ses nombreuses missions et unités militaires basées en Haïti a, dès le début, gardé une attitude de spectatrice, coupable moralement, face au problème de l'insécurité. Elle a choisi d'adopter une politique de «laisser-faire».

D.- Le laisser-faire des forces onusiennes

Un facteur non moins important à considérer dans notre étude est l'attitude d'indifférence adoptée par les forces onusiennes présentes sur le terrain dans cette conjoncture de dégradation du climat politique en Haïti. A la barbe des missions onusiennes en Haïti, des atteintes flagrantes à la vie et à la liberté des Haïtiens sont commises (Mireille Durocher Bertin du MIN, Antoine Leroy du MDN), des hommes politiques sont embarqués de force pour l'exil (Carl Denis, de l'OPDH).

Certains, menacés dans leurs vies, choisissent de laisser volontairement le pays (Duly Brutus, du PANPRA, Déjean Bélizaire, du MNP 28), d'autres meurent en prison après une incarcération préventive délibérément prolongée (Claude Raymond, du PREN). Des journalistes sont obligés de s'exiler (Daly Valet, de Vision 2000), des émissions de radio prisées par la population sont suspendues à cause de menaces, etc.

Elle est manifeste l'attitude d'indifférence adoptée par les forces onusiennes présentes sur le terrain face à la dégradation du climat de sécurité dans le pays. Et dire que ces forces étaient expédiées et maintenues en Haïti, munies du mandat officiel d'instaurer dans le pays «un environnement sûr et stable»!

Sur la question de l'insécurité en Haïti, nous partageons l'opinion exprimée par le professeur Leslie Manigat dans son analyse des causes du sous-développement national.

> «Ce n'est pas dans notre bouche ni sous notre plume, écrit-il, qu'on fera de l'étranger un bouc-émissaire, mais la vérité est là, suffisamment accablante, disons-le dès le départ de cette analyse, en ce qui a trait à la responsabilité internationale du sous-développement haïtien, dans le monde d'alors et même dans le monde d'aujourd'hui.» (*Les Cahiers du CHUDAC,* Nos 14-15, octobre-décembre 1992, p. 16).

L'indifférence affichée par la communauté internationale à l'occasion de l'assassinat choquant, en mars 1995, de l'avocate et militante politique Mireille Durocher Bertin semble avoir été perçue par les criminels et leurs commanditaires comme une sorte d'aval.

Au constat de ce meurtre inqualifiable, le premier cas de crime politique scandaleux perpétré depuis le retour à l'ordre constitutionnel en septembre 1994, beaucoup d'Haïtiens se sont demandé, perplexes, comment pareil événement a pu se produire sur le sol de la République d'Haïti avec la présence des troupes de la force multinationale, en principe, au service de la DÉMOCRATIE.

L'impression dégagée après ce drame horrible a conforté l'idée de l'existence dans le pays, d'une part, de personnes intouchables pouvant défier impunément les lois en vigueur et, d'autre part, d'individus marginaux, acculés, n'ayant aucun droit, aucune protection.

Cette perception a encouragé les délinquants de tous bords à faire montre d'arrogance et même à agir à visière levée lors de l'accomplissement de leurs forfaits. A la suite de cet assassinat, la vanne des exécutions sommaires a donc été rouverte, cette fois, à partir de la capitale.

Un mois à peine après cet acte odieux, *Le Nouvelliste* tirait déjà la sonnette d'alarme:

> «Durant la semaine écoulée, écrivait le doyen de la presse haïtienne, plusieurs voleurs ont été lynchés par la population. **L'exécution sommaire tend à devenir une pratique quotidienne à la capitale**, constatent les observateurs.» (*Le Nouvelliste* des 25-26 avril 1995, p. 6).

Pourtant, même après le meurtre de Mme. Bertin, perçu par la majorité de l'opinion publique comme un acte de vengeance politique exercé contre elle à cause de ses idées, le président Bill Clinton lui-même, arrivé en Haïti deux jours plus tard, avait demandé à tous les Haïtiens de se réconcilier pour permettre le développement de leur pays. Il avait brossé pour le peuple haïtien l'avenir prometteur qui, indubitablement, devait suivre la décision de la communauté internationale de réhabiliter, par la force des armes, le président Jean-Bertrand Aristide dans ses fonctions de chef constitutionnel de l'Etat.

Voici un extrait de ce message d'espoir sorti de la bouche du leader du pays le plus puissant de la planète à l'adresse du peuple de la très pauvre République d'Haïti:

> «Pendant plusieurs siècles, disait le président Bill Clinton, le peuple haïtien n'a connu que bain de sang et terreur. On vous a volé des opportunités et privé de vos droits les plus élémentaires. Vos enfants ont grandi dans la violence. De

Cité Soleil jusqu'au village le plus reculé du pays, vous avez consenti beaucoup de sacrifices dans votre quête de liberté. Maintenant, **vous êtes à l'aube d'un temps nouveau et rempli d'espoir**. Maintenant, vous avez la chance de concrétiser les rêves de ceux qui ont libéré votre nation, il y a près de 200 ans.

Les tâches à venir ne seront pas faciles. La démocratie ne coule pas naturellement comme les rivières, la prospérité ne sort pas d'un coup de la terre et la justice ne fleurit pas en l'espace d'une nuit. Pour les obtenir, vous devez travailler dur, vous devez avoir de la patience, **vous devez avancer ensemble, avec tolérance, libéralité et coopération**. Je crois que vous pouvez le faire et, comme le président Aristide l'a dit, le défi est grand, mais votre volonté de réussir est encore plus grande.

Votre démocratie sera maintenue et renforcée par des élections libres et le respect des droits et des devoirs prescrits par votre Constitution. Votre gouvernement, les Nations-Unies et **les Etats-Unis feront tout en leur pouvoir pour garantir des élections libres, honnêtes et sûres**, d'abord en juin et ensuite en décembre. Nous savons par expérience que si les élections sont libres, honnêtes et sûres, vous y participerez. C'est ce que la démocratie vous demande et nous savons que vous le ferez.

Votre nation a été dépouillée de beaucoup de ses ressources naturelles. Mais la plus importante de ses ressources, vous, le peuple, avez survécu avec dignité et espoir. Comme dit le proverbe, «l'espoir fait vivre». Maintenant vous avez la chance de vous unir pour cultiver vos rizières et récolter le maïs et le petit mil, pour construire des écoles et des cliniques qui donneront un meilleur avenir à vos enfants. **Nous, vos voisins, vos alliés et vos amis, soutiendrons vos efforts pour la création d'emplois, pour l'investissement étranger, la reconstruction et la réparation de votre pays dévasté**.

Dans quelques mois, on commencera le pavage de 1.000 kilomètres de routes. Et plus tard, au cours de cette année, j'enverrai les volontaires du **Corps de la Paix pour vous aider à planter des millions d'arbres**. Pendant la construction des routes et le reboisement, **des milliers d'Haïtiens trouveront du travail**. Pendant que vous commencerez ce travail, je prierai vos concitoyens et concitoyennes qui ont fui la terreur de revenir pour vous aider à reconstruire votre pays qui est aussi le leur.

Le progrès économique demande beaucoup de patience. Mais nous serons à vos côtés, tandis que vous vous mettrez sérieusement au travail qui se révélera douloureux parfois. «Men anpil, chay pa lou». Il y aura des moments de grande frustration tandis que vous construisez la démocratie et allez vers la prospérité.

Mais aujourd'hui, Haïti a plus d'amis que jamais. Et encore une fois, je prie chaque citoyen de cette nation de se rassembler dans cet esprit d'unité que le président Aristide a si éloquemment encouragé. Je ne peux faire mieux que répéter ses mots: «**Dites non à la vengeance, non à la revanche et oui à la réconciliation**».

La justice ne sera pas toujours immédiate. Parfois, elle ne semblera pas équitable. Mais **l'Etat de droit doit prévaloir**. **La police et les tribunaux devront rapidement se**

fortifier. Les citoyens ne doivent pas se faire justice à eux-mêmes. Chacun de vous doit choisir, comme beaucoup d'entre vous ont déjà choisi, de construire au lieu de détruire.» (*Le Nouvelliste* du 3 avril 1995, p. 14).

Ce message a l'allure d'un programme de développement pour Haïti. Nous avons mis en évidence certaines phrases du texte pour mieux attirer l'attention du lecteur sur les points forts de ce discours qui, s'ils étaient mis à profit par les décideurs haïtiens, auraient, sans nul doute, épargné au pays cette situation catastrophique d'insécurité latente, d'intolérance institutionnalisée, de violence exacerbée, de misère noire.

Comment la nation haïtienne a-t-elle pu rater le rendez-vous avec la modernité, le développement, le progrès après un tel engagement du leader de la nation la plus riche et la plus généreuse du monde, en faveur de notre pays?

S'il est évident que les responsables haïtiens ne se sont pas évertués, après 1994, à créer l'environnement politique approprié pour l'exploitation des idées-forces de ce message et le lancement du pays sur les rails du développement durable, il est aussi indéniable d'admettre que la communauté internationale a, de son côté, commis l'erreur fatale de ne pas exiger, dès le départ, par des pressions constantes et fermes, l'application des lignes directrices évoquées dans le discours du président Clinton : réconciliation, élections libres et honnêtes, Etat de droit, tolérance, respect des droits de tous, etc..

Au lieu d'exiger des pouvoirs publics un comportement en

harmonie avec ces conditions énoncées en vue de créer et de maintenir l'ambiance nécessaire à l'exécution de ce programme, loin de manifester sa présence dans le cadre de la lutte contre les violations des droits de la personne et toutes les formes d'insécurité qui empoisonnent le climat social, les forces et les missions internationales en Haïti ont adopté une politique de laisser-faire. Elles se sont contentées de constater, d'observer, parfois de rapporter, sans intervenir.

Non seulement elles ne participaient point dans la lutte contre l'insécurité, mais elles ne disaient mot contre les multiples violations des droits commises par les instances du pouvoir et qui, tous, sont des facteurs d'instabilité. Sous leurs yeux, des arrestations arbitraires s'opéraient, les prisons se remplissaient de prisonniers politiques tandis que, à travers le pays, le nombre de crimes à caractère politique augmentait de façon alarmante.

D'un autre côté, quand la foule, commanditée par les hommes au pouvoir, gagnait les rues et commettait des exactions de toutes sortes contre les citoyens ou la propriété privée, les forces étrangères cantonnées dans le pays n'intervenaient jamais. Cette assertion est corroborée dans un article intitulé «Port-au-Prince sous les barricades enflammées» couvrant les manifestations populaires qui eurent lieu à Port-au-Prince après les funérailles du député Hubert Feuillé en novembre 1995 :

> «Des manifestants favorables au président Jean-Bertrand Aristide ont érigé des barricades, avant d'y mettre le feu, aux

principaux carrefours de Port-au-Prince samedi, à l'occasion d'une cérémonie à la mémoire de député assassiné au début de la semaine dernière.

Après la cérémonie, plusieurs groupes de quelques dizaines de personnes ont mis le feu à des barricades un peu partout dans la ville, en chantant des slogans hostiles à tous ceux qui se présenteront à l'élection présidentielle du 17 décembre...

La police haïtienne et **les forces internationales déployées dans la capitale et le reste d'Haïti ont laissé faire les manifestants**...

Dans le bas de Port-au-Prince, **les manifestants ont incendié un hôtel**, "Le Voyageur", appartenant, selon eux, à un partisan du régime militaire. Des jeunes ont également procédé dans plusieurs quartiers à des **fouilles sauvages d'automobiles** au hasard de la circulation, dont certaines ont été **faites de manière agressive**, selon les témoins...

De nouvelles manifestations sporadiques se sont produites dimanche à Port-au-Prince pour exiger le désarmement. Ces manifestations ont été marquées par des incendies de pneus dans plusieurs quartiers de la capitale...

Les membres de la Mission des Nations Unies en Haïti (MINUHA, 6 000 militaires dont 2 500 Américains et 900 policiers internationaux) **se sont bornés samedi et dimanche à aider la police nationale à permettre la circulation des véhicules mais ont laissé faire les manifestants.**»(*Le Nouvelliste* du lundi 13 novembre 1995, pp. 1, 17).

Cette attitude n'a pas changé tout au long de la période de référence. Quatre années plus tard, un prélat, Monseigneur

Guire Poulard, Evêque de Jacmel, émettait une opinion très négative sur le comportement des forces de l'ONU basées en Haïti face au phénomène de l'insécurité. *Le Nouvelliste* rapporte à ce sujet :

> «Mgr Guire Poulard, évêque du diocèse de Jacmel, a déclaré au micro des journalistes ce matin que l'on peut constater une recrudescence d'actes de banditisme, de meurtres, d'assassinats en plein jour à chaque fois que le mandat des soldats de l'ONU approche à sa fin. D'après l'évêque de Jacmel, les militaires de l'ONU n'ont pas aidé la PNH à combattre les actes de violence et à établir un climat de sécurité, de paix sociale dans le pays. La présence des soldats de l'ONU est purement symbolique, a commenté l'évêque.» (*Le Nouvelliste* du 29 novembre 1999, p. 5).

Par ailleurs, les assassinats spectaculaires n'ont jamais été fermement condamnés par les représentants des différentes missions en Haïti. Les rares dénonciations des mauvaises pratiques du pouvoir sont souvent atténuées par une comparaison de la situation présente avec celle qui exista sous le gouvernement des militaires putschistes. Ces responsables internationaux se plaisaient à mentionner dans leurs rapports que les cas de violations des droits de l'homme enregistrés actuellement en Haïti sont de loin moins nombreux que ceux commis entre 1991 et 1994. Alors, de telles remarques transformaient, bon gré, mal gré, tout reproche en un satisfecit pour le pouvoir en place.

Tel était le comportement affiché par les forces de l'ONU face au grave et préoccupant phénomène de l'insécurité en

Haïti. Après avoir imposé à la nation le retour du gouvernement Lavalas, elles incitent les Haïtiens à se débrouiller pour ramener la sécurité dans le pays. Il n'était pas de leur ressort d'intervenir, affirmaient péremptoirement les porte-parole des unités onusiennes. Beaucoup d'Haïtiens, décontenancés par ce choix délibéré, ne pouvaient comprendre que l'insécurité ait pu atteindre ce niveau inaccoutumé en Haïti, alors que des forces de sécurité supérieures aux effectifs de l'armée démantelée étaient réparties sur le territoire national, avec, comme support, tout le prestige des Etats-Unis d'Amérique. Quelle était donc la raison de leur présence dans le pays?

Tandis que le climat d'insécurité réduisait les Haïtiens au désespoir, cette question était tout simplement banalisée par les représentants en Haïti de la communauté internationale.

Huit jours avant l'assassinat de Mireille Durocher Bertin, un article du journaliste Daly Valet intitulé «L'insécurité banalisée par des diplomates» donnait une claire idée de l'opinion des plénipotentiaires accrédités en Haïti sur le sujet :

> «Il est évident (...) que la force multinationale n'assure pas la sécurité de la population. Outre une approche du problème qui ne cadre pas avec la réalité sociale et sociologique haïtienne, l'efficacité des coopérants - policiers internationaux - se noie lamentablement dans leur passivité et leur refus d'engagement».
>
> Voilà en quels termes, au Nouvelliste, nous avons commenté cette «flambée d'insécurité à travers le pays», dans notre

édition du vendredi 10 au dimanche 12 mars 1995.

Depuis, la situation ne s'est guère améliorée. Elle prend des proportions de plus en plus alarmantes, et des voix continuent de s'élever pour dénoncer cet état de fait intenable. **Le sénateur FNCDiste Eudrice Raymond va jusqu'à remettre en question la présence dans le pays des membres de la force multinationale laquelle, selon lui, ne semble être d'aucune utilité à la population dans le contexte d'insécurité**. Pour éviter l'anarchie, il en appelle à une renégociation de l'accord ayant permis le déploiement d'éléments policiers et militaires étrangers dans le pays.

«Il faut être vraiment ingrat pour dire que la situation n'a pas changé dans le pays depuis l'arrivée de la Force Multinationale», a rétorqué le jeudi 16 mars dernier M. Eric Falt, porte-parole des Nations Unies en Haïti. Faisant remarquer que, avant le 19 septembre, un climat de violence politique s'abattit sur tout le pays avec la disparition de militants politiques, M. Falt a laissé entendre que «certains profitent du vide sécuritaire pour commettre des crimes de droit commun». Toutefois, a-t-il ajouté, «**cette insécurité est bien inférieure à celle d'autres pays**».

Au fil des jours et au fur et à mesure que l'on se complaît à dire que «l'environnement est sûr et stable», cette thèse du porte-parole des Nations Unies est devenue la ritournelle de tous les diplomates étrangers accrédités en Haïti. «Les crimes qui se commettent en plein jour à travers Haïti, il y en a en plein jour à travers tous les pays, à commencer par le mien et tous les pays voisins. **Haïti est redevenue un pays normal**», a déclaré au Nouvelliste l'ambassadeur français en Haïti, Philippe Seltz.

A ses dires, depuis le retour à l'ordre constitutionnel, les Haïtiens sont débarrassés de cette écharpe de plomb que constituait le régime putschiste. «Depuis le départ des personnes qui incarnaient le régime de fait, il y a un dégonflement considérable de la tension politique... C'est un haut responsable haïtien qui disait récemment: on trouve peut-être un crime ici ou là, de temps en temps, mais on ne trouve plus dix cadavres tous les jours dans les rues de Port-au-Prince, comme cela était le cas et comme j'en ai été moi-même témoin pendant les trois années du coup d'Etat. La situation est, du point de vue des autorités françaises, radicalement différente par rapport à la situation précédente et globalement bien meilleure», a poursuivi M. Seltz qui reconnaît qu'on a raison de souligner que la sécurité totale n'était pas assurée.

«Mais, c'est pareil dans mon pays», a-t-il soutenu avant d'avancer que si l'on passe de la Force Multinationale à la MINUHA à partir du 31 mars de cette année, c'est que les Nations Unies et le Conseil de Sécurité ont considéré de façon unanime qu'il y a bien en Haïti un «environnement», un climat «stable et sûr» qui permet d'aller d'une phase à l'autre.

L'ambassadeur français inscrit les crimes perpétrés un peu partout à travers le pays dans un contexte de banditisme social, donc catalogués tous sous la rubrique "crimes de droit commun".

A l'ambassade américaine, les arguments sont loin d'être différents. «Le manque de sécurité est un problème de criminalité», affirme le porte-parole Stanley Shrager. «Sous le régime militaire, dit-il, une violence politique était dirigée

> contre les partisans du président Aristide. Maintenant ce que nous avons, c'est la criminalité, un problème local qui ne menace pas l'avenir de l'Etat d'Haïti comme un pays démocratique, de la même manière que les crimes aux Etats-Unis, en hausse constante, ne menacent pas l'avenir des Etats-Unis comme une démocratie», fait-il remarquer. Pour surmonter le problème, il préconise la mise sur pied d'une force bien «formée, non politisée». (*Le Nouvelliste* du 20 mars 1995, p. 3).

Voilà l'opinion des représentants mandatés de la communauté internationale basés en Haïti sur la criminalité dont le taux était presqu'insignifiant avant 1986 dans le pays.

M. Seltz ignore-t-il que «les dizaines de cadavres trouvés dans les rues de Port-au-Prince pendant les années du coup d'Etat» auxquelles il fait référence, sortaient tout droit de la morgue de l'*Hôpital de l'Université d'Etat d'Haïti* (HUEH), et que leur étalement sur la chaussée était le fruit de manoeuvres politiciennes destinées à ternir davantage l'image des dirigeants militaires de l'époque? En outre, l'insécurité généralisée, la criminalité débridée, ne sont-elles pas aussi nocives pour une population que la répression politique? Enfin, à entendre ce diplomate étranger déclarer, au constat de la prolifération des cas d'assassinat enregistrés, qu'«Haïti est redevenue un pays normal» vu qu'«il y a des crimes commis en plein jour à travers tous les pays du monde», devons-nous croire que la population du pays qu'il représente assiste, impuissante, elle aussi, quotidiennement, à autant de crimes spectaculaires demeurés sans suite?

C'est une erreur grave de la part de ces diplomates de choisir la période historique gérée par les militaires putschistes comme critère d'évaluation pour apprécier l'étendue de l'insécurité en Haïti. Nous pensons que la qualité de la vie de l'Haïtien avant 1991, c'est-à-dire, avant cette période extrêmement confuse, marquée par un embargo total et sauvage, devrait, de préférence, constituer la base naturelle de comparaison.

Il est vrai qu'indépendamment de la manière dont un analyste définit la violence, l'appréciation du niveau d'insécurité dans une société se mesure par comparaison, soit avec les autres pays pour la même période, soit en se reportant en arrière du temps. Cependant, notre thèse affirmant que la sécurité en Haïti s'est sévèrement dégradée et qu'il faut d'urgence corriger les avatars s'oppose à celle qui soutient que les temps passés étaient bien pires et qu'à ce titre on peut minimiser les violences ayant cours aujourd'hui dans le pays. Nous la rejetons énergiquement, parce que la période choisie comme référence pour étayer cette opinion représente l'une des plus troublées de l'histoire d'Haïti.

Néanmoins, le crime scandaleux perpétré contre le journaliste Jean L. Dominique, le 3 avril 2000, semble avoir dessillé les yeux aux membres des *Nations Unies* en Haïti. Après la perpétration de ce meurtre, il a été noté un net changement de la part du représentant de la mission de l'ONU en Haïti, la MICAH, qui a émis une note de condamnation ferme et non équivoque du crime commis. Plus question pour la communauté internationale de garder le mutisme sur le climat d'insécurité en Haïti. Heureusement.

Des réactions fermes se sont produites subséquemment aux assassinats des candidats de l'opposition survenus dans le cadre des élections de mai 2000. La même attitude a été observée dans la suite à l'occasion de ces élections frauduleuses et du cortège de violence de rues qui les accompagnait. On a même vu la MICAH déléguer à Petit-Goâve une commission chargée d'enquêter objectivement sur les exactions des partisans du parti politique proche du pouvoir contre des membres de l'opposition.

L'Haïtien commence donc à percevoir un changement dans la bonne direction. Il a salué avec beaucoup de satisfaction le comportement des Etats-Unis, du Canada, de la France, du Japon, de l'Union Européenne, du Chili, de l'Argentine dénonçant les actes d'insécurité et les fraudes électorales qui ont caractérisé les élections de mai 2000 dans le pays, et brandissant l'arme des sanctions pour porter le pouvoir à adopter les mesures de correction appropriées.

A cette réaction inattendue de la communauté internationale, le pouvoir crie à l'ingérence dans les affaires internes du pays et s'enveloppe maladroitement dans le manteau nationaliste, du genre: «étrangers s'abstenir». Nous souhaitons ardemment que, pour le bien du pays, les agents délégués par la communauté internationale en Haïti maintiennent cette voie.

Dans ce chapitre, nous avons essayé de mettre en évidence

les catalyseurs de cette situation d'insécurité qui étrangle la nation haïtienne. Faiblesse des structures judiciaires et policières, impunité, crimes spectaculaires non élucidés, laisser-faire des tuteurs internationaux, tout un ensemble de facteurs contribuant à aggraver le phénomène qui s'accompagne d'un lourd bilan. Nous allons, tout en ébauchant année par année l'ambiance dans laquelle ces crimes ont été commis, les dénombrer pour la période s'étendant de l'année 1995 à l'année 2000. Nous rappelons aux lecteurs que notre oeuvre ne dresse qu'un inventaire non exhaustif des victimes de l'insécurité à partir des informations glanées dans certains journaux haïtiens.

Mme. Mireille Durocher Bertin
Avocate, journaliste, chef de parti politique
Assassinée en plein jour, le 28 mars 1995.

M. Michel Gonzalès
Homme d'affaires, directeur de Air Haïti Cargo
Assassiné en plein jour, le 22 mai 1995.

Général Max Mayard
Officier retraité des FAD'H
Ancien commandant-en-chef adjoint de l'armée démobilisée
Assassinée en plein jour, le 3 octobre 1995

M. Hubert Feuillé
Député au Corps Législatif
Assassiné en plein jour, le 7 novembre 1995

Révérend Antoine Leroy
Pasteur, dirigeant d'un parti politique de l'opposition
Assassiné en plein jour, le 20 août 1996

Mme. Micheline Lemaire Coulanges
Femme d'affaires, commerçante
Assassinée en plein jour, le 22 décembre 1997

Révérend Père Jean Pierre-Louis
Curé de l'Eglise de Mont-Carmel de Bizoton
Assassiné en plein jour, le 3 août 1998

Dr. Jimmy Lalanne
Médecin
Assassiné en plein jour, le 27 février 1999

Dr. Yvon Toussaint
Médecin, Sénateur de la République
Assassiné en plein jour, le 1er mars 1999

M. Roland Décratrel
Homme d'affaires, commerçant
Assassiné en plein jour, le 31 août 1999

M. Jean Léopold Dominique
Agronome, journaliste, propriétaire de Radio Haïti Inter
Assassiné en plein jour, le 3 avril 2000

Dr. Ary Bordes
Médecin, ancien ministre de la Santé
Assassiné en plein jour, le 6 mai 2000

CHAPITRE IV

TENTATIVE DE BILAN

Au chapitre V de son rapport, intitulé "Présentation générale des cas", la *Commission Nationale de Vérité et de Justice*, mandatée en l'année 1995 pour enquêter sur les atrocités commises sous le régime militaire putschiste entre 1991 et 1994, a dénombré, après trois années de recherches laborieuses qui se veulent approfondies, «333 disparitions forcées et 576 exécutions sommaires.»

Qu'en est-il du nombre de tués par balles ou autres causes de mort violente non accidentelle en Haïti, entre 1995 et 2000, c'est-à-dire, après le retour à l'ordre constitutionnel en octobre 1994?

Le bilan s'est révélé lourd, voire très lourd. Les résultats auxquels ont abouti nos recherches sont alarmants. Car, bien que les données recueillies aient été glanées ça et là dans la presse écrite haïtienne, nous avons constaté que le nombre des exécutions sommaires ou extrajudiciaires recensé au cours de la période de référence dépasse de loin le chiffre de 576 rapporté par la Commission dans son étude couvrant les trois années du régime putschiste.

En outre, nous invitons le citoyen haïtien à réfléchir profondément sur cette assertion de la *Commission Nationale de Vérité et de Justice* qui, opinant sur «une étude statistique menée à partir des registres de l'*Hôpital de l'Université d'Etat d'Haïti* (HUEH) sur une période de dix ans (1985-1995)», fait les considérations suivantes :

> «L'expérience d'autres pays ayant connu de sombres périodes de répression indique que certains régimes dictatoriaux laissent davantage de dossiers sur leurs crimes qu'on ne l'aurait cru. Dans le cas d'Haïti, les registres de l'Hôpital furent une source d'information providentielle.
>
> L'analyse statistique de ces dossiers indique comment, durant la période de référence (celle du coup d'Etat), le nombre d'assassinats politiques a augmenté sensiblement, comparativement aux années précédentes. Sur le plan statistique, la différence est hautement significative et montre que le nombre moyen de victimes a plus que doublé - **passant d'une moyenne de 10 décès par mois durant les années précédentes à environ 24 décès par mois**. De plus, cette période compte le nombre le plus élevé d'assassinats des dix dernières années (576 exécutions sommaires) durant lesquelles il y a eu un certain nombre de régimes non-démocratiques.» (*Rapport de la Commission Nationale de Vérité et de Justice*, Chapitre V, B.1).

La *Commission* affirme donc que durant les années précédant 1991, la moyenne mensuelle de décès par mort violente, de dix qu'elle était, serait passée à vingt-quatre pendant la période du coup d'Etat. Comment se présente la situation au cours de la période couverte par notre étude?

Un simple coup d'oeil sur les statistiques de l'HUEH montrerait que ces données sont largement dépassées ces jours-ci et que le nombre de décès par balles et armes tranchantes enregistré dans ce centre hospitalier par mois, à partir de 1995, a nettement évolué à la hausse. Du meurtre de l'avocate Mireille Durocher Bertin à celui du journaliste Jean Léopold Dominique ou du docteur Ary Bordes, en passant par celui du leader politique pasteur Antoine Leroy, des députés Emilio Passe et Hubert Feuillé, du sénateur Yvon Toussaint, du docteur Jimmy Lalanne, nombreux sont les citoyens haïtiens qui, à la capitale comme en province, ont payé de leurs vies cette situation d'insécurité qui sévit dans le pays en pleine période dite démocratique.

Face à ce constat plus que paradoxal, nous nous proposons, dans ce chapitre, de présenter au public un bilan, non exhaustif, des personnes victimes de mort violente non accidentelle pour la période allant de 1995 à l'année 2000. Nous le ferons tout en faisant un résumé de l'état général de la situation d'insécurité dans le pays durant chaque année de la période de référence.

Section 1 - L'année 1995

L'année 1995, année de l'espoir, était, pour les Haïtiens, celle où le pays était supposé bénéficier des retombées financières et économiques devant résulter naturellement de la stabilité retrouvée. Comme préalable à ce tournant, il fallait la tenue d'élections crédibles en vue du renouvellement des institutions démocratiques nationales: parlement, mairies, CASECs, etc.

Dès le début de l'année, il s'avérait donc urgent pour le gouvernement de créer un environnement politique serein de façon à encourager les partis politiques à s'intéresser à ces joutes électorales, seul moyen d'assurer, dans le respect des normes démocratiques, la continuité de l'Etat, un Etat légitime capable de bien gérer les ressources locales et l'aide internationale promise.

La classe politique, de son côté, nourrissait l'espoir que les choses avaient effectivement changé et qu'enfin, elle allait avoir droit à des élections honnêtes, crédibles et transparentes. D'ailleurs, la présence sur le terrain de la *Force Multinationale* inspirait une certaine confiance quant à la sécurité et au sérieux des joutes électorales annoncées.

Cependant, vers la mi-janvier, les déclarations teintées d'un esprit de vengeance à peine voilé du chef de l'Etat annonçant le démantèlement de l'armée inquiétaient les esprits les plus sceptiques. En outre, la circulation à travers la ville de listes de noms de personnes à abattre créait un sentiment d'inquiétude chez nombre de citoyens liés au régime putschiste renversé, qui, présageant le déclenchement d'une chasse aux sorcières de la part du pouvoir restauré, prirent le chemin de l'exil.

Vers la mi-février, la loi devant régir les élections législatives et locales fut publiée. Ces consultations populaires étaient programmées pour le 25 juin 1995. Cependant, l'engouement des partis politiques à participer au scrutin fut brisé dès le 2 mars 1995 par le gouvernement qui ordonna une série d'arrestations de citoyens pour "complot contre la sûreté intérieure de l'Etat". Cette initiative inattendue du pouvoir était interprétée comme une démarche liée aux prochaines élections, pour intimider les éventuels candidats de l'opposition.

Une telle situation fit germer des doutes sérieux dans l'esprit de plus d'un sur les véritables intentions du pouvoir. En outre, parallèlement aux arrestations décidées par les autorités, l'Exécutif avait entrepris, au sein de l'appareil judiciaire, des changements majeurs qui traduisaient sans ambages sa volonté de dominer les prochaines joutes électorales en mettant en branle et à son service exclusif la machine répressive et judiciaire.

Sous le titre "Arrestations à Port-au-Prince", une dépêche de l'*Agence Haïtienne de Presse* confirmait ces inquiétantes initiatives du pouvoir Exécutif :

«(AHP) - Plusieurs arrestations ont été opérées au cours du week-end écoulé à Port-au-Prince, dans le cadre d'un "complot contre la sûreté intérieure de l'Etat", a appris l'AHP d'une source généralement bien informée.

Parallèlement, selon cette même source, il a été mis fin aux services de Me. Kesner Michel Thermezi comme commissaire du gouvernement près du Parquet du Tribunal Civil de première instance de Port-au-Prince. L'intérim à la direction du Parquet sera assuré par le substitut Jean Auguste Brutus.

L'AHP a également appris que Me. Hénock Voltaire a été démis, le vendredi 24 février, de ses fonctions de doyen de ce même tribunal pour être remplacé par intérim par le juge Bien-Aimé Jean...» (*Le Nouvelliste* du 2 mars 1995, p. 1).

Comme le lecteur peut le constater, parallèlement aux arrestations des citoyens qui s'opéraient à un rythme effarant, des changements s'effectuaient au Parquet du Tribunal Civil en même temps qu'au Tribunal de première instance. Personne ne pouvait donc se tromper sur les véritables intentions du gouvernement.

Le 6 mars, la presse informait la nation de l'émission d'une pluie de mandats d'arrêts décernés à l'encontre d'une trentaine de citoyens. L'atmosphère à Port-au-Prince et en province était surchauffée et, comme conséquence immédiate, l'insécurité accusa une hausse inaccoutumée.

Un article de *Le Nouvelliste* publié sous le titre «Flambée d'insécurité à travers le pays» donne une idée précise du climat prévalant dans tout le pays, en ce début du mois de mars 1995:

«L'inadéquation des moyens mis à la disposition de la police intérimaire haïtienne, l'inaptitude, voire la démission des forces étrangères et parallèlement l'évidente flambée du banditisme déterminent aujourd'hui le cadre d'une situation dramatique où la population civile se retrouve pratiquement livrée à elle-même, sans défense, à la merci du crime de plus en plus organisé.

On se demande, perplexe et inquiet, ce que peuvent faire des policiers sans armes, munis d'un simple bâton, face à des gangs organisés de voleurs et de tireurs équipés d'armes à feu, de machettes et de couteaux. Nous avons appris que des postes de police ne disposent que de dérisoires armes de poing (revolvers) et de moyens de déplacement tellement précaires qu'ils ne peuvent répondre à toutes les sollicitations de la population. Il est évident que la motivation et la volonté d'assurer la sécurité existent, mais cela ne suffit pas quand les moyens de le faire manquent de façon aussi flagrante.

Il est évident également que la Force Multinationale n'assure pas la sécurité de la population. Outre une approche du problème qui ne cadre pas avec la réalité sociale et sociologique haïtienne, l'efficacité des coopérants-policiers internationaux se noie lamentablement dans leur passivité et leur refus d'engagement. De nombreux cas sont cités où les victimes sont interpellées pendant que leurs agresseurs s'en sortent avec insolence et audace.

Vivre aujourd'hui à Port-au-Prince est un véritable cauchemar. Les bandits sont à tous les coins de rue. Assassinats, agressions, vols et encore pillage alimentent au centre-ville et au bord-de-mer une chronique quotidienne de plus en plus alarmante.

Aller en ville pour une activité quelconque (achat, vente, transaction bancaire) devient de plus en plus une aventure périlleuse. Dans les marchés publics, le spectacle est effrayant du hold-up routinier; des gens blessés inutilement à l'arme blanche, des marchandes délestées régulièrement du produit de leur vente journalière, des dépôts pillés, des magasins cassés, des véhicules volés ou allégés de leur pare-brise, etc., des acheteurs dépouillés de leur porte-feuille, de leurs bijoux et même de leurs vêtements.

Et tout cela, fort souvent, à la barbe du policier sans arme et impuissant face à la puissance de feu des bandits.

La tombée de la nuit ne manque pas d'ajouter à l'inquiétude généralisée. Hier soir, par exemple, des véhicules sillonnaient les rues et tiraient sur tout ce qui bouge. Les gens sont dévalisés dans les taxis, lors des embouteillage. Les cas d'effraction de domicile s'allongent de façon alarmante. La ville est comme livrée à elle-même, ne disposant plus, entre autres, même d'un service de pompiers.

Sortir la nuit, pour un cas d'urgence, est un véritable drame. Des gens meurent chez eux par le simple fait qu'ils ne peuvent être amenés à l'hôpital ou qu'on ne peut leur trouver un médicament d'urgence.

Sur les routes nationales, la situation n'est pas moins dramatique. De même, dans les villes de province et à la campagne, des cas d'assassinats, de règlements de compte meurtriers deviennent alarmants. Hier soir, un camion faisant le trajet Cap-Haïtien/Port-au-Prince a été attaqué dans la région des Gonaïves; le chauffeur, le contrôleur et un passager ont été tués. Au Morne-à-Cabri, des bandits armés ont tué trois passagers à bord d'un véhicule de transport public venant de Mirebalais. Il n'y a pas longtemps, trois camions en provenance de Port-de-Paix ont été attaqués et leurs passagers dévalisés jusqu'au dernier centime. Même scénario sur la route de Hinche. Au Limbé, deux personnes ont été blessées par balles. Aux Gonaïves également.

La formation des brigades de vigilance n'aurait pas encore apporté l'amélioration espérée à cet état de choses, ni le support souhaité à l'action de la police intérimaire. Celle-ci devra être mise en mesure de faire face à cette situation qui évolue de drames en drames au sein d'une population qui risque de douter finalement de son utilité. Pour cela, il est urgent qu'elle ait les moyens et équipements adéquats et appropriés pour faire le travail, jouer le rôle et remplir la mission qui lui a été dévolue de protéger les vies et les biens. Elle en a, on le présume, la volonté, mais faut-il bien qu'elle en ait les moyens.» (*Le Nouvelliste* du 10 au 12 mars 1995, pp. 1, 15).

Tel était l'état de l'insécurité en Haïti trois mois avant la tenue des joutes électorales prévues pour le mois de juin 1995. Nonobstant cette réalité, le départ de la *Force Multinationale* d'occupation était annoncé pour la fin du mois de mars, signifiant l'accomplissement de la mission ce contingent militaire d'instaurer un "environnement sûr et stable" dans le pays. Dans la même foulée, l'*Agence France Presse* (AFP), par dépêche datée du 28 mars 1995, informait le monde entier que «Haïti était politiquement stabilisée en dépit de sérieux problèmes d'insécurité».

Ce même 28 mars pourtant, une femme, chef de parti politique et opposant au régime Lavalas, Me. Mireille Durocher Bertin, était assassinée en plein jour à Port-au-Prince. Ironie du sort, la dépêche annonçant que le pays était «politiquement stabilisé» était publiée dans le même journal informant de cet horrible et révoltant assassinat. *Le Nouvelliste* rapportait ceci dans son éditorial :

«Les organisations de droits humains, Human Rights Watch et National Coalition for Haitian Refugees, se disent inquiètes «du danger que pose une sécurité précaire en Haïti alors que les casques bleus de l'ONU s'apprêtent à prendre la relève».

Ces organisations estiment que «lorsque la force multinationale, actuellement sous direction américaine, remettra vendredi ses pouvoirs aux casques bleus de l'ONU, le 'climat de paix et de sécurité' requis par la Résolution 940 du Conseil de Sécurité, ne sera pas au rendez-vous. Les forces de l'ONU devront faire face, par contre, à une tension politique croissante et à un grand manque de sécurité, lequel a été aggravé par la création d'une police intérimaire tirée de l'armée haïtienne»...

Au constat, force est d'admettre effectivement que l'insécurité se définit, ces jours-ci, en termes d'escalade et de terreur. Il ne se passe pas un jour sans que des gens ne soient tués chez eux, dans la rue, en plein jour comme de nuit; que des maisons ou des magasins ne soient dévalisés.

Et l'assassinat, cet après-midi, de Me. Mireille Durocher Bertin vient d'en ajouter à une situation déjà fort inquiétante, du fait surtout de la personnalité et de l'engagement politique de madame Bertin.

Il ne fait point de doute que l'exécution de Me. Mireille Durocher Bertin aura des remous sérieux dans la classe politique et dans l'opinion publique, d'autant plus que Me. Bertin venait de former un parti politique d'opposition, le *Mouvement pour l'Intégration Nationale*.

Est-on en train de vivre, au moment où l'on nous assure du contraire, de nouveaux chapitres de la violence en Haïti?» (*Le Nouvelliste* des 28 et 29 mars 1995, p. 1).

L'éditorialiste avait vu juste. «De nouveaux chapitres de la violence» s'ouvraient effectivement en Haïti. Suite à l'assassinat de Mireille Durocher Bertin, l'insécurité a continué ses ravages tout au long de cette année 1995, souvent ponctuée d'assassinats spectaculaires comme les meurtres de l'homme d'affaires Michel Gonzalès, du général Max Mayard et du député Hubert Feuillé.

Nous renvoyons le lecteur à la liste non exhaustive des victimes de cette année 1995 pour avoir une idée des dégâts causés par l'insécurité au cours de l'année. Les recherches ont permis de dénombrer 272 cas d'exécutions sommaires par balles, lynchage, arme tranchante, supplice du collier (Voir la liste complète à l'Annexe 1).

A parcourir cette liste, on constatera que l'année 1995 a été fertile en meurtres sous diverses formes perpétrés contre de paisibles citoyens, et en exécutions sommaires de présumés bandits tués sans avoir eu l'opportunité d'être présentés devant leurs juges naturels.

Néanmoins, les élections présidentielles ont été quand même réalisées à la fin de l'année, laissant présager une certaine baisse de la situation d'insécurité du pays. La perspective d'un changement à la tête de l'Exécutif fit renaître chez les Haïtiens l'espoir d'un changement effectif dans la bonne direction.

Toutefois, en réponse aux nombreux problèmes qui ont surgi sur la scène politique au cours de l'année écoulée: raidissement des partis d'opposition, boycott des élections présidentielles, etc., l'avènement du président René Préval, élu avec un faible taux de participation (entre 15 et 20% de l'électorat), suggérait l'application d'une politique de concorde, de réconciliation nationale. Cette politique, annoncée après le rétablissement de l'ordre constitutionnel, ne pouvait qu'induire un effet positif dans le traitement du dossier de l'insécurité en Haïti.

Haïti aura t-elle cette chance?

Quel panorama le climat politique va-t-il nous offrir en 1996?

Section 2 - L'année 1996

Dès les premiers jours de janvier 1996, le décor port-au-princien était déjà assombri par plusieurs cas d'insécurité enregistrés en divers points de la capitale. Les scènes les plus frappantes furent vécues à Cité Soleil, quartier populeux transformé, récemment, en un foyer de violence où les cas de lynchage, les incendies criminels se multipliaient de façon alarmante.

Un groupe de bandits, membres d'une organisation baptisée «armée rouge», semait la terreur dans ce bidonville surpeuplé. Qui en sont les chefs? Où ont-ils trouvé des armes? De qui tiennent-ils tant de pouvoir? Ces questions n'ont jamais été posées. Toujours est-il que, face à ce groupe de bandits, la police semblait désarmée et impuissante au point que le président de la République lui-même, M. Jean-Bertrand Aristide, dût se rendre personnellement à Cité Soleil pour essayer de ramener la paix dans cette localité et tenter «une réconciliation entre les membres de ce groupe et les policiers» qui ne cessaient d'essuyer les assauts de ces bandits. (*Haïti Observateur* du 24 au 31 janvier 1996, p. 2).

Néanmoins, cette situation plus que préoccupante n'empêcha pas le plein succès de la passation du pouvoir, le 7 février 1996, entre le président sortant, Jean-Bertrand Aristide, et le nouvel élu, René Préval. Ce transfert de pouvoir, qui sera d'ailleurs salué par la communauté internationale comme un fait sans précédent dans les annales de l'Histoire d'Haïti, s'est déroulé sans problème, sans incident.

Le 7 février 1996 fut une journée vraiment réussie. Le discours délivré par le nouveau président lors de son investiture connut un succès éclatant. Y ont été considérés les points-clés générateurs d'un renouveau pour Haïti : restauration de l'autorité de l'Etat, renforcement de l'union entre les Haïtiens, diminution de la vie chère, promotion de la production à l'échelle nationale... Le thème dominant de ce discours était centré sur le rétablissement d'un climat de sécurité dans le pays.

En effet, le rétablissement de l'autorité de l'Etat signifiait ipso facto l'élimination de l'insécurité, car ce point du programme gouvernemental impliquait la fin du règne des casseurs, un frein à la violence des rues, la neutralisation des bandes armées qui défient la police, un terme à la totale impunité dont jouissent les criminels. La classe politique, les hommes d'affaires et entrepreneurs, la société civile, tout le monde, satisfaits, attendaient le président René Préval à l'oeuvre.

Le 29 février 1996, le directeur pressenti pour diriger la nouvelle force de police, M. Pierre Denizé, se présenta devant le Sénat de la République, une formalité obligatoire à remplir avant la ratification de son choix pour cette fonction. A cette occasion, il promit fermement aux sénateurs de travailler à la concrétisation du projet de “rétablissement de l’autorité de l’Etat” prôné par le chef de l’Etat. Son objectif principal, affirma-t-il, sera de combattre l’insécurité, ce «mal qui répand la terreur» à travers tout le pays.

Le lundi 4 mars, le nouveau chef de gouvernement, M. Rosny Smarth, devait, à son tour, présenter aux parlementaires sa déclaration de politique générale. Lui aussi s’engageait dans la même voie. Le deuxième point de l’action gouvernementale était centré sur «la mise en place de mesures immédiates permettant de garantir un climat de sécurité et de justice propice au développement économique et social». Sous la rubrique “Sécurité et Justice”, la déclaration de politique générale du Premier ministre stipulait en termes non équivoques les dispositions qui allaient être prises pour la réhabilitation de cette autorité de l’Etat longtemps effritée :

> «La garantie de la justice et de la sécurité publique est la condition sine qua non pour la paix et le progrès économique et social en Haïti. Pour ce, le gouvernement se propose de:
>
> **- mettre en place un plan national de sécurité dans l’immédiat capable de garantir la sécurité des vies et des biens et aussi un contrôle réel par l’Etat des frontières et eaux territoriales.**
>
> Ce plan intégrera les aspects suivants:
>
> - renforcer, discipliner et former la police nationale;
>
> - assurer une meilleure couverture du territoire par la police nationale;
>
> - intégrer tous les corps d’intervention et de sécurité

publique à la police nationale;

-constituer l'Office de Protection du Citoyen;

- instituer la réforme du système judiciaire et rendre la justice accessible à tous en prenant les dispositions suivantes:

- la révision du système légal;

- la définition et l'application d'une politique cohérente de recrutement et de formation des juges et autres auxiliaires de la justice;

- la réforme de l'enseignement du droit;

- des séminaires pour les juges de Paix;

- une meilleure couverture du territoire en tribunaux civils et de paix;

- le fonctionnement de l'Ecole de la Magistrature;

- la réforme du système pénitencier pour que l'APENA puisse garantir des conditions humaines de détention et de respect des droits des prisonniers.

L'ensemble de ces mesures contribuera à **mettre fin au règne de l'impunité** et à instaurer un Etat de droit.» (*Le Nouvelliste* du 5 mars 1996, p. 19).

Le nouveau gouvernement semblait donc bien parti dans son projet de lutte contre l'insécurité. Cependant, au lendemain même de la ratification de cette déclaration au Parlement, les bandits de ladite «armée rouge» se manifestaient à Cité Soleil, tuant, brûlant, saccageant. Arrogants, ils allèrent jusqu'à attaquer, armes à la main, le commissariat de police de la zone. Donnons la parole à la presse qui relata ainsi ces événements

:

> «Le quartier de Cité Soleil est devenu le théâtre d'affrontements entre des civils armés - membres de la présumée "armée rouge" - et des policiers nationaux cantonnés dans la zone.
>
> Ce mercredi matin, vers 8 - 9 heures a.m., un groupe de personnes lourdement armées ont ouvert le feu sur le commissariat de police de Cité Soleil dont elles ont réussi à s'emparer face à des policiers munis seulement de revolvers de calibres 38 et 45.
>
> Des sources journalistiques signalent que cinq personnes seraient mortes au cours de l'attaque. Un policier blessé à coups de bouteilles a été admis à l'hôpital de Canapé Vert.
>
> D'après les témoignages recueillis sur place par un journaliste de *Le Nouvelliste*, l'assaut du commissariat aurait été donné suite à la découverte, hier soir, de quatre cadavres dont trois à Cité Soleil. L'autre corps, retrouvé sur la route de Batimat, serait celui d'un chef de l' "armée rouge" dont l'exécution a été attribuée à la Police...» (*Le Nouvelliste* du 6 mars 1996, p. 1).

Face à des faits aussi graves, le nouveau chef de la Police réagit fermement. Bientôt, on n'entendit plus parler d'armée rouge. Cependant ce succès ne suffisait pas pour arrêter la course folle du train de l'insécurité. Les choses prirent une allure encore plus alarmante à l'occasion de l'enlèvement d'un enfant mineur, le petit Boris Pautensky, à son établissement scolaire à Pétion-Ville, le 28 mai 1996.

Ce kidnapping spectaculaire mit la capitale et ses environs

en émoi. Pour la première fois, on assista à une mobilisation massive des forces de l'ordre dans une opération de police. Selon *Le Nouvelliste* du jour, «près de 400 policiers haïtiens, y compris ceux attachés à la sécurité présidentielle, appuyés par deux hélicoptères et 300 soldats de la MINUHA, effectuaient des fouilles à la recherche des ravisseurs du petit Boris.» Mais en vain. Naturellement, les dirigeants Lavalas en profitèrent pour essayer d'abîmer leurs adversaires politiques. C'est ainsi que nous étions nous-même, au mépris de notre statut d'ancien président de la République, désigné par le pouvoir comme celui qui pourrait avoir commis cet acte vil et dégradant. Néanmoins, aucune visite policière ne fut effectuée à notre domicile où nous nous trouvions paisiblement.

L'enfant ne sera jamais retrouvé. En fait, quand l'enquêteur professionnel se rend compte qu'une affaire de police est exploitée à des fins politiques, il abandonne tout simplement le dossier pour ne pas «se mêler de choses qui ne le regardent pas». Alors, le délinquant trouve toute la latitude pour se dérober aux poursuites, profite de cette position avantageuse à plus d'un titre que lui confère l'attitude des autorités qui, en principe, l'ont absout de son forfait en dirigeant officiellement tous les regards sur quelqu'un d'autre.

Au mois d'août 1996, le phénomène d'insécurité subit une hausse à l'occasion de cette bizarre attaque dirigée simultanément, le 18 août 1996, contre le commissariat central de la Police au Champ de Mars, le Palais National et le bâtiment du Corps Législatif à la cité de l'Exposition. Ces événements insolites servirent de toile de fond pour le déclenchement d'une vaste opération de répression contre le parti politique MDN et son leader, le professeur Hubert Deronceray.

C'est ainsi qu'une descente des lieux fut exécutée au local du MDN où des anciens militaires, récemment affiliés au parti, furent appréhendés. Comme on le sait, cette action musclée des forces de l'ordre avait abouti à l'assassinat, le 20 août 1996, du pasteur Antoine Leroy et de M. Jacques Florival, deux membres importants du MDN. A la suite de ces meurtres spectaculaires et de la montée de l'insécurité dans le pays, la *Conférence Episcopale d'Haïti* prit la voie de la presse pour lancer ce cri d'alarme : «Il faut que le sang cesse de couler!».

Voici un fragment des réflexions des évêques catholiques sur la conjoncture :

> «Depuis quelque temps on assiste à une accélération de la dégradation de la qualité de la vie. Nous sommes les témoins attristés d'une situation où le désespoir semble vouloir prendre le pas sur l'espoir qui déjà germait dans les coeurs.
>
> Le ciel s'assombrit dans notre chère Haïti. Le bruit des armes lourdes trouble le silence de la nuit et la tranquillité des esprits, alors que l'ensemble de la population était enfin convaincu de la nécessité de la paix et de la concorde pour avancer vers le progrès.
>
> **L'insécurité se généralise. Tout le monde se sent concerné et menacé.** C'est ce qui explique, pour une grande part, le climat de peur, de crainte et d'angoisse dans lequel nous vivons. C'est ce qui aggrave également la situation de misère imméritée des masses urbaines et rurales, dépourvues

de moyens économiques nécessaires pour faire face aux besoins les plus élémentaires de l'existence humaine: besoin de se nourrir, de se soigner, de se vêtir, de se loger, de travailler, d'éduquer leurs enfants.

C'est l'occasion de revenir à ce qui constitue les fondements mêmes de la vie en société:

1- Le respect de l'éminente dignité de la personne humaine. Comme nous le chantons souvent «Tout homme est une histoire sacrée. L'homme est à l'image de Dieu. Il faut donc le respecter dans sa personne, dans ses droits, dans sa vie.

2- La primauté de toute personne humaine sur les institutions et les structures...

3 - Le respect de l'unité dans la diversité...

Au nom du Dieu de la Vie: **Il faut que le sang cesse de couler** dans ce pays! Il faut que les armes se taisent! Il faut que l'insécurité soit vaincue pour qu'une atmosphère de confiance rassure ceux qui sont disposés à consentir des investissements générateurs d'emplois! Il faut que la violence disparaisse, car on ne peut construire une démocratie, ni produire pour faire avancer un pays, si on ne met pas tout en oeuvre pour créer un climat de sécurité et de paix! Il faut que la vie de l'homme soit protégée et respectée!

Que le Dieu de l'espérance continue d'accompagner le peuple haïtien dans sa marche vers la vie, et le fortifie dans sa recherche de vérité et de paix!» (*Le Nouvelliste* du 23 au 25 août 1996, pp. 1, 22).

Malgré cette intervention opportune des autorités morales

du pays, la situation d'insécurité n'a guère évolué à la baisse au cours de l'année qui s'est terminée avec les mêmes appréhensions dans les familles. Le cri lancé par une mère, intellectuelle et journaliste de renom, Anaïse Chavenet, victime, la veille de la nuit de Noël, de l'action des bandits est plus que révélateur de ce état de fait. Sous le titre "Témoignage", elle écrit:

> «Les "zenglendos" se sont introduits dans ma résidence à Lison, en Plaine du Cul-de-Sac, dans la nuit du 23 au 24 décembre. Et je n'avais aucun moyen de défense, avec la bête et naïve illusion de vivre dans un Etat policé, voire dans un Etat tout court.
>
> Je mesure, au traumatisme subi par les occupants de la maison, à la désolation des parents, à la stupeur des proches et à l'insouciance des forces dites de l'ordre, que chaque cas d'insécurité est un drame personnel et collectif, qui déborde le cadre étriqué des faits divers où ils sont le plus souvent relégués.
>
> Ma conviction est désormais faite : dans l'Haïti méconnaissable de cette fin de siècle où on laisse courir les "zenglendos" et où la seule loi encore appliquée est celle du Talion, c'est à chaque citoyen d'assurer sa propre défense...» (*Le Nouvelliste* du 30 décembre 1996 au 2 janvier 1997, p. 3)

Loin d'afficher une amélioration, la situation avait évolué en s'aggravant au cours de l'année 1996. Le nombre de victimes dépassa celui de 1995. De 272, les cas recensés ont atteint le chiffre exorbitant de 285. Le lecteur voudra bien consulter la liste publiée à l'Annexe 2 pour son édification.

Qu'en sera-t-il de l'année 1997?

Section 3 - L'année 1997

L'année 1997 débuta sans aucun signe présageant une quelconque amélioration de la situation. Au contraire, la vie quotidienne était toujours marquée par des manifestations de rues organisées par les toutes puissantes organisations populaires (OP) proches du parti au pouvoir, lesquelles, paradoxalement, réclamaient à grands cris la démission du gouvernement du Premier ministre Rosny Smarth. Ces OPs reprochaient au gouvernement Smarth l'application d'une certaine politique "néo-libérale" en guise d'orientation économique. Aggravée par une grève des enseignants qui paralysait le bon fonctionnement des écoles, l'atmosphère de violence dans les rues laissait présager une détérioration de la situation.

Voici le diagnostic de la conjoncture fait par *Le Nouvelliste* au début du mois de janvier :

> «L'insécurité - quoiqu'on dise ou ne dise pas - fait rage dans la société haïtienne. Il ne se passe pas un jour sans que des personnes, des familles, des quartiers n'en soient victimes. Beaucoup, par peur, par dégoût, par discrétion, par politique ou autre, choisissent de taire leurs déboires. "Kase fèy kouvri sa". Ainsi naît la fausse perception que les cas d'insécurité sont sporadiques.
>
> Mais il arrive, de temps en temps, que tel acte ponctuel nous réveille de notre torpeur et révolte nos consciences. C'est le

cas avec ce jeune informaticien haïtien de trente-cinq ans, Georges Colbert Jr assassiné le vendredi 3 janvier dans sa résidence à Fragneauville, dans les confins de Delmas 75, appelé "trou lanmò"dans certains cercles port-au-princiens.

Selon des témoignages concordants, Georges Colbert était à peine rentré d'une séance de cinéma et d'une visite à sa mère en compagnie de son fils de 4 ou 5 ans, quand des individus armés, embusqués dans sa cour, lui ont fait sauter la cervelle. Sous les yeux de son fils et de sa femme accourue à leur rencontre... (*Le Nouvelliste* du 10 au 12 janvier 1997, p. 1).

L'année 1997 était donc très mal partie. Pourtant, il s'agissait d'une année où devaient s'organiser des élections importantes dans le pays. Dans cette optique, une recrudescence de la violence apparut dès le mois de janvier à la capitale, plus précisément à Cité Soleil, où des affrontements entre bandes armées avaient recommencé et causé plusieurs morts dont la plupart par balles. Près d'une vingtaine, selon la presse. Le côté surprenant de cette situation, c'est que les responsables ne se sont jamais préoccupé de déterminer l'origine des armes à feu et des munitions de guerre détenues par les bandits. La jeune police haïtienne faisait donc face à un défi majeur : lutter contre des forces occultes qui fort souvent, étaient mieux armées qu'elle. A la fin de février, le bilan pour une seule semaine affichait 32 meurtres dont 3 policiers dans divers quartiers de la capitale.

Au début du mois de mars, mois précédant la tenue des élections fixées au 6 avril, les esprits étaient toujours préoccupés par la situation de l'insécurité à travers le pays. Les hommes d'affaires exprimèrent leurs inquiétudes dans une prise de position du *Centre pour la Libre Entreprise et la Démocratie*:

> «Le *Centre pour la Libre Entreprise et la Démocratie* (CLED), consterné par la dégradation accélérée de la sécurité publique ces deux dernières semaines, condamne les lâches assassinats et tous les actes de banditisme perpétrés à Port-au-Prince et ses environs et dans certaines de nos villes de province.
>
> Le CLED déplore que le gouvernement de la République, bien qu'impliqué au premier chef par l'établissement d'un climat de paix sociale propice à l'investissement, à l'emploi et à la production, ait jusqu'à présent choisi de ne pas condamner publiquement les prémices de cette véritable terreur et tarde à prendre les mesures qui s'imposent pour garantir à la population l'exercice et la jouissance de ses droits constitutionnels élémentaires.
>
> Le CLED s'étonne aussi de la timidité de la Police Nationale d'Haïti qui, hormis un appel au calme, n'a jamais mis la population au courant d'aucune mesure de coercition à l'encontre des individus ayant semé le deuil et le désarroi.
>
> Doit-on conclure que:
>
> - les troubles à la Cité Soleil ont été correctement maîtrisés et leurs risques de résurgences éliminés?
>
> - qu'il n'y ait aucune piste dans les multiples cas de crimes récents?
>
> Le CLED s'interroge, de plus, sur les raisons de la remarquable discrétion des forces de la MANUH dans notre

panorama sécuritaire et se demande à quoi servent ces forces.

L'Etat de droit dont nous rêvons tous et que nous nous efforçons d'édifier ne peut poindre dans le chaos, le mépris et le non respect de la vie.

Au Gouvernement de prendre ses responsabilités!» (*Le Nouvelliste* du 6 mars 1997, pp. 1, 2).

Une semaine plus tard, la MANUH réagit à la note de presse du CLED. Elle affirma qu'il n'était pas de son mandat d'assurer la sécurité des Haïtiens. En ce sens, une dépêche de l'*Agence France Presse* précisait:

«AFP.- Le porte-parole de la *Mission des Nations Unies à Haïti* (MANUH), Patricia Tomé, s'est dit préoccupé mercredi par l'intensification des actes de violence à Port-au-Prince, précisant toutefois que la Mission Internationale ne pouvait prendre des initiatives en raison de son mandat et de ses moyens limités (1500 militaires et 240 policiers civils). "La MANUH n'est pas la force multinationale qui a débarqué en 1994 pour rétablir le gouvernement constitutionnel, ni même la MINUHA qui avait pris la relève en mars 1995, a fait remarquer Madame Tomé...

Elle souligne que la MANUH est là pour apporter une assistance technique aux responsables de la sécurité, aider au perfectionnement de l'institution policière et contribuer à un environnement sûr et stable dans le pays. "Il semble que les gens attendent trop de la MANUH", a -t-elle regretté». (*Le Nouvelliste* du 12 mars 1997, p. 3).

La veille du jour de la publication de cette dépêche, le

sénateur Méhu Garçon avait été la cible d'un groupe de bandits, à Port-au-Prince. Il reçut une balle à la nuque qui faillit lui coûter la vie. Son chauffeur fut moins chanceux. Il y laissa sa peau.

Le lendemain, la présidence de la République et la *Mission Civile OEA/ONU*, à leur tour, condamnaient, à travers une dépêche de l'*Agence France Presse*, les actes de violence qui secouaient le pays:

> «AFP.- La Présidence de la République haïtienne a vivement condamné jeudi la "vague de violence aveugle"qui a fait en quinze jours 37 morts par balles dont 6 policiers à Port-au-Prince.
>
> Dans un communiqué signé du directeur du cabinet du président René Préval, François Severin, la présidence indique qu'elle "condamne cette violence d'où qu'elle vienne et quelle que soit sa motivation: délinquance, déstabilisation économique et politique, conflits électoraux, etc. Tout fauteur de trouble sera puni conformément à la loi", ajoute le communiqué qui fait appel au civisme (...) de la population pour qu'elle collabore avec la police nationale dans la lutte contre l'insécurité et qu'elle se protège dans le respect de la loi et de l'ordre".
>
> De son côté, la *Mission Civile internationale OEA/ONU* (MICIVIH) chargée de veiller au respect des droits de l'Homme dans le pays a "déploré vivement"jeudi cette vague de violence, soulignant dans un communiqué que la police s'efforce de l'endiguer "avec responsabilité"...» (*Le Nouvelliste* du 13 mars 1997, p. 1).

Malheureusement, les mesures annoncées n'ont pas démontré leur efficacité. Malgré l'appel du président au «civisme de la population», les manifestations violentes de rues s'intensifièrent. De plus, un autre facteur vint amplifier les sphères de l'insécurité. A la fin du mois de mars, le Premier ministre Rosny Smarth fut interpellé par-devant le Parlement, risquant un possible vote de censure pour sa gestion jugée peu satisfaisante. Cette initiative contribua à affaiblir davantage l'action de son gouvernement qui, déjà, ne manifestait pas assez d'autorité pour maintenir la paix des rues et la sécurité des familles.

Insécurité, pression politique, intolérance, violence programmée, confusion, affaiblissement de l'autorité de l'Etat, méfiance justifiée de la part des partis politiques, telle fut l'ambiance dans laquelle se déroulèrent les élections du 6 avril 1997. Conséquence : elles se soldèrent par un très faible taux de participation au vote estimé aux environs de 5 à 10 %.

Dans une note de presse publiée le mois suivant la tenue du scrutin, le parti *Organisation du Peuple en Lutte* (OPL), la principale formation politique d'opposition de l'époque à avoir participé à la course électorale, exigeait l'annulation pure et simple des résultats du scrutin pour quatre raisons fondamentales:

«1- Le processus électoral en Haïti est en danger, dit la note, à partir du comportement du CEP qui, par l'usage d'irrégularités et de fraudes, a voulu reproduire les mascarades électorales des gouvernements de l'ancien régime.

2- Le CEP n'a pas fait cas des protestations des Partis politiques et des candidats concernant les violations observées sur le terrain, et a donné des résultats favorables aux candidats de son choix.

3- Le CEP a violé la loi électorale en décidant de ne pas compter les votes exprimés en blanc pour le calcul des pourcentages.

4- Le CEP n'a pas donné suite à la demande expresse du Premier ministre de s'en tenir strictement à la Loi Electorale, ni à la résolution de la Chambre des Députés lui demandant de surseoir à la publication des résultats des élections, afin de trouver une sortie légale à la crise.

Tous ces faits ont, dit la note, démontré clairement le caractère partial et partisan du CEP qui avait reçu pourtant le mandat des plus hautes autorités du pays de garantir des élections libres, honnêtes et démocratiques.» (*Le Nouvelliste* du 14 mai 1997, p. 1).

En cette période de contestation desdites élections, un autre fait grave vint se greffer sur les autres causes d'insécurité dans le pays : la révolte des élèves du Lycée Alexandre Pétion. La crise de l'enseignement avait atteint son paroxysme. Durant les journées de manifestations, des écoliers aux prises avec les forces de l'ordre reçurent des blessures graves, provoquant chez les parents inquiétudes et réprobations.

D'un autre côté, plusieurs enseignants du secteur public occupèrent les rues de Port-au-Prince pour porter les autorités à satisfaire leurs revendications (paiement de plusieurs mois d'arriérés et augmentation substantielle de salaires). *Le*

Nouvelliste décrit ainsi la tension caractérisant cette journée du 15 mai 1997 :

> «La chronique du dérapage prévisible s'écrit de plus en plus en termes de violence et de sang dans les lycées. Ce jeudi, c'était carrément l'émeute au lycée Pétion: véhicules incendiés, endommagés, barricades enflammées, intervention musclée de la police, gaz lacrymogène, feux nourris, guerre de pierres (on dirait une réplique haïtienne de l'intifada). Le tribunal de Paix de la section Est (Rue Pétion) a été consumé, les sapeurs-pompiers n'ont pu intervenir. Deux lycéens et deux passants ont été grièvement blessés par balles. Dégâts matériels très lourds.» (*Le Nouvelliste* du 15 mai 1997, p. 1).

A l'occasion de ce 'soulèvement' d'enfants, des accusations graves ont été proférées à l'encontre de la force de police. Sous le titre : «Pourquoi cette sanglante répression?», le journal *Haïti-Progrès* relatait:

> «Selon un bilan établi par la *Commission Justice et Paix de l'Archidiocèse de Port-au-Prince*, «sept lycéens en uniforme sont tombés sous les balles des tueurs de la PNH. Leurs cadavres auraient été enfouis dans des sacs et emmenés à une destination inconnue. Plusieurs autres lycéens sont blessés à coups de bâton, crosses de fusils et par balles sans oublier les passants et les riverains du quartier du Bélair» qui n'ont point été épargnés.» (*Haïti Progrès* du 25 au 27 mai 1997, p. 1).

Cette ambiance d'incertitude, de désordres, de manifestations violentes, de méfiance vis-à-vis de la force publique nationale, d'assassinats d'humbles citoyens et aussi de policiers, devait se maintenir tout au long de l'année avec de rares éclaircies. La situation s'est même empirée vers la fin de l'année avec le grand traumatisme causé à la population par le naufrage du navire *Fierté Gonavienne* survenu au mois de septembre 1997, où des centaines de concitoyens périrent noyés au cours de la traversée de La Gonâve vers Montrouis.

Enfin, comme ce fut souvent le cas dans notre pays, la remontée de l'insécurité servit de prétexte à des arrestations politiques. En effet, suite à l'explosion d'un engin, le 10 novembre 1997, près de l'*Hôpital de l'Université d'Etat d'Haïti*, un complot contre la sûreté de l'Etat fut «découvert» impliquant M. Léon Jeune, leader du parti politique CLE et ancien candidat à la présidence aux élections de décembre 1995. Des arrestations furent opérées parmi les membres de sa formation politique dont d'anciens militaires. Lui aussi avait accepté dans les rangs de son parti des anciens membres de l'armée. M. Léon Jeune fut appréhendé le 16 novembre 1997 «sous l'inculpation de déstabiliser le régime en place, de semer la pagaille dans le pays» et mis sous les verrous.

Par ailleurs, «les autorités policières avaient lié la recrudescence du trafic de la drogue et du banditisme à un complot visant l'assassinat du président René Préval» (*Le Nouvelliste* du 19 novembre 1997). Dangereuse insinuation. Cependant, malgré la gravité des charges qui pesaient sur lui, M. Léon Jeune sera libéré moins d'un mois plus tard, le 11 décembre 1997.

Dans le domaine de l'insécurité, l'année 1997 n'a donc pas

connu de répit. Le nombre des victimes a, toutefois, faiblement baissé. Les recherches ont permis de dénombrer 239 cas. (Voir la liste publiée à l'Annexe 3).

Il reviendra au *Centre pour la Libre Entreprise et la Démocratie* (CLED) de fixer, une fois de plus, l'état de la situation à la fin de l'année 1997 :

> «Le *Centre pour la Libre Entreprise et la Démocratie* (CLED) constate avec préoccupation que l'insécurité se généralise et devient chaque jour plus systématique et cela dans tout le pays.
>
> Les assassinats, les vols, le trafic de drogue, les envahissements et spoliations organisés de propriétés privées se multiplient.
>
> La préoccupation se transforme en inquiétude lorsque ce sont des "autorités"locales qui organisent, comme de vulgaires déchouqueurs, des invasions de terres appartenant, de façon notoire, à des propriétaires privés.
>
> Il est étonnant que des personnes qui se sont battues pour le retour à l'ordre constitutionnel se convertissent en véritables gangsters, violant, en toute impunité, les lois de notre pays et bafouant la Constitution sur laquelle ils fondaient leurs revendications politiques.
>
> Face à cette grave menace, la réponse des pouvoirs publics n'a été qu'indifférence, tolérance et parfois même complaisance.
>
> Il est temps que cela cesse. Il est temps que soit rétablie l'autorité de l'Etat. Il est temps que les responsables de notre pays fassent preuve de courage et de fermeté afin de faire

> respecter la loi. Il est temps que les fauteurs de trouble, les criminels, quels qu'ils soient, répondent de leurs actes devant la justice.
>
> Le CLED reste persuadé que les dirigeants de notre pays comprendront l'urgence de cet appel et feront enfin, preuve de responsabilité afin que règne en Haïti un Etat de droit où force reste à la loi.» (*Le Nouvelliste* du 17 décembre 1997, p. 1).

L'année 1997 s'acheva donc sur une note d'appréhension des entrepreneurs pour le devenir de la nation, mais avec un brin d'espoir. Cette autorité de l'Etat après laquelle tout le monde soupirait sera-t-elle enfin rétablie en 1998?

Section 4 - L'année 1998

L'année 1998 débuta avec un certain scepticisme. Traumatisés par le lourd bilan des années précédentes, les citoyens ne savaient plus à quel saint se vouer. La population perdait visiblement confiance dans la capacité de la police à maintenir l'ordre et à rétablir le climat de sécurité dans le pays. Première manifestation de ce malaise: les crimes continuaient à être commis sans que les auteurs aient été appréhendés. L'assassinat en pleine rue et en plein jour de madame Maryse Débrosse survenu à la fin du mois de janvier venait confirmer cette dure réalité. Ce sentiment de méfiance et d'angoisse est exprimé par M. Roselor Jusma, un ami de la victime qui, en insinuant que ce crime pourrait avoir des dessous politiques, s'est écrié :

> «...Je lance un S.O.S. à la société civile en général, aux instances gouvernementales, aux organisations internationales, aux organisations de défense des droits humains en particulier pour aider le peuple haïtien à fermer ce robinet de sang qui hante les esprits, engendre chaque jour des orphelins et des laissés pour compte, qui détruit davantage le tissu social et la nation tout entière...
>
> Maryse, pour n'avoir pas su te taire et laisser-faire, tu as subi le châtiment des âmes d'élite, te laissant guider par ton sens du devoir et de l'honnêteté...» (*Le Nouvelliste* du 9 février 1998, p. 16).

Deuxième manifestation de ce malaise: Face à la faillite de la PNH, les mairies réclamèrent le droit d'organiser elles-mêmes la police dans leurs communes respectives. Un bras de fer dangereux s'installa entre elles et les autorités gouvernementales. Ces dernières, se libérant de l'obligation de réserve administrative à laquelle elles sont astreintes, s'adressèrent aux mairies, par la voie de la presse, pour leur rappeler que «les prérogatives constitutionnelles en matière de maintien de l'ordre public à travers le territoire étaient du domaine réservé de la *Police Nationale d'Haïti* (PNH) et qu'aucun autre corps armé, de quelque nature que ce soit, ne pouvait exister, par conséquent, sur le territoire national.» (*Le Nouvelliste* des 4 et 5 février 1998, p. 1).

La situation empira au mois de février 1998. La secrétairerie d'Etat de la Sécurité Publique eut à lancer un ultimatum, toujours par voie de presse, à trois mairies de l'aire métropolitaine «pour qu'elles remettent aux autorités policières les armes lourdes qu'elles détiennent au niveau de leurs services de sécurité», **sous peine d'essuyer un assaut des forces de l'ordre**. L'atmosphère sentait la poudre. Quelques points saillants d'un article publié dans la presse à ce sujet permettront au lecteur de se faire une meilleure idée de la situation explosive qui prévalait à l'époque :

> «Le Secrétaire d'Etat à la Sécurité Publique, Robert Manuel, a lancé un ultimatum à trois mairies de la région métropolitaine de la capitale pour qu'elles remettent aux autorités policières les armes lourdes qu'elles détiennent au niveau de leurs services de sécurité. Faute par les mairies

d'obtempérer à l'injonction policière, **une opération visant la récupération des armes pourrait être envisagée contre elles à l'expiration du délai vendredi, à 17 heures locales**...

Dans sa lettre datée du 3 février adressée au maire de la capitale Joseph Emmanuel Charlemagne et à ceux des communes avoisinantes de Delmas et de la Croix-des-Bouquets, dont IPS a obtenu une copie, le secrétaire d'Etat à la Sécurité Publique indique que la "détention des armes automatiques est contraire à la loi". Il rappelle en outre que "les prérogatives constitutionnelles en matière de maintien de l'ordre public à travers le territoire sont du domaine réservé de la *Police Nationale Haïtienne* (PNH) et qu'aucun autre corps armé ne peut exister par conséquent sur le territoire national..."

Selon les informations détenues par IPS, un coup de force de la police contre la mairie se révélerait très difficile ou pourrait se terminer dans le sang. La raison invoquée par les informateurs est que la police ne peut évaluer de manière précise l'arsenal détenu par le maire et les hommes qui lui sont alliés, recrutés au sein même de la Police ou parmi les militaires démobilisés de l'ancienne armée. La détention par les autorités municipales et d'autres groupes, d'armes automatiques non autorisées, est depuis près de trois ans une source de préoccupation des responsables de la police haïtienne.

Le maire de la capitale Joseph Emmanuel Charlemagne avait fait savoir qu'il "détenait 11 fusils d'assaut et des pistolets mitrailleurs" dans une lettre adressée le 27 mai 1996 au ministre de l'Intérieur. Son projet, il y a deux ans, était de monter parallèlement à la PNH, une police municipale dont les mandats n'étaient pas clairement définis. Ce projet a été abandonné devant le refus du gouvernement de cautionner la mise en place d'un corps armé parallèle.

Patrick Norzéus, le maire de Delmas, de son côté, avait déclaré à la même époque qu'il s'était porté candidat dans cette commune «pour garantir la sécurité du président Aristide» dont la résidence privée se trouve dans sa juridiction. Le nom de Norzéus avait été cité dans plusieurs conflits où des civils armés étaient impliqués dans le grand bidonville de Cité Soleil, situé au bord de la capitale. Plusieurs dizaines de personnes avaient trouvé la mort dans des affrontements armés dans ce quartier en 1995.

Son adjoint, **Ernst Erilus, s'est vanté à plusieurs reprises de posséder un important arsenal incluant des fusils M-1, des mitraillettes de fabrication israélienne Uzi et des grenades à fragmentation**. Devant des journalistes invités à une conférence de presse, Erilus avait brandi une grenade en guise de démonstration de sa force. Erilus légitimait la détention de ces armes lourdes par le fait que "les policiers attachés à la sécurité des dirigeants faisaient usage de manière illégale de ces mêmes types d'armes..."

Dans une interview exclusive accordée à IPS, le maire de la capitale haïtienne a défié la police. Il a fermement déclaré "qu'aucune opération ne peut être menée contre lui..." Il a demandé aux responsables de la police de "récupérer les armes que détiendraient, selon lui, les proches de l'ancien président Jean-Bertrand Aristide..." Il a révélé que certaines des autorités policières encore en poste seraient impliquées dans des assassinats politiques dont celui, en 1995, de l'avocate Mireille Durocher Bertin...» (*Le Nouvelliste* des 4 et 5 février 1998, pp. 1, 5).

Les faits rapportés dans cet article traduisent éloquemment le désordre existant dans le contrôle des armes par les autorités et une forte baisse de prestige de la police nationale. Face à une pareille réalité, une inquiétude sourde étreignait les familles haïtiennes. L'autorité de l'Etat était devenue si faible que le gouvernement se sentait obligé de brandir la menace pour faire valoir ses points de vue aux administrés. Cependant, si la lettre du secrétaire d'Etat à la Sécurité Publique rappelait le caractère illégal de la «la détention d'armes automatiques par les mairies», il convient de signaler que plusieurs autres personnes détenaient et détiennent encore ce type d'engins, ce, avec l'aval des autorités : Politique de deux poids et deux mesures.

La perception négative vis-à-vis de la police se manifestait également dans les villes de province. A cette époque, un article intitulé : «Policiers mis en déroute à Mirebalais» publié dans la presse mettait en lumière non seulement la situation de violence prévalant dans cette localité, mais aussi, l'impuissance des agents de police cantonnés dans les communes éloignées de la capitale à faire respecter la loi. Lisez plutôt :

«Violents incidents: 2 morts, dont le commissaire de police haché, lapidé, brûlé.

Quelques badauds debout devant les portes des maisons closes, des rues vides donnant l'aspect d'une ville en état de siège, des véhicules de police patrouillant les rues sur des vestiges de pneus enflammés la veille, c'est l'image qu'offre ce vendredi Mirebalais, cette localité située à 55 kilomètres au Nord-Ouest de la capitale.

Les habitants de la ville ne se sont pas encore remis des incidents qui ont coûté la vie à deux personnes dont le commissaire de police de la ville. **Désarmés, des policiers ont été battus, d'autres ont dû gagner le maquis pour échapper à la mort devant les mitraillettes Kadhafi et les fusil M-1 détenus par les assaillants.**

Sur les 39 policiers affectés au commissariat de Mirebalais, 5 seulement étaient à l'appel à leur poste vendredi après-midi. On est sans nouvelles de deux d'entre eux. **Plusieurs policiers ont été battus et menacés de supplice du collier par des membres du groupe armé. D'autres ont pu gagner le maquis pour échapper à la mort**...

«Nous ne sommes pas en sécurité ici. La situation est difficile ici où l'on entend des annonces publicitaires pour un gang sur les ondes d'une station locale», déclare un policier.

«**Quand les bandits sont arrêtés, ils sont ensuite relâchés par la justice**. On ne peut procéder à l'arrestation de personne ici si ce n'est la volonté des "chimères". Seuls eux peuvent arrêter des gens», déclare un autre...

Au cours de cet incident, 2 véhicules appartenant à la police et une autre, propriété de l'Administration Pénitentiaire Nationale (APENA) ont été incendiés. Une motocyclette, 5 revolvers, 3 fusils de calibre 12... ainsi que d'autres matériels du Commissariat ont été emportés en la circonstance. 76 détenus, dont **des condamnés à perpétuité, ont été libérés par les membres de l'organisation populaire** "Met lòd nan dezòd" (Mettre de l'ordre dans le désordre), a confirmé sur place le directeur-adjoint de l'APENA. Un seul a été repris dans l'après-midi.

«Ça a été très dur. Nous avons enregistré hier soir une chasse aux policiers. Les gens ont poursuivi les policiers. Ils étaient venus chez moi hier soir. Nous avions réussi à pénétrer le commissariat par voies détournées pour constater que **le corps du commissaire était haché et lapidé**. Jusqu'ici, il y a des policiers que nous n'avons pas pu repérer», raconte un agent...» (*Le Nouvelliste* du 8 février 1998, pp. 1, 4).

Les policiers étaient aux abois et le faisaient voir sans fausse honte : Dans le Plateau Central, «quand les bandits sont arrêtés, ils sont ensuite relâchés par la Justice... Seuls les 'chimères' peuvent arrêter les gens», affirmaient-ils. Nous avions déjà fait état du phénomène des 'chimères' au chapitre II. L'existence de la PNH était menacée. Il a fallu l'intervention personnelle du président de la République, René Préval, en vue de colmater les brèches. Le chef de l'Etat mit fin au bras de fer existant entre les instances nationales de sécurité et les mairies. Des unités de la Police furent dépêchées dans le département du Centre pour rétablir le prestige terni de l'institution policière. D'autres mesures furent arrêtées par les dirigeants de la Police Nationale en vue d'une meilleure surveillance de la capitale.

Les responsables de ces tueries dans le Plateau Central ont-ils été identifiés, appréhendés, livrés à la Justice, jugés et condamnés pour leurs forfaits? Nul ne saurait l'affirmer. Au mois de mai, des signes visibles d'un certain progrès avaient été notés pourtant dans le contrôle de l'insécurité. Le rythme des actes d'agression avait baissé considérablement. D'ailleurs, un facteur important était venu faciliter une nette amélioration du panorama général : le déroulement de la coupe du monde de football en France.

Dieu et le sport aidant, Haïti eut donc un répit de taille au milieu de l'année 1998. L'évolution de la situation accusa un net ralentissement jusqu'au mois d'août quand fut perpétré, à Port-au-Prince, l'assassinat spectaculaire du curé de Mont-Carmel, le père Jean Pierre-Louis. Puis, un regain d'insécurité se manifesta au mois de novembre, avec l'horrible assassinat d'un autre religieux, le Frère Hurbon Bernardin, des Frères de l'Instruction Chrétienne, à la Vallée de Jacmel.

Les cas d'agression redoublèrent, à la capitale, à un rythme inquiétant, vers la fin de l'année. Prises de court par cette recrudescence soudaine de la violence, les autorités policières tentèrent de ressusciter les brigades de vigilance, groupes de citoyens souvent armés qui s'organisaient pour assurer eux-mêmes la sécurité dans leurs quartiers, avec l'aval des autorités. Cette idée fut vite combattue par la Mission des Nations Unies en Haïti (MICIVIH) qui, dans un communiqué publié le 3 décembre 1998, la qualifia d'inconstitutionnelle et de "dangereuse":

> «Le directeur adjoint de la Mission civile internationale (MICIVIH), M. Rodolpho Mattarollo, lisait-on dans *Le Nouvelliste*, s'est prononcé jeudi contre l'idée d'un retour des brigades de vigilance dont le fonctionnement n'est, selon lui, ni légal, ni constitutionnel. «Cela me paraît une idée dangereuse, puisque les brigades de vigilance sont en dehors

des institutions de l'Etat qui sont établies par la Constitution. Moi personnellement, je n'ai pas trouvé de brigades de vigilance dans la Constitution», a souligné M. Mattarollo....

M. Mattarollo a fait ces remarques suite aux déclarations du porte-parole de la Police Nationale, Felder Jean-Baptiste, et du ministre de la Justice, Pierre Max Antoine, relatives à la nécessité pour les Haïtiens de s'organiser au niveau de leurs quartiers pour se protéger contre les bandits qui ont repris service ces derniers jours et qui ont provoqué une augmentation considérable du taux de criminalité dans le pays...» (*Le Nouvelliste* du 3 décembre 1998, pp. 1, 5).

Au cours du mois de décembre, les données de la conjoncture laissaient présager une nette aggravation de l'insécurité dans le pays pour l'année à venir. Cette tendance est éloquemment traduite dans un article publié par *Haïti en Marche*, sous le titre très suggestif : «Une criminalité tous azimuts». En voici un segment:

«Le problème de la criminalité qui sévit actuellement dans la capitale haïtienne est profond. C'est un problème profond parce qu'on a affaire à des criminels d'un autre ordre : mineurs qui auraient dû se trouver sur les bancs de l'école et vis-à-vis desquels la société, quelque égoïste soit-elle, ne peut ne pas ressentir un sentiment de culpabilité; les récidivistes dont la place est la prison à haute sécurité et que les Américains continuent à nous expédier par chantiers entiers.

Mais en dernier lieu, tenez-vous bien, ce sont des membres de la nouvelle force de police elle-même qui mettent la capitale en coupe réglée. Soit agents renvoyés du corps pour conduite répréhensible. Soit policiers encore en fonction jusqu'à ce que la tentation devienne trop forte. Par exemple, ceux qui ont disparu avec les fameux 450 kilos de cocaïne qui ont fait tant de bruit mais dont on n'a pas trouvé la moindre trace.

Problème d'autant plus profond que les responsables sont de toute évidence dépassés, et tant leurs dénégations que leurs tentatives de diversion (inviter la population à se réorganiser en brigade de vigilance) ne font que convaincre davantage de leur impuissance.» (*Haïti en Marche* du 9 au 15 décembre 1998, p. 1).

Comparativement à celle précédente, l'année 1998, avec ses 147 cas recensés a accusé une baisse appréciable en ce qui a trait aux victimes de l'insécurité. (Voir Annexe 4). Toutefois, compte tenu de la brusque résurgence des crimes de sang à la fin de l'année, le public se demandait, anxieux, si les responsables sauront trouver la bonne formule et prendre les mesures adéquates pour exorciser cette peur qui hante la communauté haïtienne. Sombre pronostic : Une intensification du phénomène se dessinait à l'horizon.

L'année 1999 aura-t-elle la vertu de faire mentir cette prévision?

Section 5 - L'année 1999

L'année 1999 annonçait le passage au troisième millénaire. Porteuse d'espoir pour l'humanité tout entière, elle a surpris les Haïtiens face à une grande échéance : la fin du mandat de tous les députés et de la majorité des sénateurs de la 46ème législature, élus lors du scrutin de 1995. Cette échéance survint sans que des dispositions légales aient été prises, conformément à la Constitution, pour prévenir le vide institutionnel. Ainsi, comme pour confirmer les noires prédictions de la fin de l'année précédente, l'année 1999 a débuté sur un conflit grave opposant le Pouvoir Exécutif au Pouvoir Législatif, conflit qui allait bientôt se matérialiser par de violentes manifestations organisées contre le Parlement haïtien par certains groupes à la solde des autorités.

Les élections n'avaient pas été régulièrement organisées à temps par ceux chargés de veiller au bon fonctionnement des institutions de l'Etat. Celles tenues en avril 1997 n'ont pas pu être complétées. Les nombreuses irrégularités dénoncées par l'opposition politique et l'esprit d'intransigeance manifesté par le pouvoir en place n'ont pas permis la tenue du second tour du scrutin.

Les divergences majeures au sujet de ces élections, opposant l'*Organisation du Peuple en Lutte* (OPL) au pouvoir en place, ont abouti à la démission du Premier ministre Rosny Smarth, plongeant le pays dans une crise institutionnelle grave.

Comme le prévoit la Constitution, les chambres législatives ont ouvert la nouvelle année parlementaire le lundi 10 janvier 1999. Le lendemain, à la surprise générale, le président René Préval déclara caduc le Parlement pour cause de fin de mandat des élus de 1995, selon une prévision de la loi électorale ayant régi ces élections, dispositions en contradiction avec la Constitution qui fixe le mandat des députés à quatre ans à partir de leur entrée en fonction (Article 92).

La même disposition atteignait également les mairies et les *Conseils d'Administration des sections communales* (CASEC). Des citoyens nommés par le président de la République et dénommés "agents exécutifs intérimaires" s'occupaient désormais de la gestion des mairies. La crise institutionnelle s'était alors aggravée, car, en plus de l'absence d'un Premier ministre, le pays fonctionnait maintenant sans parlement, mairies et CASECs élus.

Le 11 janvier 1999, après que la décision du chef de l'Etat de renvoyer le Parlement eut été rendue publique, des groupes de manifestants envahirent la chaussée et causèrent de graves désordres de rue en guise de protestations contre la présence des parlementaires au local de la Chambre Législative. A l'occasion, plusieurs dizaines de voitures appartenant à de paisibles citoyens furent victimes de l'action violente des 'chimères'.

Cette situation frôlant l'anarchie envenimait le climat d'insécurité. Le mardi 12 janvier, un signal révélateur de l'ampleur du phénomène était donné : la propre soeur du président de la République, Mme. Marie-Claude Préval tombait, à Port-au-Prince, dans un attentat qui coûta la vie au chauffeur du véhicule qui la transportait. Grièvement atteinte, elle eut miraculeusement la vie sauve.

Cet attentat provoqua une situation de panique à Port-au-Prince. Nombre d'Haïtiens s'interrogeaient, déconcertés : si la famille présidentielle elle-même n'était pas protégée contre l'action des bandits, quel citoyen pouvait se targuer de l'être?

Entre-temps, loin de se calmer, les groupes de pression, manipulés, maintinrent une atmosphère de désordre dans la capitale. Le lundi 27 janvier, sur l'insistance des sénateurs et députés à vouloir garder leurs postes au Parlement en dépit de la caducité des chambres prononcée par le président de la République, les casseurs descendirent de nouveau dans les rues pour "chanter à leur façon les funérailles de la 46ème législature". Ce jour-là, une peur généralisée planait sur Port-au-Prince.

Le Nouvelliste décrivit l'ambiance qui y régnait:

«Cette manifestation qui a tant défrayé la chronique était baptisée "opération bouclier populaire". Elle s'est transformée en grève. Toutes les activités ont connu un net ralentissement. La population a eu en mémoire la journée du 11 janvier dernier quand de nombreux actes de violence étaient enregistrés; notamment plusieurs dizaines de pare-brise avaient été cassées par des manifestants dans le centre-ville.

Tôt dans la matinée, on pouvait constater des restes de pneus calcinés dans divers endroits de la capitale. Des jets de pierres ont été lancés à la rue des Fronts-Forts. La ville présentait l'aspect d'une ville morte contrairement à vendredi. Les rares automobilistes qui circulaient se pressaient de regagner leurs pénates. Le transport en commun tournait aux trois quarts vide, faute de passagers. Les différents circuits desservant la capitale étaient quelque peu inopérants. Il était très difficile de trouver ou bien un tap-tap ou bien un camion pour se rendre en province.

Dans le centre commercial, les rues étaient vides et des commerçants et des voitures y stationnant habituellement. Le commerce, les banques commerciales ont fermé leurs portes par crainte du climat entourant "l'opération bouclier populaire"... Les écoles, les facultés et instituts ont également fermé leurs portes. Les élèves et les professeurs ont choisi de rester chez eux par crainte d'agression. Car, la journée du 25 janvier avait suscité chez les parents une véritable psychose...» (*Le Nouvelliste* des 25 et 26 janvier 1999, p. 5).

L'année 1999 débuta donc dans une ambiance de psychose de peur.

Au mois de janvier, la capitale et plusieurs villes de province étaient en proie à une recrudescence d'actes de banditisme qui allaient endeuiller bien des familles et perturber la tranquillité d'esprit des citoyens. La population semblait livrée à elle-même car, malgré le caractère public des actes perpétrés, les forces de l'ordre n'intervenaient que rarement pour appréhender les criminels.

Comme en l'année précédente, la vie sociale était tout aussi fortement troublée par les émeutes des écoliers. Au début du mois de mars, au lycée Alexandre Pétion, en ébullition, les lycéens exprimaient leur colère à cause de la perte de nombreux jours de classe suite au conflit ouvert opposant depuis plus d'une année le ministère de l'Education Nationale aux enseignants.

Une tentative des forces de l'ordre en vue de maîtriser la situation provoqua des dérapages malheureux qui envenimèrent la situation. Les manifestants gagnèrent alors les rues, avec violence, mettant Port-au-Prince sens dessus dessous.

Voici comment la presse décrit la journée du 2 mars 1999:

> «Vingt-quatre heures après les violentes manifestations des lycéens pour exiger la reprise des cours dans leurs établissements scolaires, l'émotion se lit sur le visage des Port-au-princiens. Une psychose de peur s'installe chez tous ceux-là qui doivent, pour une raison ou pour une autre, emprunter les rues de la capitale, particulièrement la zone du Bel-Air.
>
> Tous les secteurs sont touchés, toutes les institutions sont paralysées ou presque par l'exacerbation de la crise née entre les syndicats d'enseignants et le ministère de l'Education Nationale, de la Jeunesse et des Sports. Ainsi toutes les activités sont paralysées: le commerce fonctionne au ralenti, les services publics connaissent le même sort, les écoles privées travaillent à l'effectif réduit, tandis que les portes des écoles nationales et des lycées sont presque fermées puisque les élèves clament leurs colère dans les rues, cassent les vitres, incendient les véhicules et lancent des pierres à tout venant. Des écoles congréganistes fonctionnent peu ou prou normalement...» (*Le Nouvelliste* du 2 mars 1999, p. 1).

C'est dans cet esprit surchauffé que, le 8 mars, un accord politique fut signé entre le gouvernement et cinq partis politiques (KID, PANPRA, KONAKOM, GENERATION 2004 et AYITI KAPAB) pour mettre une fin à la crise et rendre possible la tenue d'élections en vue de combler les places vacantes au Sénat, renouveler la Chambre législative et élire de nouvelles commissions communales et de nouveaux CASECs.

Cet accord a-t-il eu la vertu de calmer les esprits? Loin de là. L'insécurité connut plutôt une aggravation. Au début du mois d'avril, au cours d'un seul week-end, une douzaine de personnes trouvèrent la mort dans la capitale, dont un policier. La situation allait atteindre son point culminant avec le meurtre de Michel-Ange Phillis, alias "Boa", activiste politique tué au Bel-Air. L'assassinat de ce tout-puissant militant Lavalas, attribué à un policier, fut le signal du déclenchement d'une violence inouïe qui dura plusieurs jours, paralysant les activités à la capitale.

Le *Centre pour la Libre Entreprise et le Développement* (CLED), de nouveau, intervint :

> «Un militant a été tué hier soir, mardi 20 avril 1999, dans des conditions qu'il reste à déterminer. Cet assassinat a provoqué les réactions des parents et amis de la victime. Malheureusement, ces réactions, bien compréhensibles au début, ont dégénéré en manifestations d'extrême violence. Cette violence incontrôlée s'est caractérisée par des actes de vandalisme contre des véhicules, des magasins, des banques et des étalages de vendeurs de rues. De plus, les affrontements ont eu lieu entre des groupes de manifestants

et les forces de l'ordre.

Voilà qu'aujourd'hui, cela recommence! Des pneus brûlent au centre-ville, des pierres sont lancées sur des véhicules et les établissements financiers et commerciaux, une fois de plus pris en otage, ferment leur porte. Cette situation est intolérable! Il faut qu'immédiatement les autorités de notre pays, garantes de la sécurité des vies et des biens, prennent leur responsabilité pour que cela cesse. Nous interpellons ici le président de la République, le Premier ministre et son gouvernement afin que des mesures énergiques soient prises contre les auteurs et instigateurs d'actes de violence, quels qu'ils soient.

Un climat de calme et de confiance est nécessaire afin que les investissements privés locaux et étrangers deviennent une réalité et que le pays se mette au travail. Ce climat est également indispensable à la tenue d'élections libres et honnêtes. Ne laissons pas des groupuscules de voyous et de professionnels du trouble gâcher le rêve de démocratie, de progrès et de stabilité du peuple haïtien.» (*Le Nouvelliste* du 21 avril 1999, pp. 1, 32).

Cette note, malgré sa pertinence, n'empêcha pas la situation de se détériorer. La population avait les nerfs à fleur de peau. Au début du mois de mai, suite à une simple initiative de la Mairie de Port-au-Prince de déplacer de la voie publique certains marchands de rue, ces derniers se révoltèrent contre cette décision et manifestèrent violemment contre les édiles de Port-au-Prince. En un clin d'oeil, plus d'une dizaine de voitures appartenant à des particuliers furent incendiées au centre-ville, d'autres eurent leurs vitres cassées, leurs pare-brise démolis, tout cela dans l'impunité la plus totale.

Le lendemain, les désordres reprirent de plus belle. Des individus armés de bâtons, de machettes, d'armes à feu et, cette fois, portant cagoules, firent leur apparition au bord-de-mer. Le seul fait de leur accoutrement constituait un élément de désordre et de peur. La police ne s'est pas manifestée.

Au cours de cette même journée, le bruit courut qu'un certain Frantz Camille, un autre farouche militant Lavalas, était abattu. Cette rumeur suffisait pour provoquer un branle-bas général à la capitale :

> «Le marché Hippolyte est immédiatement renvoyé, écrit *Le Nouvelliste*, barricades enflammées, manifestations de colère, siège en règle de l'APN (l'Autorité Aéroportuaire Nationale), jets de pierre, véritable intifada. Le centre-ville est décrété chaud. Le bord-de-mer est fermé. Des véhicules sont endommagés. Trois ont été incendiés à la Cité militaire. Peu de temps après, on signalait une rafale d'arme automatique du côté de Pacot...» (*Le Nouvelliste* du 6 mai, 1999, p. 1).

Face à cette situation alarmante affectant les activités commerciales, industrielles, financières et culturelles, et à l'incapacité de la police à maintenir l'ordre perturbé par les 'chimères', le secteur des affaires décida de mobiliser des dizaines de milliers de citoyens au Champ de Mars, le 28 mai 1999. Dire "NON à l'insécurité", tel fut le slogan du jour.

Ce rassemblement de citoyens s'est révélé la mobilisation la plus importante organisée contre le fait de l'insécurité depuis l'apparition du phénomène. Malheureusement, la manifestation fut suspendue par la police, paradoxalement, «pour cause d'insécurité». En effet, un groupe de casseurs identifiés comme des militants Lavalas avaient entrepris de lancer sur les participants des jets de pierres et des bouteilles en plastique remplies d'urine malodorante. A ce constat, la police, toujours désarmée face à ces groupes de manifestants spéciaux, prit la décision de mettre fin à cette réunion pacifique.

Dans l'après-midi de ce 28 mai, confirmant les appréhensions exprimées par *Haïti en Marche* à la fin de l'année précédente, des témoins ont dénoncé des éléments de la Police Nationale dans l'exécution sommaire d'un groupe de jeunes à Carrefour-Feuilles, un quartier de Port-au-Prince, mettant, cette fois, l'institution policière ouvertement sur la sellette.

Quelques jours plus tard, comme si ce scandale n'était pas suffisant, les journaux annonçaient dans la même foulée que la police nationale se trouvait mêlée à une autre histoire sordide : une enquête de la MICIVIH venait de pointer du doigt des membres de la police nationale dans une affaire de charnier découvert à l'endroit dénommé *Titanyen.*

Voilà ce que *Haïti Progrès* écrit au sujet de cette affaire:

> «Dans le cadre de l'affaire des ossements découverts à Titanyen, les responsables de la Mission Civile des Nations Unies (MICIVIH) auraient recueilli des informations assez compromettantes sur le rôle de la police concernant des cas de disparitions et d'exécutions sommaires. «*La Mission*

affirme que six jeunes filles et deux jeunes garçons auraient été arrêtés par la police dans une maison à la Croix-des-Missions, dans la nuit du 16 au 17 avril 1999; ces personnes n'ont pas été retrouvées malgré les recherches de leurs proches. Selon la MICIVIH , des proches et des voisins des jeunes disparus ont reconnu que les pièces vestimentaires trouvées à Titanyen présentent des similitudes avec certains vêtements portés par trois de ces jeunes gens.» (Radio Haïti, 22-07-99)...

En outre, la Mission Civile... a été alertée cette semaine, d'au moins 16 cas d'assassinats par balles et de disparitions attribuées à un groupe d'hommes armés décrit comme «un brigade de vigilance» opérant dans la zone de Drouillard, dans les environs de Port-au-Prince, et «encadré par des policiers». *«Il nous faut mener une enquête sur une première découverte de corps. Le mois de mai dernier, et selon les témoignages, c'est une opération de 20 hommes, dont deux en uniforme de la police, qui a eu lieu à Bois Neuf»,* a indiqué un membre de la MICIVIH.» (*Haïti Progrès* du 28 au 3 août 1999, pp 1, 15).

Les accusations étaient directes et publiques. Cependant, la MICIVIH ne s'est contenté que de dénoncer ces faits graves et choquants. Aucune action de corrections des dérives n'a été entreprise. Les résultats des enquêtes ne sont jamais rendus publics.

La méfiance accrue, justifiée ou non, envers les éléments de la Police Nationale rendait encore plus aléatoire la sécurité dans le pays. L'incertitude de la population prit de l'ampleur avec la démission soudaine, au mois d'octobre 1999, du secrétaire d'Etat à la Sécurité Publique, M. Robert Manuel, démission suivie de l'assassinat, en pleine rue, du colonel Jean Lamy pressenti, selon les rumeurs, pour le remplacer.

Au cours du seul mois de novembre, trois autres crimes spectaculaires ont été commis. Le 8 novembre, l'homme d'affaires bien connu, Serge Brierre, fut assassiné, fauché en plein jour et en pleine zone commerciale sous les balles des assassins, en même temps que son chauffeur, et le 17, Port-au-Prince allait connaître le comble de l'indignation avec le douloureux spectacle de l'assassinat affreux d'une religieuse, Soeur Marie Géralde Robert. Des bandits armés avaient cruellement abattue cette bonne soeur devant les locaux de l'*Institution St-Louis de Bourdon*. Soeur Marie Géralde Robert est infirmière et dirigeait un centre de Santé à Cotes-de-Fer, dans le Sud-Est du pays. «Ce crime, comme tous les autres est le signe cancéreux d'une société malade», devait déclarer le président de la *Conférence Episcopale d'Haïti*, Monseigneur Hubert Constant, à l'occasion des émouvantes funérailles de la religieuse.

Tel fut le panorama général de l'année 1999 qui a vu le nombre des victimes atteindre le chiffre le plus élevé : 285. (Voir la liste des victimes, Annexe 5).

Au cours de cette année, la police elle-même a été durement frappée par l'action des bandits. «Selon le cabinet du Directeur Général de la PNH, lit-on dans le rapport de la MICIVIH pour l'année, 19 policiers ont été tués depuis le début de 1999 et 63 ont perdu la vie dans l'exercice de leurs fonctions depuis la création de la PNH en 1995.» (*Le Nouvelliste* du 25 novembre 1999, p. 36).

L'année 1999 a donc été une catastrophe en ce qui a trait à la sécurité. Conséquemment, la vie économique a fonctionné au ralenti. Au cours de cette année, le Club Méditerranée a décidé de se retirer du pays. Pour «raison de force majeure», ont affirmé les responsables. Cependant, selon les employés, cette décision était engendrée par d'autres facteurs : «pas de clientèle, mauvais état de la route, insécurité et plus de desserte sur l'Europe».

Cette mésaventure du secteur du tourisme reflétait l'état général de la situation en Haïti à la fin de l'année 1999, *Le Nouvelliste* en fit état dans un article dont voici un fragment:

> «Le climat d'insécurité qui règne dans le pays inspire encore la peur aux commerçants du centre de la capitale haïtienne, en dépit des mesures annoncées et la baisse considérable des actes de banditisme constatés par la police nationale à l'approche des fêtes de fin d'année.
>
> Plusieurs commerçants, interrogés aujourd'hui par le Nouvelliste, ont exprimé leurs inquiétudes face au climat d'insécurité, disent-ils, qui commence à prendre des formes diverses au regard des nouvelles mesures adoptées par la Police dans le cadre de l'opération "boukle Pòtoprens" (boucler Port-au-Prince) lancée au début du mois.» (*Le Nouvelliste* du 27 décembre 1999).

Cette opération "boucler Port-au-Prince" va-t-elle apporter le sommeil aux Port-au-princiens et répandre son impact bénéfique sur tout le pays? Ces mesures annoncées vont-elles produire les effets escomptés en l'an 2000?

Section 6 - L'année 2000

Enfin, nous voici en l'an 2000, la dernière étape de notre étude. Le troisième millénaire surprend l'Haïtien toujours aux prises avec le démon de l'insécurité. Au début du mois de janvier, la communauté de la ville de Jacmel allait vivre le cauchemar du triple meurtre perpétré sur la personne de deux ressortissants français, les époux Fernand Mullier, et d'un Haïtien qui les accompagnait, M. Aspin Obin. Cet acte criminel épouvantable provoqua la réprobation unanime de la communauté jacmélienne.

Ce triple meurtre contre des touristes français ayant coïncidé avec l'accomplissement d'actes de vandalisme contre un projet touristique mis en oeuvre par d'autres citoyens français à l'Ile-à-vaches, dans le Sud du pays, l'*Association Touristique d'Haïti* (ATH) en profita pour dénoncer, dans une note de presse, la situation générale d'insécurité qui prévalait dans le pays en ce début de l'année 2000 :

> «L'*Association Touristique d'Haïti* condamne de la façon la plus énergique l'assassinat perpétré sur deux ressortissants français et un citoyen haïtien qui les accompagnait dans la région de Jacmel. Elle condamne également les récents actes de vols, d'incendie et d'agressions perpétrés contre le village touristique de Port-Morgan, à l'Ile-à-Vaches.
>
> L'ATH fait appel aux autorités compétentes pour que les

circonstances dans lesquelles se sont produits ces actes répréhensibles soient clairement établies et que les résultats des enquêtes soient portés à la connaissance de l'opinion publique et les coupables punis selon la loi....

Nous engageons les autorités responsables à prendre les mesures qui s'imposent afin d'apporter les redressements nécessaires à cette situation d'insécurité intolérable qui, à seulement quatre ans de la célébration du bi-centenaire de notre Indépendance et de notre existence de peuple, nous amènera plutôt vers la déchéance et à l'anéantissement des rêves grandioses des fondateurs de la Patrie.» (*Le Nouvelliste* du 14 au 16 janvier 2000, pp. 1, 32).

Tout comme les autres secteurs vitaux du pays, celui du tourisme haïtien était donc durement frappé. L'Etat, de son côté, ne semblait pas être encore en mesure de lutter efficacement contre ce mal même à la capitale, malgré la mise en oeuvre du plan baptisé «Boucler Port-au-Prince», récemment élaboré par les autorités policières. Dans l'exécution de ce plan, le président de la République crut devoir y participer personnellement.

Le caractère singulier d'un article de *Le Nouvelliste* concernant la participation directe du chef de l'Etat dans des opérations de police mérite d'être reproduit :

«Le président de la République, René Préval, a décidé d'aller à la rescousse des autorités de la sécurité publique qui appliquent depuis quelque temps un plan de sécurité visant à réduire considérablement les actes de banditisme, généralement perpétrés dans la région métropolitaine.

> Le chef de l'Etat participe personnellement depuis quelques jours à des opérations de fouilles réalisées par des patrouilles de la Police Nationale. Mardi soir, le président Préval était à Carrefour pour apporter le soutien de sa présidence aux efforts de la Police pour combattre la criminalité.
>
> «C'est ma responsabilité, - en tant que chef de l'Etat, chargé de garantir la sécurité de la population - de vérifier l'application du plan de sécurité et de m'assurer que l'Etat mette à la disposition de la police les moyens nécessaires à l'accomplissement de sa mission», a déclaré le président Préval dans une entrevue à Signal FM.» (*Le Nouvelliste* du 11 janvier 2000, p. 1).

Cette initiative de l'instance suprême du pouvoir n'a eu que des effets passagers. Le désengagement, huit jours plus tard, des derniers contingents des Forces Armées américaines basés à Port-au-Prince, ne laissait présager une quelconque amélioration de la situation, à la veille de la tenue des élections programmées pour le mois d'avril 2000.

En considérant le mandat justifiant la présence de ces troupes dans le pays, leur départ définitif signifiait d'emblée que l'environnement politique et social haïtien était désormais «sûr et stable».

Pourtant, la réalité quotidienne indiquait au contraire, en plus de l'insécurité ambiante, le règne d'un climat de violence et d'intolérance visible dans tout le pays. Au cours de la période préélectorale, des candidats aux postes vacants, des directeurs de campagne de plusieurs partis politiques furent agressés par des groupes de partisans d'un secteur identifié.

Plus d'une quinzaine d'entre eux périrent assassinés en plusieurs villes du pays, tandis que les actes de banditisme se multiplièrent. L'impunité s'institutionnalisait.

A partir du mois de mars, les conflits électoraux atteignirent leur paroxysme, Port-au-Prince et plusieurs villes de province connurent même une atmosphère de panique. La campagne électorale s'était transformée en une vraie guerre où le parti le mieux armé (au sens propre du terme) pouvait seul sortir gagnant.

Des hordes de supporters et suppôts se réclamant d'une certaine formation politique envahissaient la chaussée et rendaient la vie dure aux paisibles citoyens. Selon les articles de la presse, la journée du lundi 27 mars était particulièrement «chaude» à Port-au-Prince. Le lendemain, 28 mars, la situation empirait.

Sous le titre de "Elections - Nouvelles violences à Port-au-Prince", *Le Nouvelliste* écrivait :

> «L'actualité ce mardi est encore marquée par de très violentes manifestations dans la région métropolitaine qui ont paralysé les activités commerciales et la circulation automobile. En effet, des centaines de manifestants furieux, agressifs ont investi les rues de la capitale pour ériger des barricades enflammées, lancé des pierres sur les pare-brise des véhicules privés et publics et contraindre les chauffeurs à rebrousser chemin.
>
> Sous la menace des assaillants, les propriétaires de magasins de la place, pour la plupart, ont fermé les portes au bord de mer; les détaillants, étalagistes, de leur côté, ont plié bagage

pour échapper à la fureur des manifestants, notamment au Boulevard La Saline, au Portail Saint-Joseph, aux rues des Remparts, Saint Martin, Tiremasse, Macajoux... où la circulation était très fluide.

Les chauffeurs de tap-tap, camions, autobus, en provenance de Bon Repos, de la Croix-des-Bouquets, de l'Arcahaie, de Saint-Marc... n'arrivent pas à atteindre le centre-ville par crainte d'être victimes de représailles...» (*Le Nouvelliste* du 28 mars 2000, p. 1).

Le surlendemain, 29 mars, l'ambiance de violence, loin de s'apaiser, s'était plutôt envenimée. Dans un article titré : «Port-au-Prince, les pneus brûlent... la vie s'éteint», l'éditorialiste de *Le Nouvelliste* décrivit l'inquiétude et le scepticisme de la population face au désordre généralisé qui envahissait le pays. Voici un fragment de cet article:

«Le climat de tension engendré par les barricades enflammées et par les jets de pierres et de bouteilles sur les pare-brise des voitures a régné encore aujourd'hui sur toute la région métropolitaine. Emeutiers et policiers se déferlent, en uniforme et lourdement armés. Bien que présents, parce qu'en nombre réduit, ils n'arrivent pas à mettre de l'ordre dans les rues de la capitale.

Les membres des organisations populaires (OP) ont encore appuyé sur l'accélérateur de la violence ce mercredi et ont aussi paralysé toutes les activités dans le pays. Les secteurs les plus touchés, les plus ciblés par ces OP sont: le transport public, le commerce, l'industrie et, à un degré moindre, l'école...

Ce mercredi dans certaines zones à risque (Sans Fil, rue

neuf, la Saline, etc.) **des personnes non identifiées ont perturbé les activités par des rafales d'armes**, des jets de pierres. La circulation dans les quartiers susmentionnés a été presqu'inexistante... Port-au-Prince donne aujourd'hui l'impression d'une ville essoufflée, stressée. Les manifestants, à grands coups de menaces, sont parvenus à contraindre les propriétaires des magasins à rester chez eux ainsi que les étalagistes et détaillants...

Cette violence s'est étendue à d'autres villes du pays, particulièrement à Petit-Goâve où, dans le cadre des questions électorales, deux personnes ont trouvé la mort...» (*Le Nouvelliste* du 29 mars 2000, pp 1, 5).

Où donc ces «personnes non identifiées» ont-elles trouvé ces armes? Après avoir lu ces reportages, on peut affirmer que les mesures mises en place et l'intervention personnelle du chef de l'Etat au début de l'année n'ont pas produit les effets salutaires escomptés. Au contraire. L'année historique marquant la fin du deuxième millénaire a semblé vouloir se distinguer par une succession de crimes spectaculaires qui ont soulevé la réprobation des Haïtiens et des membres de la communauté internationale : l'assassinat spectaculaire, coup sur coup, de figures de proue de la société haïtienne comme le journaliste Jean Léopold Dominique, directeur de *Radio-Haïti Inter* (3 avril), le Père Lagneau Belot, curé de Thomassique (3 mai), le docteur Ary Bordes, éminent membre du corps médical haïtien (6 mai).

Un climat d'anarchie, de peur et d'angoisse collective s'installait dans le pays à l'approche des élections du 21 mai

2000.

Cependant, malgré cette ambiance préélectorale inquiétante et l'assassinat de plus d'une quinzaine de membres de l'opposition politique durant la campagne électorale, le jour des élections, comme s'il s'agissait de l'exécution d'un sévère mot d'ordre, les casseurs sont restés dans leurs tanières. Les élections se sont déroulées dans l'ordre le plus parfait, à la grande satisfaction de tous, particulièrement de la communauté internationale qui misait beaucoup sur la réussite de ces joutes électorales.

Mais il fallait attendre la fermeture des bureaux de vote pour découvrir l'impensable : de nombreuses irrégularités et des fraudes massives allaient entacher les résultats du scrutin.

La dénonciation de ces irrégularités par les partis de l'opposition créa une atmosphère tendue dans le pays. En effet, ils réclamèrent l'annulation pure et simple de ce scrutin qu'ils qualifièrent de «mascarade électorale». En réaction, vers la mi-juin, les partisans du parti politique au pouvoir, *Lafanmi Lavalas*, décidèrent de paralyser la vie nationale pour forcer la publication immédiate par le CEP des résultats de ces élections contestées par les autres partis politiques et même par la communauté internationale par le canal de l'OEA.

Paradoxalement, les habitants de Port-au-Prince allaient vivre un fait étrange. L'arme des soulèvements populaires brandie habituellement contre les tenants du pouvoir était utilisée, cette fois, par ceux qui sont au pouvoir pour forcer les partis de l'opposition à se courber à leur volonté. La police -

naturellement - se révéla inefficace pour contrer ce genre spécial de violence commanditée en haut lieu.

Un récit des faits paru en première page de *Le Nouvelliste* mérite d'être reporté dans son intégralité pour permettre au lecteur de bien comprendre ce qui se passe dans le pays et de mesurer l'ampleur du danger auquel est exposée la société haïtienne tout entière.

Sous le titre «Port-au-Prince paralysée», les journalistes Evans Dubois et Claude Gilles décrivent l'état de la situation dans toute son acuité:

> «Port-au-Prince et ses environs se sont réveillés ce vendredi (16 juin) sous des barricades et des pneus enflammés. Tôt le matin, des membres d'organisations populaires liés au parti de l'ancien président Jean-Bertrand Aristide, *Lafanmi Lavalas*, ont occupé les principaux artères de la ville. Ils exigent du *Conseil Electoral Provisoire* la publication définitive des résultats des sénatoriales, législatives, municipales et locales du 21 mai dernier. Ils dénoncent, également, un complot ourdi par un secteur de la communauté internationale (OEA) en vue de trafiquer les résultats de ce scrutin remporté par le parti d'Aristide, selon les décomptes partiels. Ils ont aussi pointé du doigt le secrétaire général de l'*Organisation des Nations Unies*, Kofi Annan, qui avait souligné certaines irrégularités.
>
> Dans plusieurs quartiers du Bel-Air, Lalue, Nazon, Carrefour et le centre commercial, des membres d'organisations populaires ont érigé des barricades faites de pierres, de vieilles voitures, de poubelles. Ils ont même utilisé des tréteaux et des téléviseurs usagés aux abords de la

place de la Cathédrale pour barrer le passage. La fumée des pneus pouvait être vue à des kilomètres à la ronde. La capitale avait l'aspect d'une ville en insurrection.

Les rares passants qui y circulent s'empressent de rentrer précipitamment chez eux. De nombreux jets de pierres étaient signalés un peu partout. Les "chimè", pas plus d'une centaine, étaient armés de tessons de bouteilles et de pierres. Ils ont lancé des invectives contre l'opposition, plus particulièrement, l'*Espace de Concertation* qu'ils ont accusé de pactiser avec l'étranger et de servir de relais aux propagandes malveillantes visant à déstabiliser le pouvoir Lavalas. L'air hagard, ils sillonnent les rues. Ils scandent: "OEA lè m grangou mwen pa jwe" (OEA, je ne plaisante pas lorsque j'ai faim) sur l'air de "L'OEA lè m grangou m pa jwe"chanson favorite des proches de Michel François et de Raoul Cédras, les putschistes de septembre 1991.

A Carrefour, des pierres ont été lancées contre des voitures qui ont eu des vitres brisées. Des barricades enflammées ont été érigées depuis deux heures du matin. Jusqu'au moment de mettre sous presse, la situation ne s'était pas améliorée. Tous les circuits secondaires de cette commune ont été coupés.

Des passants ont essuyé des jets de pierres. L'un d'entre eux a eu l'arcade sourcilière fendue sur le pont de Carrefour. Des écoliers qui ont dû passer des examens officiels du certificat d'études primaires ont durement eu à subir de cette journée de tension.

Des patrouilles policières et des sapeurs-pompiers ont beaucoup travaillé. **Ils ont procédé à des arrestations. Mais ils ont relâchés les suspects quelques minutes après**

sur simples coups de fil de certaines personnalités haut placées. Il y eut quelques scènes cocasses où certains policiers qui voulaient traverser les barricades suppliaient des membres d'organisations populaires de leur venir en aide. Pourtant les forces de l'ordre ont brillé par leur absence à la capitale.

Des pneus brûlaient à quelques mètres de l'"anti-gang" et les éléments de la CIMO vaquaient à leurs occupation. Ce n'est qu'à partir de onze heures du matin que les sapeurs-pompiers ont utilisé une citerne pour éteindre le feu mis à des barricades de pneus. On pouvait constater aussi **des pick-up appartenant à une entreprise publique et un usager distribuer des pneus et de la gazoline**.

Gérard Jean-Baptiste, l'un des organisateurs du mouvement à Carrefour, s'est déclaré "satisfait". Il estime que les organisations populaires ont pu faire entendre leurs voix et annonce d'autres mouvements plus importants dans les prochains jours. D'ailleurs, "une grève générale est en préparation. Personne ne prendra les rues"a lâché l'un d'entre eux.

Evidemment les magasins ont fermé leurs portes. Seules quelques rares banques privées ont fonctionné jusqu'à deux heures de l'après-midi. Les rares marchands qui s'étaient aventurés à faire fonctionner leur gagne-pain ont plié bagage sous des jets de pierres et autres intimidations. Sur la grand'rue et autres artères commerciales, c'était le sauve-qui-peut. Les marchés publics n'ont pas fonctionné. De même que le transport en commun, à part les bus de la compagnie "Service Plus".

La route nationale # 1 s'est réveillée aussi sous des pneus

enflammés. Des membres d'OP se réclamant de *Lafanmi Lavalas* ont érigé des barricades au niveau de l'Arcahaie pour exiger la publication immédiate des résultats définitifs des élections du 21 mai par le CEP.

Les correspondants de presse ont rapporté que les policiers sur les lieux n'ont pas tenté jusqu'à la fin de la journée de débloquer la route reliant la région Nord du pays au département de l'Ouest. Le maire élu de la Commune de l'Arcahaie sous la bannière de *Lafanmi Lavalas* lors des élections du 21 mai, Pierre Julio Joseph, indique que le mouvement déclenché à l'Arcahaie est un mot d'ordre annonçant une vaste mobilisation à travers le pays pour forcer le CEP à publier les résultats définitifs des élections du 21 mai sans aucune modification.» (*Le Nouvelliste* du 16 au 18 juin 2000, pp. 1, 5).

Tel est l'état de la situation en Haïti au beau milieu de l'année 2000. Comme conséquence de ces pressions exercées aux fins de forcer la publication des résultats en faveur du parti au pouvoir, le président du CEP, Me. Léon Manus, dut s'exiler aux Etats-Unis d'Amérique.

Malgré ce départ, les résultats du premier tour des élections furent publiés par un nouveau CEP mis sur pied par le président, et le deuxième tour annoncé. Offusquée, la Mission de l'OEA chargée de superviser les consultations électorales, laissa le pays avant la tenue de ce second tour qui eut quand même lieu au grand désappointement de la classe politique. Conséquemment, une amélioration de la situation d'insécurité dans le pays demeurait un voeu pieux dans cette ambiance que l'Etat lui-même semblait favoriser.

Nous ne saurions, dans le cadre de la présentation du bilan de cette année 2000, ne pas mentionner d'une manière spéciale la disparition brutale d'une grande dame de la société haïtienne, victime, elle aussi, de cette insécurité qui n'épargne personne : Mme. Carmen Boisvert Alexandre, assassinée à son domicile le 25 juillet 2000. Il s'agit de l'épouse de feu le docteur Benoit Alexandre, colonel des FAD'H et directeur du Service de Santé de l'armée durant de nombreuses années, avant d'être nommé ambassadeur d'Haïti près le Saint-Siège.

Femme d'une grande culture, Mme. Carmen Boisvert Alexandre avait beaucoup voyagé. Elle avait parcouru les horizons de l'Orient Express, fait croisière sur Le France et visité les hauts lieux de culture du monde, de la Scala de Milan à l'Opéra de Paris, du Louvre au Carnegie Hall, de l'Abbaye de Saint-Germain-des-Prés à Saint-Jacques de Compostelle, de la Basilique de Saint-Pierre à Lourdes, etc. Elle habitait une maison de style antique bien tenue, située sur une grande propriété à Martissant.

Mme. Carmen Boisvert Alexandre était âgée de 74 ans quand elle fut assassinée par des bandits introduits par effraction dans sa demeure. Selon ses proches, son décès est survenu vraisemblablement après une longue séance de tortures et de sévices de toutes sortes menée par ses assassins, compte tenu des nombreuses ecchymoses observées sur toutes les parties de son corps. L'entreprise mortuaire se garda bien d'exposer son visage à ses nombreux parents et amis venus l'accompagner à sa dernière demeure.

Malgré l'évidence du crime, le cadavre de Mme Alexandre, après un séjour de 10 jours à la morgue de l'*Hôpital de Université d'Etat d'Haïti*, fut remis pour inhumation aux parents de la victime qui affirment qu'aucune autopsie n'a été pratiquée sur le corps. Dans son cas, l'enquête ne semble donc pas se poursuivre. De plus, à part l'annonce nécrologique, la presse n'a jamais fait état de cet horrible assassinat.

La disparition de Mme. Carmen Boisvert Alexandre constitue une grande perte pour la nation haïtienne.

Le mois suivant, Port-au-Prince devait vivre, parmi tant d'autres, un nouvel assassinat stupide. Le lundi 7 août, le train de l'insécurité broyait un membre de la représentation des *Nations Unies* en Haïti, M. Garfield Lyle. Il a été tué d'une balle à la tête alors qu'il circulait dans un véhicule de la Mission.

Bien que les responsables de l'Etat et ceux des *Nations Unies* aient conclu au caractère fortuit de ce crime, il était très rare de noter pareil incident auparavant en Haïti où les diplomates ont toujours joui du plus grand respect de la part de la population et sont même protégés lors des conflits internes.

En fait, au cours de ce mois d'août, la situation alarmante de l'insécurité n'avait pas bougé d'un cran. C'est ce qu'exprime le journal *Haïti Progrès* :

> «On ne parle plus d'augmentation de l'insécurité ni de sa diminution, car cette situation est devenue une constante à la capitale. Les statistiques établissant une victime de plus ou de moins d'un jour à l'autre ne sauraient rendre compte de la

tension à laquelle sont soumis les citoyens quotidiennement. C'est qu'en effet, au cours des dernières semaines, on ne peut compter un seul jour sans que deux ou trois personnes ne soient tombées sous les balles des bandits dans la zone métropolitaine. Encore que ce soient là des rapports partiels, de ces cas dont fait état la presse.

En ce sens, le mois d'août a débuté comme s'était terminé le mois précédent, c'est-à-dire sous le signe d'une insécurité dont on ne voit pas la fin dans les circonstances actuelles. La première moitié de ce mois-ci a connu une succession ininterrompue d'actes criminels dont nous citerons quelques exemples.

Le samedi 12 août les cadavres de deux individus ont été retrouvés sur la nationale #2 à hauteur de Léogâne. L'un portait des traces de coups de machette et l'autre l'impact d'une balle à la tête. Le même jour le corps d'un jeune homme dans la trentaine a été découvert à l'aube sur la chaussée à la rue Richard-Jules à Delmas 35. Dans la zone de Télé Haïti au Bicentenaire, un homme âgé d'environ 50 ans a été retrouvé mort dans sa voiture.

Le vendredi 14 août vers midi, l'ancien colonel (sic) Gabriel Painson est décédé à l'hôpital des suites de blessures reçues quelques jours plus tôt lors de l'attentat contre lui à Debussy, où avait péri son chauffeur. L'agronome Luc Sainvil de l'ONG anglaise Oxfam, alors qu'il tentait de s'enfuir, a été blessé dans la nuit du 11 août par des bandits qui apparemment voulaient s'emparer de son véhicule. Il sortait du Ciné Impérial à Delmas 19.

Dans la nuit du 10 au 11 août, Sylvestre Solages, professeur de mathématiques au lycée Jean-Jacques Dessalines a été retrouvé mort à la rue du Champ-de-Mars. D'après le juge Lyonel Dragon, la victime a été étranglée avec une corde en caoutchouc qui se trouvait dans le coffre de sa voiture. Laurore Hérold, un marchand de livres d'occasion, qui tenait boutique devant la Maison du tourisme au Champ-de-Mars, a été abattu de plusieurs balles le samedi 19 août. Son ou ses assassins n'auraient rien emporté, et ses voisins, deux marchands aussi, ont dit n'avoir rien vu, sauf qu'ils ont entendu trois détonations pour découvrir Hérold gisant dans son sang. Vers 4 heures de l'après-midi le même jour, Frédéric Moïse âgé de 24 ans a été abattu à Lalue, au coin de la 1ère ruelle Jérémie.

La veille, c'est un nommé Willy Thervil âgé de 53 ans, un ancien enrôlé dans l'armée des Etats-Unis revenu au pays en 1986, qui a été dépouillé et abattu dans son commerce à Carrefour Shada par deux individus. D'autre part on ne compte pas non plus les viols et autres agressions physiques, vols et autres qui sont monnaie courante.
Dans certaines villes de province la situation est loin de se présenter autrement, surtout là où des gangs ont eu la voie libre pour établir leurs quartiers. Du côté de Mirebalais et de Plaisance, la demeure du maire de Ville-Bonheur et l'hôtel de ville ont été cambriolés; dans la matinée du 15 août au marché public de Carrefour-Dufort non loin de Léogâne, les bandits ont criblé de balles deux autres venus de la capitale et à qui ils reprocheraient d'être venus chasser sur leur territoire! Et toujours dans la région de Léogâne, le corps d'un jeune homme a été trouvé criblé de balles au bord la rivière La Rouyonne.» (Source: *Haitian connection citant Haïti Progrès*, 28 août 2000).

Au moment d'achever le manuscrit de ce livre, le nombre des victimes avait atteint le chiffre de 223 (Voir la liste des victimes à l'Annexe 6).

Section 7 - Récapitulation

Nous venons de parcourir un long et scabreux chemin, parsemé de dépouilles humaines, s'étendant de 1995 à 2000. Nous y avons recensé un total de 1451 cas d'exécutions sommaires par balles, armes tranchantes ou lynchage. (Voir Annexe 7). Ce bilan, loin d'être exhaustif, est le résultat des informations que nous avons pu glaner dans la presse écrite haïtienne en Haïti et en diaspora.

Par souci de laisser disponibles au lecteur des sources de vérification d'accès plus aisé, nous avons omis volontairement les nombreux cas de crimes diffusés par la radio et la télévision et non rapportés dans les journaux. De même, nous n'avons pas utilisé les données statistiques des organismes officiels de l'Etat ou des institutions étrangères évoluant en Haïti. Volontiers, nous convenons que le bilan présenté ne peut être qu'approximatif.

Néanmoins, nous pensons que, par ses références simples, vérifiables par le commun des citoyens et accessibles à tout le monde, notre oeuvre, bien qu'incomplète, permettra à tous de toucher du doigt la gravité et l'ampleur du problème. Le système de recherches utilisé aura également la vertu de faire ressortir la vitalité de la presse haïtienne. Si, à ce jour, le remède n'est encore apporté au mal, on ne saurait rendre responsable la presse haïtienne qui, sur ce point, a accompli son travail d'informer l'opinion, les autorités et les décideurs éventuels. Sa voix n'a simplement pas été écoutée.

Compte tenu des sources de données utilisées (les journaux), beaucoup de crimes n'ont pas été répertoriés parce que non considérés par la presse écrite. D'autre part, de nombreux cas ont sûrement échappé à l'attention du chercheur. Par exemple, alors que nous avons pu dénombrer respectivement 285 et 223 victimes pour les années 1999 et 2000, le rapport officiel présenté par le porte-parole de la PNH fait état d'un nombre respectif de 536 et 340 assassinats et tentatives d'assassinat pour ces années (*Le Nouvelliste* du 28 décembre 2000, p. 1). Notre bilan se situe donc bien en deçà de la noire réalité à laquelle est confrontée la population haïtienne.

Cependant, nous croyons qu'il était beaucoup plus important de placer les Haïtiens en présence de faits palpables, de cas vécus par tous. Ainsi, ils seront mieux imbus de l'étendue des dégâts et de la nécessité pour eux de s'engager dans une profonde réflexion face à la problématique de l'insécurité en Haïti. En parcourant la liste des victimes identifiées par la presse (Voir Annexe 8), ils se rendront à l'évidence que la période de la vie nationale couverte par notre étude a été l'une des plus destructrices des valeurs de l'élite du pays, élite intellectuelle, morale, professionnelle, politique, etc. Beaucoup de cerveaux bien formés de notre intelligentsia : médecins, ingénieurs, hommes d'affaires, hommes politiques, prêtres et pasteurs, commerçants, religieux et religieuses, agronomes, militaires, policiers, avocats, intellectuels, ont été éliminés sous l'effet du banditisme et de la violence politicienne.

Le problème est d'autant plus grave que moins de 5% à peine des auteurs et commanditaires de ces crimes ont été identifiés, appréhendés, livrés à la justice, jugés et condamnés. Face à la marée des déviances de toutes sortes, l'appareil pénal haïtien s'est trouvé submergé. De ce fait, le taux d'élucidation des cas, c'est-à-dire, le nombre d'affaires résolues par rapport au nombre d'affaires parvenues à la connaissance de la police, ne cesse de décliner. Ce taux est tellement dérisoire que nombre de parents de victimes perdent l'espoir de voir les dossiers de leurs proches refaire surface. Ainsi, au fil des jours, le nombre de crimes constatés par la police et non encore élucidés deviendra tellement élevé qu'aucune organisation policière démocratique ne saurait raisonnablement en venir à bout sans une augmentation considérable des moyens budgétaires.

De même, les tribunaux sont aussi très lents à traiter les cas qui leur sont soumis. Cette situation provoque un gonflement de la masse des affaires en suspens, ce qui conduit inéluctablement le parquet à en classer un bon nombre purement et simplement. A la vérité, la Justice est confrontée, elle aussi, aux mêmes contraintes que la police : la prolifération des actes délictueux et les faibles moyens disponibles.

Or, l'impunité s'alimente précisément à partir du laxisme des autorités légales, des limitations des tribunaux et de l'incapacité de la police et du parquet à bien remplir leurs missions constitutionnelles. A côté des choix politiques de l'équipe au pouvoir, les problèmes confrontés par les instances du système pénal (Police, parquet, tribunaux) constituent les mécanismes même de l'impunité qui, elle, assure la dynamique du crime.

Dans notre étude, nous avons volontairement passé sous silence de nombreux cas criants d'insécurité, tels les cambriolages de maisons, les kidnappings, les atteintes aux biens, à la propriété privée, les vols de véhicules, la violence verbale, les tentatives d'assassinats, etc. qui entrent également dans la composition du menu quotidien de l'Haïtien d'aujourd'hui.

Souvent d'ailleurs, une augmentation du taux d'homicides commis va de pair avec une poussée de vols spectaculaires et d'agressions de toutes sortes. Quand ces délits ne sont pas pris sérieusement en compte par la police, la confiance de la population dans ses structures de protection s'amoindrit et, par voie de conséquence, un fort sentiment d'insécurité accapare les citoyens.

> «Si la recrudescence du crime inquiète, écrit Sébastian Roché, ce n'est pas seulement à l'occasion de tel ou tel attentat - particulièrement odieux -, c'est plus encore par la multiplicité de faits «moins graves dans l'ordre moral, mais qui souvent conduisent à tous les délits». Autant que la gravité des actes délictueux, c'est leur nombre croissant, même s'il s'agit de petite délinquance, qui fait craindre le relâchement des moeurs.» (*Sociologie Politique de l'Insécurité*, p. 29).

Aussi est-il du devoir de tout système pénal de se pencher sérieusement sur tous les types de délits.

Cependant, en nous arrêtant aux victimes arrachées à la vie par cette insécurité galopante, nous pensons avoir atteint l'essentiel de notre objectif : motiver les consciences sur le fait que le pays risque de s'embourber dans une situation irréversible si, d'urgence, des solutions pragmatiques, dénuées de tout esprit partisan, ne voient le jour et si les criminels continuent, en toute impunité, à braver la société et les structures nationales de répression des crimes et délits.

Dans les conditions actuelles d'insécurité, les investisseurs étrangers, réticents, soucieux, désabusés, refuseront systématiquement de venir participer au démarrage de l'économie haïtienne, la plus anémiée de l'Amérique. Récemment, l'Ambassadeur du Japon en Haïti attirait l'attention des patriotes sur ce point crucial :

> «Les manoeuvres d'intimidation et les menaces, affirmait-il, découragent énormément le secteur des affaires à Tokyo qui envisageait de placer des investissements en Haïti. Nos collègues de Tokyo ne peuvent pas envisager de nouveaux projets car on ne peut pas assurer la pleine exécution des projets en cours, a indiqué le diplomate nippon, soulignant que **la sécurité est la première étape à franchir dans un processus de développement durable et fiable**. Si on ne peut pas garantir la sécurité des techniciens japonais, nous ne pouvons pas leur donner le feu vert de venir en Haïti, a-t-il ajouté.» (*Le Nouvelliste* du 19 juillet 2000, p. 1).

Ces préoccupations sont également exprimées et avec plus

de force dans une note du Département d'Etat américain émise au mois d'août 2000 à l'adresse des Américains désireux de visiter Haïti ou d'y investir. Voici le texte en question :

> «La crise politique, économique et sociale grave dans laquelle végète Haïti depuis plus de deux années a des conséquences sur les conditions générales de sécurité dans le pays. Nous avons, en fait, noté au cours des mois passés une nette dégradation de la sécurité (forte augmentation des règlements de comptes, attaques armées, larcins, cambriolages...) que les efforts de la police nationale n'ont pas pu contrôler entièrement.
>
> Ce phénomène qui n'est pas seulement vécu dans la capitale a commencé également à affecter les visiteurs ou résidents Étrangers . Il est donc sage de reporter toute visite à Haïti qui n'est pas nécessaire ou qui n'est pas motivée par un cas d'urgence.
>
> Une grande discrétion est recommandée aux personnes qui, pour une raison ou pour une autre, doivent se rendre en Haïti. Elles devraient particulièrement prendre des mesures de prudence: Éviter de se promener seules dans les quartiers les plus pauvres et les bidonvilles, plus spécialement aux environs du port et de l'aéroport de Port-au-Prince, et ne pas essayez d'entreprendre des promenades la nuit en raison de l'obscurité urbaine; éviter de circuler en voiture la nuit sur les routes reliant les villes de province et dans le voisinage de la capitale; ne porter sur soi aucun bijou ou objet de valeur; ne pas exposer à la vue les caméras et l'équipement photographique, et éviter généralement l'envie de s'amuser; s'abstenir de tout comportement qui pourrait être interprété comme provocateur, arrogant ou fastueux; ne pas

photographier ou filmer les personnes sans d'abord obtenir leur permission; éviter généralement de photographier des secteurs frappés par la pauvreté extrême; refuser toute transaction avec les vendeurs de rue, particulièrement de cigarettes et d'alcool; éviter les rassemblements de curieux et de jeunes promeneurs qui pourraient rapidement se transformer en une foule incontrôlable; décliner les invitations aux cérémonies Vaudou non autorisées; ne pas se risquer hors de la ville.

Vu l'extrême susceptibilité des agents de police, en traitant avec eux, se comporter courtoisement, être extrêmement calme, et entièrement respectueux de la loi locale; en cas de difficultés, ne pas hésiter à entrer en contact avec l'ambassade.

En cas d'attaque armée, il vaut mieux ne pas résister. Compte tenu des récents incidents impliquant les bateaux de luxe étrangers, il est fortement conseillé de ne pas jeter l'ancre dans les eaux haïtiennes." (Traduction de l'auteur) (Source: Internet, Statedept.com).

Un mois plus tard, l'opinion négative du Département d'Etat américain sur notre pays avait empiré. Les avertissements, cette fois, concernaient non seulement le présent mais le futur immédiat de la situation de la sécurité en Haïti. Lisez plutôt:

«Information sur les crimes en Haïti.- Il n'y a aucun "secteur sûr" en Haïti. Le crime, qui constituait déjà un problème, se développe. L'état de droit et d'ordre est une préoccupation croissante eu égard aux rapports relatifs aux vols et cambriolages à main armée, aux meurtres et vols de voiture qui deviennent plus fréquents. La police est pauvrement équipée et est incapable de répondre rapidement aux appels à l'aide. Bien que les citoyens des Etats-Unis ne soient pas spécifiquement visés, les criminels ont néanmoins assassiné ou mutilé plusieurs citoyens américains en 1999.

Les voyageurs devraient être particulièrement alertes en laissant l'aéroport de Port-au-Prince, vu que les criminels ont souvent choisi pour cibles les passagers fraîchement débarqués pour les agresser et les détrousser ultérieurement. Des bandits surveillent également les clients de banque pour les attaquer plus tard; quelques incidents récents ont abouti au meurtre des victimes. Les visiteurs et les résidents doivent exercer une extrême précaution en empruntant la route nationale numéro 1, la route de l'aéroport, celle menant vers le port, à l'intérieur et aux environs de Cité Soleil, vu que ce sont des zones à haute criminalité.

Les faubourgs de Port-au-Prince considérés dans le passé comme relativement sûrs, comme la route de Delmas et Pétion-Ville, ont été le théâtre d'incidents en crimes violents en nombre croissant. Les périodes de congé, spécialement la Noël et le Carnaval, voient une augmentation significative de crime violent.

Les voyageurs et les résidents devraient prendre des précautions dans l'ensemble du territoire d'Haïti. Ils devraient garder leurs objets de valeur bien cachés, s'assurer que ces derniers ne sont pas abandonnés dans leurs véhicules laissés en stationnement, privilégier le transport privé au transport public, prévoir en voyageant des itinéraires de rechange, et garder les portes et fenêtres de leurs maisons et de leurs véhicules fermés et verrouillées. Si un individu armé demande de lui livrer un véhicule ou autres objets de valeur, l'ambassade des Etats-Unis recommande qu'on se conforme sans résistance. Les bandits ont déjà éliminé des conducteurs qui résistent. L'ambassade déconseille également les déplacements de nuit, en particulier en dehors de Port-au-Prince. Les possibilités limitées de réagir et d'appliquer la loi de la part de la Police Nationale d'Haïti et de la Justice déçoivent ceux qui sont victimes de crime.

Circonstances spéciales en Haïti.- Les élections présidentielles en Haïti de novembre domineront le reste de l'année 2000. Historiquement, les élections haïtiennes ont été accompagnées d'une violence accrue. Au cours des élections parlementaires de mai et de juillet, des activistes ont établi des barrages illégaux et temporaires sur les routes dans tout le pays, parfois bloquant les voies de communication principales et les voies d'accès à l'aéroport. Les manifestants ont réussi à paralyser Port-au-Prince et d'autres grandes villes au lendemain du premier tour des élections, utilisant des barricades enflammées et des feux de camp, avec, comme points de mire de certaines de ces actions, des édifices appartenant au gouvernement américain.

Le langage de certains candidats et officiels haïtiens a été clairement anti-américain, et le gouvernement haïtien n'a pas empêché ni condamné certaines situations violentes et dangereuses. Des événements politiques ont souvent survenu dans des endroits publics, et certains ont tourné à la violence; il est conseillé aux citoyens américains d'éviter de tels rassemblements.

Les voyageurs qui rencontrent des barrages de route, des

manifestations ou de grandes foules devraient garder leur calme et laisser la zone au plus vite et sans confrontation. L'aide des officiels haïtiens, de la police par exemple, ne devrait pas être attendue pendant des événements qui ont rapport avec les élections. Des précautions particulières devraient être prises dans les jours qui précèdent et suivent immédiatement les élections et la publication des résultats.» (Traduction de l'auteur). (*US State Department - Services - Travel warnings and Consular information sheets*, September 1, 2000).

Quand on sait que la majeure partie de l'investissement étranger dans notre pays repose sur le capital américain, de telles descriptions des dangers auxquels est exposé l'Etranger en Haïti faites par le gouvernement américain lui-même n'indiquent-elles pas qu'Haïti se dirige à grand pas vers l'abîme?

Les Haïtiens également, ont une perception identique de la situation. A l'occasion des funérailles émouvantes du jeune Patrice Gousse assassiné en plein jour à Musseau, Port-au-Prince, le 17 septembre 2000, Me. Emmanuel Ménard avait, lui aussi, brossé un tableau sombre, triste et macabre, de la qualité de la vie en Haïti:

«Les morts ne se comptent plus, déclara-t-il, la cité se vide et est devenue un coupe-gorge. L'on se demande perplexe si les assassins ne sont pas plus nombreux que les citoyens; et les citoyens pris en otage par les assassins, regardent impuissants, au crépuscule ou à l'aube, leur demeure saccagée, leur commerce pillé, leur patrimoine incendié, leur soeur violée, leur fils tué...» (*Le Matin* du 30 septembre au

2 octobre 2000, p. 12).

L'environnement ainsi décrit par le Département d'Etat américain et par le citoyen haïtien M. Ménard, loin de s'améliorer au fil des jours, s'est plutôt détérioré davantage à mesure qu'on s'approchait de la fin de l'année. Au mois de novembre 2000, un nombre élevé de victimes furent dénombrées. Des individus lourdement armés ont, en plusieurs occasions, ouvert le feu sur des commissariats de police et aussi sur des groupes de paisibles citoyens, soit dans les stations d'autobus, soit devant leurs demeures dans les quartiers pauvres, causant des morts et des blessés, en toute impunité.

Sous le titre combien révélateur de «Week-end sanglant à Port-au-Prince», voici comment *Le Nouvelliste* relate ces tristes événements survenus au début du mois de novembre:

> «Une fusillade perpétrée vendredi soir au carrefour de l'Aviation (Intersection du Boulevard Jean-Jacques Dessalines et de la route de Delmas) a marqué de manière sanglante la vie à Port-au-Prince. Six personnes ont été tuées, une vingtaine d'autres ont été blessés au cours du drame. Quatre des victimes ont succombé sur le coup, deux autres ont rendu l'âme à l'*Hôpital de l'Université d'Etat d'Haïti*. L'une des personnes blessées, Hérold Mésidor, 34 ans, est sortie paralysée. Ses membres supérieurs et inférieurs ne fonctionnent plus.
>
> Des témoins ont rapporté que les bandits, vendredi soir aux environs de 6 h. 30, avaient opéré en toute quiétude, en restant sur place après le drame pour rançonner et brutaliser

certains chauffeurs et passagers qui se trouvaient sur les lieux.

Roulant à bord d'un véhicule de type pick-up, les bandits avaient ouvert le feu sur la foule massée au carrefour de l'Aviation.

Selon les informations rapportées ce lundi par Radio Haïti Inter, des affrontements entre deux gangs armés seraient à l'origine du drame ayant coûté la vie à ces six personnes. Certains membres d'une brigade mise sur pied par l'administration communale de Port-au-Prince seraient impliqués dans les affrontements entre les gangs armés, selon Radio Haïti Inter...

Par ailleurs, cinq bandits armés de revolver ont ouvert le feu dans la soirée du jeudi 2 novembre en direction du sous-commissariat de Soleil 2 (Cité Soleil).

Quatre policiers cantonnés au sous-commissariat de “Soleil 2" ont révélé à Radio Haïti Inter qu'ils avaient déjà subi des attaques les 15, 16 et 23 octobre derniers par les bandits.

A plusieurs reprises, a ajouté le policier, des individus ont tenté d'incendier le sous-commissariat lequel a reçu l'appui des membres de la population...

Trois journalistes américains ont été également blessés au cours de la semaine à Cité Soleil par des inconnus armés.

A l'édition “Inter Actualité” de ce lundi, un journaliste citant des chauffeurs, a rapporté qu'environ 3 personnes sont assassinées chaque semaine au Portail de Léogane.» (*Le Nouvelliste* du 7 novembre 2000, p. 7).

Jusqu'au moment de clore notre étude, nous avons attendu

vainement une amélioration de la situation. Au contraire, le phénomène de l'insécurité a tellement empiré qu'il a inspiré l'éditorialiste de *Le Nouvelliste* qui, dans sa rubrique *Actualités en Question*, décrit de cette façon l'atmosphère de peur généralisée enveloppant la capitale haïtienne:

> «Il ne suffit pas de «naje pou sòti» (nager pour pouvoir se sauver), il faut, ces derniers jours, «pare w pou kouri» (se tenir prêt à fuir).
>
> L'insécurité prend depuis ce début de semaine des dimensions alarmantes: hold-up, coups de feu nourris qui conditionnent un «kouri» répété en certains points du centre-ville.
>
> **A partir de 6 heures de l'après-midi, la ville est vide. Les commerçants, petits détaillants, écoliers et étudiants... qui, au cours de la journée, ont pris leurs jambes à leur cou, rentrent rapidement chez eux, bénissant le ciel de n'avoir pas été victimes de l'insécurité grandissante.**
>
> L'insécurité, elle, est aveugle. Elle frappe toutes les couches de la population.
>
> Certains sont tombés pour avoir commis le péché d'être à un coin de rue attendant un tap-tap. Quelques-uns sont victimes pour être au volant d'une voiture suscitant la convoitise. D'autres sont ciblés pour être propriétaires d'un négoce souvent générateur d'emplois dans ce pays rongé par le chômage...
>
> Enfin! La liste serait trop longue...
>
> Que les experts fassent une différence entre banditisme social, violence politique, délinquance et autres, est une

chose. En ce qui nous concerne, ces types d'insécurités se mélangent en un cocktail explosif qui bouscule la population dans une situation de stress permanent....

L'insécurité gagne également la mer. Des bateaux faisant le trajet Port-au-Prince/La Gônave sont attaqués par des «pirates» d'un autre genre.

Il est difficile de choisir entre «naje pou sòti» et «pare w pou kouri».(*Le Nouvelliste* du 15 novembre 2000, p. 1).

A mesure que se rapprochait la date de la tenue du scrutin du 26 novembre, le climat était devenu encore plus malsain. Une semaine avant ces joutes annoncées, des explosions meurtrières avaient fait un mort et une quinzaine de blessés à Port-au-Prince. «La violence à l'approche des élections du 26 novembre n'a pas fini de compter ses victimes, lisait-on dans l'éditorial du numéro du 22 novembre de *Le Nouvelliste*, avec cette particularité que constituent ces bombes qui ont explosé un peu partout à la capitale et dans ses banlieues.»

La situation ne s'était pas améliorée à la fin de l'année qui s'est clôturée avec la mort tragique de l'ex-député, l'ingénieur Jean-Rood Guerrier Thénor Louis, du journaliste Gérard Dénauze et du gestionnaire Reynold Ambroise, tous trois assassinés à la fin de décembre 2000, dans des circonstances troublantes, sans que leurs meurtriers aient été appréhendés, tandis que les affrontements à Cité Soleil faisaient encore des morts et des blessés par balles. Aucun progrès sensible vers une atténuation de l'ampleur du phénomène de l'insécurité en Haïti n'a donc été enregistré entre 1995 et 2000. L'affirmation de l'autorité de l'Etat, la sécurité de la population n'ont jamais été au rendez-vous au cours de cette période. La question qui se pose maintenant est bien celle-ci: Comment redresser une telle situation et renverser la vapeur?

Au prochain chapitre, nous allons essayer de répondre à cette question en versant humblement dans le débat certaines réflexions susceptibles d'aider les décideurs dans la recherche de solutions appropriées à cet épineux problème qui met en péril l'existence même de la nation.

Vibrant de vie, le journaliste Jean Léopold Dominique
en conversation avec l'auteur (juillet 1989)
Aujourd'hui, fauché par cette insécurité aveugle régnant en Haïti

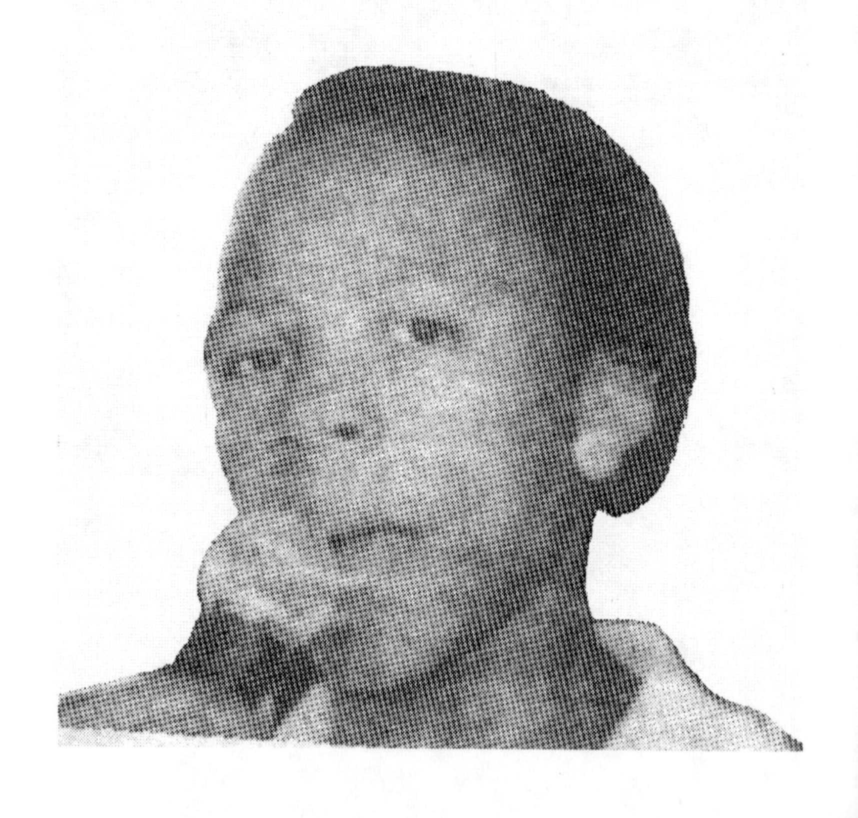

Mlle. Christine Jeune
Officier de police de la PNH
Assassinée dans des conditions obscures, le 19 mars 1995

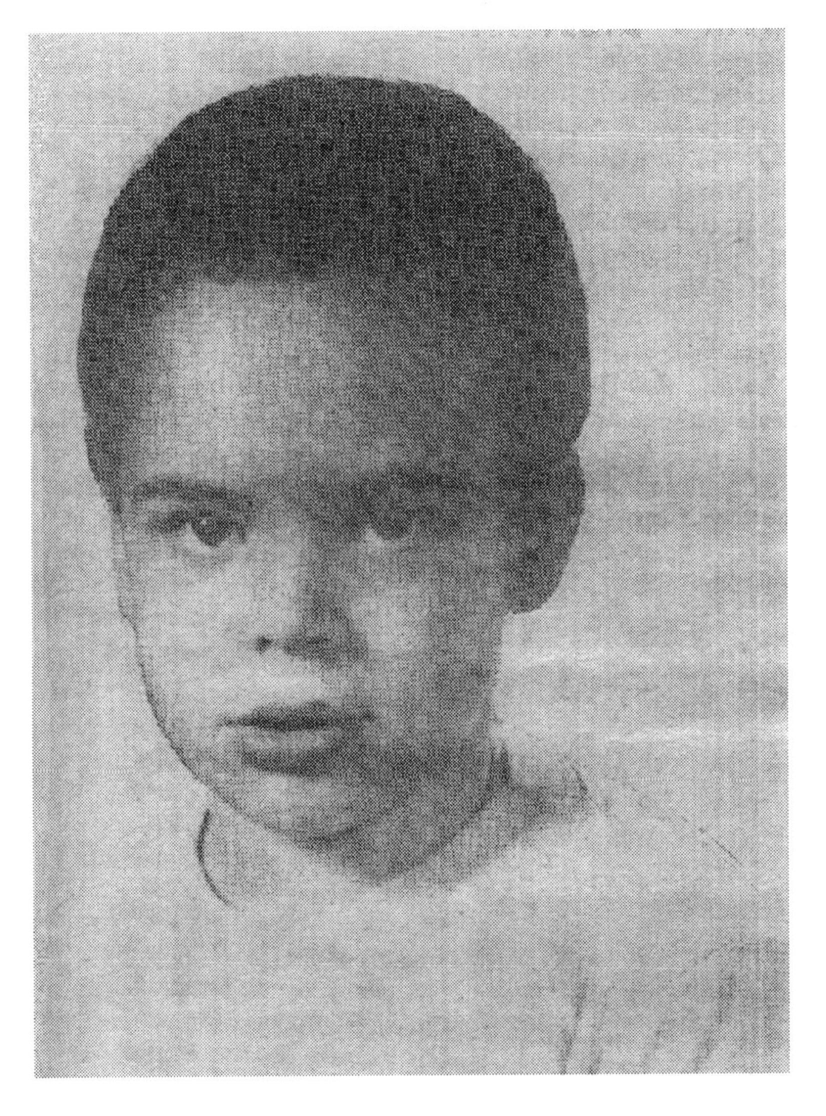

Le petit Boris Pautensky (6ans)
Porté disparu
Enlevé à son établissement scolaire le 28 mai 1996

Mme. Erla Jean-François
Mairesse de la ville de Chansolme (Nord-Ouest)
Assassinée en plein jour, le 30 mai 1996

M. Joseph Rony C. Charles
Sous-directeur de la PROMOBANK du Cap Haïtien
Assassiné par balles en plein jour, le 5 août 1996

M. Louis Emilio Passe
Député au Corps Législatif (46ème Législature)
Assassiné par balles, le 16 octobre 1997

Colonel Roger Cazeau
Officier retraité des FAD"H
Ancien commandant du Corps d'Aviation
Assassiné par balles, aux environs du 14 juin 1999

Soeur Marie Géralde Robert
Religieuse, animatrice et administratrice d'un centre de santé à Côtes-de-Fer (Département du Sud)
Assassinée par balles, le 17 novembre 1999

Colonel Jean Lamy
Conseiller à la Police Nationale d'Haïti
Assassiné par balles, le 8 octobre 1999

Frère Hurbon Bernardin
Des Frères de l'Instruction Chrétienne
Assassiné, puis mutilé, à La Vallée de Jacmel, le 30 novembre 1999

Mme. Carmen Boisvert Alexandre
Commerçante, intellectuelle
Torturée puis assassinée, le 25 juillet 2000, à l'âge de 74 ans

M. Patrick Gousse
Gestionnaire
Assassiné par balles, le 17 septembre 2000

M. Jean-Rood Guerrier Thénor Louis
Ingénieur, ancien député au Corps Législatif
(46ème Législature)
Assassiné par balles, le 20 décembre 2000

CHAPITRE V

PROPOSITIONS DE SOLUTIONS

Au cours des précédents chapitres, nous avons tenté de cerner dans ses aspects les plus marquants le mal de l'insécurité dont souffre la société haïtienne. Nous avons fait état de son ampleur inquiétante et de son impact néfaste sur le développement harmonieux du pays, tant dans sa dimension sociale qu'économique. Cependant, lorsqu'une oeuvre prétend dessiller les yeux de la société sur une situation aussi grave, une simple narration ou examen des faits ne saurait suffire. Toute relation, analyse ou critique doit postuler des solutions au problème posé de telle sorte que l'étude réalisée soit d'un certain profit pour le présent immédiat. Aussi saisissons-nous l'opportunité pour esquisser quelques propositions de solutions à la problématique de l'insécurité en Haïti.

Après six années de fonctionnement boiteux de la démocratie haïtienne, le «Rapport 2000 sur le Développement Humain» du *Programme des Nations Unies pour le Développement* (PNUD) classe Haïti dans la catégorie «lanterne rouge» des pays de l'hémisphère occidental malgré, pourtant, l'investissement de plus de 2 milliards de dollars de la part des Etats-Unis à partir de 1994 et l'injection dans l'économie haïtienne de plus de 500 millions de dollars d'aide externe reçus après la restauration de l'ordre constitutionnel en 1994. La dépêche du PNUD publiée par *Haiti On Line* est sans équivoque:

> «Index de Développement Humain: Haïti à la 150ème place.
>
> PNUD,06/29/2000--[HOL] Selon le rapport 2000 sur le Développement Humain publié par le *Programme des Nations Unies pour le Développement* (PNUD), Haïti est classée à la 150ème place derrière la République Dominicaine (87ème) et le Bengladesh (146ème). L'indicateur du développement humain (IDH) mesure le niveau atteint par un pays en termes d'espérance de vie, d'instruction et de revenu réel corrigé.
>
> Dans l'hémisphère américain et dans la Caraïbe en particulier, Haïti est le seul pays classé dans le groupe des Pays à **"Faible développement humain".** Haïti est à la 150ème position, loin derrière sa soeur siamoise, la République Dominicaine, classée à la 87ème place. **Quant à l'espérance de vie, Haïti plonge vers le bas-fond du groupe et se trouve à la 170ème position sur 174 pays.**» (*Haitionline.com*, 1er juillet 2000).

Comment pouvait-il en être autrement quand la nécessité d'instaurer la sécurité dans le pays ne figurait pas au premier plan des préoccupations des décideurs de l'heure?

Maintenant que la communauté internationale manifeste la volonté d'abandonner sa tactique du «laisser-faire» et d'appliquer de préférence une politique de correction des excès ou abus contre la démocratie qui se commettent dans le pays, c'est-à-dire, d'agir sur les catalyseurs de l'insécurité, particulièrement, l'intolérance, l'impunité, les élections truquées et la politisation de la force publique, nous devons profiter de ce changement d'attitude et de cette bonne disposition pour, avant toute chose, canaliser certaines énergies afin de juguler le phénomène de l'insécurité au sein de la société haïtienne.

Nous croyons pouvoir y arriver si, tous, nous nous attelons à la tâche avec ardeur, patriotisme et altruisme en vue de concrétiser quatre préalables constituant, à notre humble avis, la voie royale du succès de notre démarche : 1o) la réconciliation nationale, 2o) l'indépendance des structures judiciaires et électorales, 3o) le renforcement de la force publique nationale et 4o) enfin, la mise en chantier d'un programme d'investissement public axé sur une politique de création d'emplois au bénéfice du peuple.

Entrons dans les détails d'un tel projet.

A.- La réconciliation nationale

Le 3 juillet 1993, au plus fort de la crise haïtienne d'après le coup d'Etat du 30 septembre 1991, une solution semblait être trouvée pour une sortie de crise : la signature de l'Accord de l'Ile des Gouverneurs. Ce document considéré, somme toute, comme la base d'un nouveau départ pour Haïti, se terminait par ces dispositions :

> Le président de la République (Jean-Bertrand Aristide) et le commandant en chef (Raoul Cédras) conviennent que ces

dispositions constituent une solution satisfaisante de la crise haïtienne et **le début d'un processus de réconciliation nationale.**

Ils s'engagent à coopérer pleinement à la réalisation d'une transition pacifique vers une société démocratique, stable et durable, dans laquelle **tous les Haïtiens pourront vivre dans un climat de liberté, de justice, de sécurité et de respect des droits de l'homme.**» (*Le Nouvelliste* du 5 juillet 1993, p. 2).

Lancée sur cette voie, la première tentative de réconciliation nationale fut amorcée par le Premier ministre Robert Malval, installé en qualité de chef du gouvernement en exécution des clauses de l'Accord de l'Ile des Gouverneurs. Dès le premier jour de son entrée en fonction, M. Malval invitait, dans son discours d'investiture prononcé le 3 septembre 1993, tous les Haïtiens en exil à regagner le sol natal en vue de travailler au relèvement de leur pays. Nous fûmes l'un des premiers exilés à répondre à cet appel. De la République Dominicaine, nous franchissions la frontière le même jour pour regagner le foyer familial, à Port-au-Prince.

Au mois de décembre 1993, M. Malval lança l'idée d'une conférence nationale à tenir dans la ville de Miami, en Floride. Malheureusement le projet échoua. Au grand désappointement des Haïtiens, *Le Nouvelliste* titrait en grandes manchettes dans sa livraison du mercredi 15 décembre: «La Conférence de réconciliation annulée». En éditorial, ce quotidien annonçait :

«Robert Malval est rentré cet après-midi à Port-au-Prince, déclarant, les sanglots dans la voix, que la Conférence

Nationale, dont il avait eu l'initiative ces derniers jours, n'aura pas lieu.

"J'y ai mis tout mon courage, tout mon patriotisme, tout mon rêve démocratique, toute ma bonne foi, toute mon intégrité, mais..." a déclaré à l'aéroport international le Premier ministre dont la voix très désolée et les sanglots contenus à grand peine cachaient mal le drame personnel d'un homme qui risque de ne pas réussir sa "sortie de scène par une sortie de crise".» (*Le Nouvelliste* du 15 décembre 1993).

Cette déclaration d'impuissance de M. Robert Malval à concrétiser ce projet scellait, en quelque sorte, sa démission de son poste de Premier ministre. Cependant tout espoir n'était pas perdu. «Cette conférence se ferait après le retour du président Aristide», avait-il laissé entendre au cours de ce point de presse.

Effectivement, à son retour au pays, le 15 octobre 1994, le président Aristide fit de la réconciliation nationale l'un des thèmes magiques de son message délivré au peuple haïtien et au monde entier. Et, lors de sa visite en Haïti, le 30 mars 1995, le président Bill Clinton se fit l'écho de cette idée-force. Exhortant les Haïtiens à s'engager dans cette voie salutaire, il leur avait dit ceci : «je ne peux que répéter les mots du président Aristide : Dites non à la vengeance, non à la revanche, oui à la réconciliation». (*Le Nouvelliste* du 3 avril 1995, p. 14).

La réconciliation nationale est incontournable. De l'avis général, l'union des fils et filles d'Haïti constitue la clé qui doit ouvrir la porte au succès de toute politique visant le relèvement du niveau de vie du peuple haïtien. Seule l'application de cette formule salvatrice permettra, en un tour de main, d'éradiquer le phénomène de l'insécurité, instaurer la paix et la tranquillité des familles, de ramener le pays à la normale et réussir le démarrage économique.

En vérité, nous ne cesserons jamais de répéter cette parole célèbre de l'ex-président américain Richard Nixon :

> «Le manque d'unité nationale rend la démocratie presque impossible, le développement économique un rêve lointain et la tension interne une réalité constante.» (*La Vraie Guerre*, p. 42).

C'est quoi la réconciliation?

Le mot "réconciliation", action de rétablir des relations amicales entre personnes brouillées (*Larousse*), implique la fin d'une situation de rupture de rapports harmonieux existant entre des individus ou groupes d'individus nés pour vivre ensemble dans l'harmonie, la paix, le respect et la considération réciproque.

En ce sens, par l'acte de la réconciliation seront reprises les relations d'harmonie, de compréhension, de coexistence pacifique, de respect mutuel entre les personnes et les groupes de personnes composant une population, qui se considéraient ennemis.

Ce mot implique également l'idée d'un compromis entre deux protagonistes qui reconnaissent volontairement la nécessité de ne plus s'affronter stérilement, mais de s'unir pour atteindre un même objectif: le bien de la communauté nationale.

"Réconciliation" ne signifie pas abandon de ses convictions idéologiques! Non! Ce vocable prône, de préférence, la mise à l'écart des rancoeurs dans le cadre de l'acceptation de règles convenues entre deux parties. Elle n'est pas l'expression d'une capitulation d'une personne ou d'un groupe par rapport à l'autre, mais, plutôt, l'effet d'un acte courageux posé par deux protagonistes qui décident d'un commun accord de mettre fin au climat de discorde, de haine, de mépris de l'autre qui existait entre eux.

La notion de réconciliation ne doit pas, non plus, être conçue comme une faveur octroyée avec condescendance par l'une des parties à l'autre. On ne demandera pas aux présumés agresseurs de s'abaisser avant d'être dignes de bénéficier de cette démarche. L'un des protagonistes doit tendre la main à l'autre, sans arrière-pensée, sans intention de l'humilier ou de porter atteinte à sa dignité.

En maintes occasions, les causes de discorde sont fictives ou même ignorées des protagonistes. Des membres d'une société se haïssent, des groupes de citoyens s'entrechoquent, se déconsidèrent sans pour autant s'être jamais rencontrés. Parfois, des gens qui se vouent une haine implacable ne se connaissent que par des intermédiaires qui, pour une raison ou pour une autre, ont oeuvré pour les placer aux antipodes l'un de l'autre. Souvent, cette attitude découle de malentendus historiques non vidés.

L'un des obstacles majeurs sur le chemin de la réconciliation se situe au niveau de l'idée assez répandue à savoir : un acte de justice doit précéder l'acte de réconciliation. Rien ne se révèle plus inexact. Dans la mise en oeuvre de ce noble projet, nous croyons qu'il faut écarter toute idée de rendre ou de faire justice d'abord avant de parler de réconciliation.

Après 1986, Président de la République, encouragé par la réussite du Forum National qui, en février 1989, avait réuni plus de vingt-six partis et groupements politiques autour de la table du dialogue, nous avons été le premier, au mois de mai 1989, à lancer l'idée de la nécessité d'un dépassement de soi pour rendre possible la réconciliation nationale afin d'éviter le désastre au pays.

Appel malheureusement ignoré. En cette occasion, nous avions également mis en évidence l'importance du pardon dans le processus. Dans ce discours diffusé le 18 mai 1989, à l'occasion de la Fête du Drapeau et de l'Université, nous disions :

> «Je crois avec certitude que seule la réconciliation peut nous aider à sauver ce pays. Il n'est certes pas possible d'effacer les souffrances endurées, les abus subis, les torts causés aux uns et aux autres; mais, conscients, à la lumière des expériences du passé, des malheurs qui planent sur notre pays, il est impérieux pour nous, Haïtiens, de retrouver la paix que seule la réconciliation peut induire.
>
> Les victimes et les traumatisés d'hier diront que c'est trop leur demander. Qu'en serait-il alors de nous tous,

aujourd'hui, si le divin créateur avait eu la même réflexion, Lui qui a su faire le grand geste du pardon par le sacrifice de Son Fils? Les irréductibles peuvent encore vouloir raidir sur leur position, mais sont-ils prêts à endosser la responsabilité de l'effondrement de notre cher pays! Car, sans cette réconciliation nationale, le pays s'effondrera.» (*Le Silence Rompu*, p. 156).

La réconciliation, parfois, accompagne la «justice». Au fond, elle peut même précéder cette dernière, comme cela a été le cas en Afrique du Sud sous la houlette du charismatique leader Nelson Mandela.

Ecoutez ce que pense à ce sujet un intellectuel haïtien, M. François Roc:

«Dire qu'il n'y a pas de réconciliation sans justice, cela me paraît aller de soi. Car la réconciliation est essentiellement une démarche politique qui cherche à donner cohésion à une société éclatée, morcelée, destructrice d'elle-même. La réconciliation nationale n'a de sens que pour autant qu'elle est réponse à cette décomposition.

Geste politique, elle ne peut ignorer que des victimes traînent encore des douleurs ou des handicaps... En ce sens, seule la justice peut justifier, si j'ose dire, la crédibilité, voire la réussite de la démarche... La question demeure de savoir comment concilier justice et réconciliation.

Durant quelques années, je croyais...que la justice devait précéder la réconciliation. Cette position a comme principal défaut de faire comme si la justice était une fin en soi. Autrement dit, elle oublie en quelque sorte la crise... Alors que la crise, elle, la dévorante, poursuit ses ravages...

Tout ceci ne veut point dire nier le droit des victimes à la justice. D'ailleurs, la justice des victimes participe de notre aspiration à tous à une société plus juste, et donc plus cohérente.

En ce sens, Justice et réconciliation peuvent et doivent aller de front. Par nécessité et par réalisme. Exemples actuels : C'est dans une France réconciliée que, cinquante ans après la seconde guerre mondiale, des hommes accusés de crime contre l'humanité durant l'occupation nazie continuent d'avoir rendez-vous avec la justice.

Nelson Mandela a placé l'Afrique du Sud sur la voie de la réconciliation. Même si le visage honteux des villes-ghettos noires existe encore, victimes et bourreaux de l'apartheid poursuivent leurs témoignages...» (*Entre la raison et l'explosion*, *Le Nouvelliste* du 17 mars 1998, p. 6).

L'entreprise visant la réconciliation d'ennemis irréductibles ne sera pas toujours facile à réaliser. D'un côté, se tiendront les victimes, de l'autre, les présumés agresseurs. Pour réussir la réconciliation, un grand effort s'avère indispensable, des deux côtés.

Les premiers devraient, sans pour autant renoncer à la justice en tant qu'idéal à atteindre, s'engager à renoncer à la haine, à la vengeance, à la violence, à maintenir un climat de compréhension, de tolérance et de respect mutuel; tandis que les seconds, tout en exprimant leurs regrets pour leur conduite passée, par la confession des fautes et la volonté de repentance, prendraient la ferme détermination d'agir pareillement.

Au sein de la classe politique, les chefs de parti

s'engageraient à agir avec éthique les uns vis-à-vis des autres, en se considérant comme des adversaires et non comme des ennemis, en acceptant le pluralisme idéologique et le principe de l'alternance politique comme fondement de la démocratie à laquelle le pays aspire.

Un principe de base doit demeurer : l'initiateur de la réconciliation doit d'abord se surpasser et offrir le pardon. Souvent d'ailleurs, il peut s'agir de pardon réciproque des offenses. Nous savons tous que la violence engendre la violence. On a vu en Afrique du Sud des dirigeants Noirs du parti de l'ANC reconnaître qu'ils ont, eux aussi, tout comme les Blancs, commis des excès dans leur lutte pour débarrasser leur pays de l'Apartheid. Dans ce chapitre, il nous plaît de reproduire ici une dépêche de l'AFP datée de Johannesbourg montrant que les vainqueurs, eux aussi, savent, dans bien des cas, reconnaître leurs erreurs :

> «Johannesbourg, 4 décembre (AFP).- Winnie Madikizela-Mandela a demandé jeudi soir "pardon" pour tout ce qui a "horriblement mal tourné" dans les années 1986-89 et mené à des violences et meurtres dans le sillage de son football club de Soweto.
>
> L'ex-épouse du président Sud Africain, qui a pourtant nié toute responsabilité directe ou indirecte dans la vingtaine de meurtres qui ont eu lieu dans son sillage à cette époque, s'est dite, pour la première fois, "profondément désolée".
>
> Elle répondait, en clôture de neuf jours d'audience de la Commission Vérité et Réconciliation (TRC), à la supplique du président des débats, l'archevêque Desmond Tutu, qui lui

a lancé: "Je vous en prie, je vous en prie, je vous en prie... dites pardon".

Auparavant, l'archevêque avait résumé le sentiment de la Commission en disant "qu'on ne saura sans doute jamais les détails" de ce qui s'était passé à cette époque autour de Winnie et au sein de *Mandela United Football Club...*» (*Le Nouvelliste* du 4 décembre 1997, pp. 1, 13).

Voilà! Pas de sacrifice trop grand lorsqu'il s'agit de retrouver l'harmonie et l'entente entre les citoyens au nom du salut de la Patrie commune. Dans le cas où il est avéré que les deux partis avaient commis des excès, le pardon réciproque devrait être encouragé et obtenu, comme l'a démontré le président de la Commission de Prétoria, l'archevêque Desmond Tutu.

Dans la matérialisation du projet de réconciliation nationale, il faut, à notre avis, rechercher, trouver ou créer une nouvelle entité morale capable de servir d'intermédiaire entre les parties à réconcilier. Cet intermédiaire moral est tout indiqué : Une Conférence de Sages, éventuellement formée de membres de la *Conférence Episcopale de l'Eglise Catholique*, de la *Confédération des Eglises Protestantes*, du *Conseil Oecuménique des Eglises*, des représentants des loges maçonniques, du vaudou, etc.

N'est-ce pas une proposition sensée à appliquer par Haïti à l'instar de l'Afrique du Sud où une *Commission de Réconciliation* sert efficacement de force morale et d'agent intermédiaire entre les groupes et parties à réconcilier?

La réconciliation, une fois consommée, ferait disparaître en Haïti la haine sourde qui existe entre certains groupes d'Haïtiens (lavalassiens, lavalassiens dissidents, anciens duvaliéristes, duvaliéristes...), entre les cadres du clan au pouvoir et ceux maintenus en dehors du système de gestion du pays à cause de leur conception idéologique, leur appartenance doctrinale ou leur passé politique.

Tout en gardant leurs différences, les citoyens de l'ancien régime et ceux des temps nouveaux accepteraient désormais de s'asseoir autour de la même table pour étudier, analyser et trouver ensemble des solutions aux problèmes nationaux.

Les responsables du pays pourraient alors se pencher, avec plus de chance de succès, sur une autre tâche non moins exaltante : entreprendre avec courage et abnégation les réformes nécessaires pour permettre à tous, sans distinction, à travers des structures judiciaires et électorales vraiment indépendantes et crédibles, d'obtenir justice et de participer, selon leur mérite ou leur science, aux affaires de l'Etat.

En effet, corollaire de la réconciliation nationale, la réforme de la Justice deviendrait plus facile à exécuter grâce à l'apport de nouveaux techniciens, experts, docteurs, intellectuels de haut niveau rendus disponibles au service de la nation. De plus, de bonnes et crédibles élections se chargeraient de pourvoir les postes électifs de citoyens valables, véritablement investis de la confiance de la population.

B.- Indépendance de la Justice et du Conseil Electoral

Depuis environ huit années, le panorama politique et social du pays est atteint d'un mal endémique : l'injustice triomphante. Les citoyens réclament justice. Les dirigeants promettent toujours la distribution de cette justice, prétendent qu'elle «sera saine et impartiale», etc.

Mais un tel voeu peut-il se concrétiser avec, comme instrument de travail, un système judiciaire gangrené jusqu'aux os par la politique, la corruption, où les juges sont des militants d'un seul secteur politique, ou bien sont nommés au hasard des circonstances?

L'état général, déplorable, lamentable, honteux de la justice haïtienne est bien mis en évidence par le journaliste Joseph Guyler C. Delva qui écrit:

> «Le système judiciaire haïtien est confronté - tout le monde le reconnaît - à d'énormes difficultés notamment d'ordre structurel, logistique, intellectuel, voire politique, qui l'empêchent d'accomplir sa mission à la satisfaction de tous. La justice haïtienne, comme beaucoup d'autres branches des structures étatiques, publiques en Haïti, a sa face cachée, ses dessous faits de trafic d'influence, de vénalité, de corruption, etc.» (*Le Nouvelliste* du 25 mai 1999, p. 1).

Qui pis est, cette justice semble ignorer, dans bien des cas, la liberté des citoyens. Un système judiciaire qui maintient cyniquement en prison des innocents constitue la pire des choses qui puisse arriver à une nation. Or, dans l'Haïti d'aujourd'hui, le système judiciaire fait fi de la liberté individuelle reconnue par la Charte des Nations Unies dont Haïti est signataire, et par la Constitution haïtienne dans ses articles 24 à 27.

Suivez notre guide Joseph Guyler C. Delva:

«Beaucoup de prévenus en attente d'être jugés arrivent à connaître une période d'incarcération qui dépasse de loin la peine qui leur aurait été imposée s'ils étaient reconnus coupables.... Les dernières statistiques fournies par la *Direction de l'Administration Pénitentiaire* (DAP) indiquent que la population carcérale, dans les 18 prisons à travers le pays, est estimée à 3655 détenus.

Selon le directeur adjoint de la *Mission Civile Internationale en Haïti* (MICIVIH), Rodolfo Mattarollo, **80% de ces quelques 3655 détenus, sont en détention préventive**, seulement 20% ont été jugés et condamnés. M. Mattarollo explique qu'à l'intérieur des 80% de prévenus placés en détention préventive, c'est-à-dire en attente d'être jugés, un groupe chiffré par la MICIVIH à 1200 personnes se trouvent en détention préventive prolongée.

Selon le directeur exécutif de la mission civile OEA/ONU, Rodolfo Mattarollo, de ce nombre, 800 détenus ont déjà passé entre 1 à 2 ans en prison, 300 sont incarcérés depuis plus de 2 ans et 110 ont déjà "purgé" plus de 3 ans d'emprisonnement, sans être jugés ni condamnés. «Dans certains cas, rappelons-le, ces gens sont détenus sous des chefs d'inculpation qui ne justifieraient nullement une détention de si longue durée, même si ces chefs d'accusation étaient prouvés, déplore Rodolfo Mattarollo, estimant que , dans beaucoup de cas, il s'agit de simples délits qui auraient pu être traités et jugés sans trop de difficultés.» (*Idem*, p. 6).

Au cours de la période couverte par notre étude, rien de bien tangible n'a été entrepris pour corriger cet état de fait déplorable. Malgré les nombreux rappels de la presse et des organisations de défense des droits de l'homme, cette situation demeure encore inchangée si l'on en croit un récent rapport (août 2000) de l'Expert Indépendant des *Nations Unies*, M. Adama Dieng, dans lequel il est mentionné ceci :

> «La maladie du système judiciaire haïtien marquée d'un dysfonctionnement de la chaîne pénale, du manque d'indépendance des juges et commissaires du gouvernement, des difficultés d'accès à la justice, continue à susciter des frustrations non seulement auprès des populations mais aussi auprès des bailleurs de fonds.
>
> A titre de rappel, nous avions exprimé notre préoccupation quant à la non-exécution par les commissaires du gouvernement des ordonnances de mise en liberté provisoire rendues par des juges, surtout dans des affaires sensibles, voire à connotation politique. **Cette attitude attentatoire à la primauté du droit a eu pour conséquence la floraison de cas de détention arbitraire**.» (*Op. cit.* Section IX, No. 49).

Avec l'emprise du commissaire du gouvernement sur les prisons, le public a l'impression que l'Exécutif profite du système de détention préventive pour laisser pourrir en taule ses adversaires politiques. En effet, des hommes politiques croupissent durant 2, 3 ou 4 ans en prison sans jamais être jugés. Dans ce contexte, en plein régime dit d'"Etat de droit", un ancien chef de l'armée haïtienne, le général Claude Raymond, était gardé en prison, sans avoir été jugé ou condamné, pendant près de 4 années jusqu'à ce qu'il passât de vie à trépas. Son décès constaté, le gouvernement se contenta de remettre tout bonnement aux parents le cadavre pour inhumation.

Pour faire cesser de tels abus, il s'avère donc indispensable de libérer la justice de ce carcan que constitue pour elle le pouvoir exécutif.

En régime démocratique, il doit nécessairement exister un équilibre entre les pouvoirs de l'Etat : Législatif, Exécutif et Judiciaire. L'un ne doit empiéter sur l'autre, comme d'ailleurs le prescrit la Constitution haïtienne. Les interférences créeront, à coup sûr, des conflits néfastes pour la société. En effet, quand les structures judiciaires et électorales sont subjuguées par le pouvoir central, le gouvernement ipso facto accapare l'Etat. Dans ce cas, le pays s'achemine tout droit vers le pouvoir absolu : la dictature!

Le professeur Olivier Duhamel enseigne que «la démocratie sombre dans un travers déplorable lorsque les gouvernants accaparent l'Etat.» (*Les Démocraties - Régimes, Histoire, Exigences*, p. 336).

Pour éviter pareille situation, tout pouvoir véritablement démocratique travaillera à doter le pays d'un système judiciaire où tous les citoyens, sans aucune discrimination, se sentent protégés et les malfaiteurs et criminels, à quelque rang qu'ils appartiennent, sujets à être poursuivis, appréhendés, jugés et condamnés selon les prescriptions de la Constitution et les lois en vigueur.

Nul ne doit être placé au-dessus des lois ou autorisé à agir dans l'impunité en vertu de ses relations avec le pouvoir. D'un autre côté, toute personne doit jouir d'une opportunité égale d'accès aux fonctions électives ou législatives au moyen d'élections libres et honnêtes.

Pour toutes ces raisons, l'Exécutif ne devrait pas dominer le Corps Judiciaire et le Conseil Electoral. En vue de maintenir l'harmonie au sein de la société, il est indispensable que ces deux institutions soient en mesure de fonctionner en toute indépendance. Elles doivent être formées de personnalités intègres, non inféodées à des groupements politiques! En conséquence, il s'avère d'une absolue nécessité qu'une réforme en profondeur soit entreprise pour placer ces institutions (le corps judiciaire et le Conseil Electoral) hors de l'influence des dirigeants politiques trop soucieux de leurs intérêts propres.

1- Réforme du système judiciaire

L'Etat a pour devoir de procurer, garantir la sécurité à toute la population. Il détient, pour atteindre cette fin, le monopole de la violence légitime, d'autant qu'il est de son devoir d'élaborer les lois, de les faire appliquer, par la force si nécessaire et c'est là le rôle des structures pénales. Si l'Etat se montre incapable de faire fonctionner la justice, de garantir la sécurité de ses citoyens, ipso facto, il met en péril sa propre existence.

A ce propos, le politologue et professeur français Sébastian Roché écrit:

> «... La conséquence du déclin de l'efficacité des organisations publiques (à contrer l'insécurité) est la descente forcée de l'Etat de la position de surplomb qu'il occupait, la mise en question de sa légitimité à se constituer en référence. **S'il ne peut plus ni garantir la sécurité ni dire l'interdit alors même qu'il a inventé sa légitimité sur sa capacité à le faire, il scie la branche sur laquelle il s'était installé.**» (*Op. cit.,* p. 150).

En tant que continuateurs obligés de l'idéal des Ancêtres, les chefs d'Etat ont pour mission d'assurer la survie de la nation. D'où l'obligation impérieuse qui leur incombe de veiller à ce que les organisations publiques soient en mesure de maintenir l'intégrité du territoire, et aussi de garantir la sécurité des vies et des biens de la population.

En ce qui concerne ces deux obligations, l'Etat exerce deux sortes de contrôle.

a) D'abord, un contrôle organisationnel de la sécurité relatif aux actions défensives et coercitives qui dépendent de la capacité de l'Etat à protéger son territoire et ses concitoyens et à punir les déviants et les criminels. Ce contrôle implique l'organisation d'une force publique professionnelle, l'élaboration de lois coercitives, le fonctionnement de tribunaux indépendants et la tenue de prisons fonctionnelles. Ce contrôle s'élargit, en amont, à l'école, en tant que pourvoyeuse d'une éducation morale, patriotique de base et d'une discipline dans le comportement individuel et collectif.

b) En second lieu, l'Etat exerce un contrôle social institutionnel qui, de son côté, touche au volet technique. Il s'agit d'abord d'évaluer l'aptitude de la force publique à bien remplir sa mission de protection du territoire et de la population, à élucider les crimes et délits, ce qui dépendra de la formation de son personnel, de ses méthodes de travail, et de sa capacité de dissuasion, laquelle est tributaire du caractère certain, sévère et prompt de la punition par la Justice.

Dans les deux cas, la Justice est impliquée au premier plan. Tout aboutit à elle. Dès que les citoyens considèrent qu'elle ne s'acquitte pas convenablement de sa tâche, ils sont tentés de se faire justice eux-mêmes, ce que l'Etat a pour devoir d'éviter compte tenu des abus graves qui résultent généralement d'un tel comportement. Nul n'est autorisé à chercher justice ailleurs que dans les tribunaux.

La Constitution ayant aboli la peine de mort en Haïti, il devient encore plus choquant de vivre les drames causés par l'application de la formule de l'autodéfense au sein de la population. Trop souvent, cette réaction d'autodéfense se traduit chez nous par les nombreuses scènes de lynchage, du supplice du collier (pèlebren), de lapidation, répertoriées dans cet ouvrage. Le rôle du système pénal dans un pays est, précisément, d'empêcher ces formes archaïques de régulation, qui, par essence, sont sans mesure, intempestives, irrationnelles, très souvent injustes.

L'Etat, en principe, devrait répondre légalement, démocratiquement, de toutes ces exécutions par lynchage ou autres commises à travers le pays. Il ne peut, sans mettre en jeu sa légitimité, laisser à la population le soin de se faire justice elle-même. Possédant le monopole de la violence légitime (droit exclusif de légiférer, puis d'appréhender, de juger et de punir les délinquants), il lui revient exclusivement le droit et aussi le devoir de bien faire fonctionner le système en vue de faire cesser ces pratiques archaïques.

Le politologue français Sébastian Roché présente ce trait comme une des caractéristiques du système pénal.

> «Précisons, écrit-il, la particularité du système pénal : il est très autonome, très libre vis-à-vis de son environnement. Il occupe une position théoriquement sans concurrence : on ne peut lui faire défection en allant se faire justice ailleurs. En effet, en cas de monopole sur un bien public, la défection est très difficile : police et justice veillent à ce qu'il soit impossible, ou presque, de faire sa police soi-même, ou de faire sa justice ailleurs que dans les tribunaux.» (*Sociologie Politique de l'Insécurité*, p. 139).

Voilà l'objectif à atteindre. Pour permettre au système pénal de bien remplir sa mission, l'Etat doit entreprendre d'urgence une réforme en profondeur de ses structures judiciaires, en se fixant un objectif clair : la distribution d'une saine et impartiale justice à la population. Dans ce dessein, il importe que les fonctions exécutives et fonctions judiciaires soient séparées, le nouveau rôle du commissaire du gouvernement bien défini, l'indépendance des juges et des tribunaux assurée, tout en oeuvrant pour que les prisons remplissent leur rôle dans le cadre strict de la loi. Un tel projet répondra au voeu de la Constitution de 1987 qui stipule:

> Article 59.- Les citoyens délèguent l'exercice de la Souveraineté Nationale à trois (3) pouvoirs:
>
> 1. Le pouvoir Législatif;
>
> 2) le pouvoir Exécutif;
>
> 3) le pouvoir Judiciaire.
>
> Le principe de la séparation des trois (3) Pouvoirs est consacré par la Constitution.
>
> Article 60.- Chaque Pouvoir est indépendant l'un de l'autre dans ses attributions qu'il exerce séparément.
>
> Article 60-1.- Aucun d'eux ne peut, sous aucun motif, déléguer ses attributions en tout ou en partie, ni sortir des limites qui lui sont fixées par la Constitution et par la Loi. (*Le Moniteur* du 28 avril 1987, p. 573).

a) Bien distinguer les fonctions exécutives des fonctions judiciaires.

Au départ, il conviendrait de bien distinguer entre le concept de "justice", tel qu'il est utilisé chez nous, et ce qui constitue réellement "le Corps Judiciaire". Les gens ont souvent confondu les deux.

Le vocable "Justice" exprime un concept très large, différent de celui de "Pouvoir Judiciaire". Quand on dit que "la justice" est pourrie, on prétend faire, à tort, référence aux juges et aux tribunaux. Ceci constitue une grave méprise. Il convient de bien saisir cette nuance pour ne pas tomber dans des erreurs regrettables.

Le ministère de la Justice ne doit nullement être considéré comme une branche du Pouvoir Judiciaire, lequel est exercé, selon l'article 173 de la Constitution, «par la Cour de Cassation, les Cours d'Appel, les Tribunaux de Première Instance, les Tribunaux de Paix et les Tribunaux Spéciaux». Ces entités sont les seules investies de la mission de trancher les litiges, de punir les crimes et de distribuer la justice. Parler d'indépendance de la justice, c'est nécessairement faire référence à celle du Corps Judiciaire, c'est-à-dire, des tribunaux, des juges.

La tâche du ministère de la Justice qui est une instance du Pouvoir exécutif, est d'oeuvrer de façon à protéger la société contre l'action des délinquants et des criminels, à rechercher les auteurs des crimes et délits, à mettre l'action publique en mouvement contre eux pour qu'ils soient traduits devant leurs juges naturels en vue de répondre de leurs actes, à les poursuivre devant les tribunaux et à veiller à l'application des peines décidées par les tribunaux. Il remplit ces tâches par l'action, d'une part de la Police, et d'autre part, du Parquet que dirige le Commissaire du Gouvernement, actuellement un citoyen très puissant de la République.

b) Bien définir le nouveau rôle du commissaire du gouvernement.

Le Commissaire du Gouvernement ou chef du Parquet, nommé par l'Exécutif, peut être révoqué à n'importe quel moment par celui-ci. Aussi est-il plus enclin à exécuter les instructions reçues de l'entité qui détient le pouvoir discrétionnaire de mettre fin à ses fonctions. A côté des intérêts de la société que, théoriquement, il est chargé de défendre et protéger, le chef du Parquet se comporte donc avant tout en agent diligent du gouvernement.

Or, un gouvernement recherche toujours à sauvegarder ses propres intérêts. Ce qui est tout-à-fait légitime. En conséquence, le nouveau rôle du commissaire du gouvernement doit être conçu de façon à prévenir toute ingérence de l'Exécutif, donc de la politique, dans l'exercice du Pouvoir Judiciaire. Il est souhaitable, exigible, que ce haut fonctionnaire reste confiné dans ses attributions consistant à mettre l'action publique en mouvement contre les délinquants, à bien préparer les dossiers criminels, à poursuivre devant les tribunaux les présumés coupables de crimes.

c) Assurer l'indépendance des juges

Pour éliminer toute interférence de l'Exécutif dans les affaires judiciaires, l'administration du Pouvoir Judiciaire ne doit être confiée qu'au Corps Judiciaire tout comme celle du Pouvoir Législatif est dévolue exclusivement au Corps Législatif. Qu'il s'agisse des juges de la Cour de Cassation, des Cours d'Appel, des Tribunaux de Première Instance, des Tribunaux de Paix ou des Tribunaux Spéciaux, aucun d'eux ne devrait, en aucune manière, recevoir d'ordre ni du Commissaire du gouvernement ni de toute autre instance de l'Exécutif.

L'un des objectifs de cette réforme viserait aussi l'organisation d'un nouveau système judiciaire où les postes de juges, d'officiers judiciaires et de greffiers doivent être comblés par des postulants sélectionnés sur la base de leur compétence, leur capacité intellectuelle et leur honnêteté et non de leur appartenance à un clan ou de leur militantisme au profit d'un parti ou d'un groupement politique. Ces nouveaux fonctionnaires de l'ordre judiciaire, une fois recrutés, il serait indiqué d'envisager à leur intention l'octroi d'une rémunération décente susceptible de les protéger du démon de la corruption qui envahit les sphères institutionnelles de l'Etat.

Ce préalable une fois obtenu, l'accent devrait être porté sur les Tribunaux de Paix qui constituent la base de la pyramide de la distribution de la justice à la grande majorité du peuple. Une Justice de Paix fonctionnelle devrait être implantée dans chacune des sections communales du pays, conjointement à l'application d'une initiative entreprise en 1989 par le *Bureau de Protection du Citoyen*, lequel avait proposé au gouvernement, qui avait approuvé la démarche, l'institution du Service Légal pour les diplômés des Facultés de Droit en Haïti. A l'instar du service social des médecins au sein du ministère de la Santé, les nouveaux licenciés en Droit devraient, durant un temps déterminé, aider les paysans à présenter leurs doléances et assurer leur défense devant les tribunaux.

En outre, il faudrait, autant que possible, multiplier les tribunaux dans les villes et quartiers, etc.

d) Faire respecter la loi au sein des prisons.

En ce qui concerne les prisons, la réforme doit tenir compte de la dignité de tout prévenu qui ne peut être maintenu en détention préventive qu'en vertu d'une ordonnance de prise de corps du juge d'instruction, en attendant la date de son jugement par-devant le Tribunal compétent.

Après le jugement, si l'inculpé est condamné, il va immédiatement purger sa peine en prison. Mais s'il est reconnu innocent, il doit être autorisé de plein droit et immédiatement à regagner son foyer, "s'il n'est retenu pour autre cause déjà en état d'être jugée".

En outre, une attention soutenue devrait être accordée à la prison, dernier maillon du système répressif. La peine de mort étant constitutionnellement abolie, la prison devient la peine par excellence dans la lutte contre les crimes et délits. Il appartient donc à l'Etat de créer suffisamment de places dans les centres de détention ou bien de les gérer de façon à libérer de l'espace pour accueillir les délinquants les plus dangereux. Dans cet ordre d'idées, il serait opportun d'introduire dans notre législation la «liberté sur parole pour bonne conduite», de façon à permettre à la prison de disposer de plus de places pour l'hébergement des condamnés dangereux. Il faut aussi humaniser les prisons en Haïti!

A propos de gestion des prisons, il est recommandé aux décideurs de s'inspirer de l'ouvrage écrit par l'expert haïtien, le criminologue Dominique Romain, intitulé «*Pour un Plan de*

Réforme Pénitentiaire» (*Imprimerie Le Natal* - 1989) et de tirer profit de ses recommandations pertinentes en la matière.

Fort de toutes ces considérations, pour une bonne administration de la Justice en Haïti, un gouvernement à vocation démocratique devrait, selon nous :

- reconnaître le Tribunal comme la seule autorité en matière de justice ou d'emprisonnement;
- doter le système judiciaire de meilleurs juges en respectant scrupuleusement les prescriptions constitutionnelles prévues pour leur nomination à tous les niveaux;
- simplifier la procédure de remise en liberté de l'accusé bénéficiaire d'un verdict d'acquittement et éliminer le pouvoir discrétionnaire du ministère de la Justice dans ce domaine;
- mettre en place des mécanismes fiables capables de garantir le renouvellement régulier des cadres;
- respecter le principe de l'inamovibilité des juges;
- créer au sein du Corps Judiciaire un service de questure afin de rendre ce Pouvoir autonome;
- instituer une commission d'éthique et de discipline pour sanctionner les juges fautifs;
- augmenter l'expertise de la police judiciaire en vue d'une meilleure préparation des dossiers criminels;
- faire exécuter sans délai toute décision de justice;

- respecter le délai légal de la garde à vue et limiter à un temps maximum la durée de la prison préventive;
- gérer les prisons de façon à créer davantage de places pour accueillir les condamnés;
- Faciliter la rééducation des délinquants et la réhabilitation des condamnés;
- élaborer un bon programme d'éducation à l'intention de la population pour qu'elle soit bien imbue de ses droits et devoirs dans le domaine de la justice;
- instituer le Service Légal des nouveaux diplômés des Facultés de Droit.

A un moment où la communauté internationale est disposée à assister le peuple haïtien et à participer au relèvement du système judiciaire national, nous avons intérêt à saisir cette opportunité pour doter le pays d'un système judiciaire adapté à la mouvance historique et capable de faire régner l'harmonie, la paix au sein de notre population. Cette condition réalisée, l'incidence heureuse de ces dispositions sur le contrôle du phénomène de l'insécurité en Haïti ne tardera certainement pas à se faire sentir.

Toutefois, il est important de rappeler que le renouvellement des cadres devant assurer le bon fonctionnement des structures judiciaires nationales est intimement lié à la tenue des élections crédibles dans le pays. En effet, conformément à la Constitution, il revient à des institutions formées d'élus (le sénat, la chambre législative et les collectivités locales) le privilège de choisir et les juges à tous les niveaux et les membres potentiels du Conseil Electoral Permanent. Les élections se révèlent donc le seul moyen permettant de placer à la tête des institutions de l'Etat des citoyens honnêtes, compétents, loyaux, désintéressés, patriotes, responsables et serviteurs du peuple.

Aussi importe-t-il que les résultats des élections soient le reflet de la volonté populaire! D'où la nécessité de libérer les structures électorales de toute influence de l'Exécutif ou d'un parti politique.

2- Indépendance du Conseil Electoral

Créer et maintenir un Etat impartial, tel est le but des élections dans un pays. En exigeant que certaines positions administratives soient des postes électifs, c'est-à-dire dépendant du choix librement exprimé de la population en âge de voter, la Constitution a voulu limiter le nombre de nominations à décider unilatéralement par le Pouvoir Exécutif. Conséquemment, un gouvernement qui s'approprie les fonctions électives par la fraude, la violence ou tout autre artifice, détruit les buts recherchés par la Charte Fondamentale.

L'accaparement des postes électifs par un gouvernement ébranle tout le système démocratique. Il ouvre largement la porte à la corruption, au népotisme, à l'aveuglément, à l'incompétence et à la médiocrité. Il décourage les jeunes à s'instruire et les adultes à se perfectionner. Aussi, pour la survivance de la démocratie dans un pays, s'avère-t-il absolument indispensable que les structures électorales soient placées hors de portée de l'influence du gouvernement ou du chef de l'Exécutif.

En 1987, la Constitution a consacré l'existence en Haïti d'une institution à caractère indépendant pour s'occuper strictement des questions électorales sur toute l'étendue du territoire de la République : le Conseil Electoral Permanent (CEP), composé de «neuf membres choisis sur une liste de trois noms proposés par chacune des Assemblées Départementales» (article 192). En attendant la mise en place de l'appareil définitif, la Constitution avait prévu, dans ses dispositions transitoires, la formation d'un Conseil Electoral provisoire chargé de remplir cette mission (article 289).

La formule prescrite pour la formation du CEP (provisoire) traduisit le souci des constituants qui entendirent éviter tout esprit partisan dans le choix des membres de cette institution : huit membres devaient provenir de huit entités indépendantes du pouvoir, à raison d'un représentant par organisme sélectionné, et un membre, non fonctionnaire de l'Etat, à être désigné par l'Exécutif.

Le premier conseil électoral provisoire de 1987 a suivi le schéma constitutionnel. Après sa dissolution consécutive aux événements douloureux, voire honteux, du 29 novembre 1987, il fut remplacé par un conseil électoral de circonstance qui réalisa les élections de janvier 1988.

L'année suivante, en 1989, voulant donner un caractère démocratique à l'institution électorale, le gouvernement de l'époque que nous dirigions convoqua un forum des partis politiques pour la mise sur pied d'un CEP de consensus. Les résultats des travaux avaient permis la formation d'une institution permanente avec un Conseil de gestion provisoire composé de membres désignés par des organismes de la société civile, comme le souhaitait l'article 289 de la Constitution.

En 1990, le CEP de consensus de 1989 fut dissous par le gouvernement civil provisoire. L'Exécutif fit appel aux anciens membres du CEP provisoire de 1987 qui organisa les joutes de décembre 1990. Malheureusement, à la suite de la tenue de ces élections, loin de laisser ce Conseil Electoral terminer sa mission jusqu'à la formation du CEP permanent prévu par la Constitution, ses membres furent appelés à occuper de hautes fonctions dans l'administration publique (directions générales, ministères, ambassades, etc.) L'institution électorale disparut dans le décor.

Pendant la période du coup d'Etat (1991-1994), des élections législatives furent organisées, le 28 janvier 1993, par un autre CEP de circonstance formé par le pouvoir en place.

Vint le retour à l'ordre constitutionnel en 1994. Prétextant appliquer les dispositions de la Constitution prévues pour la formation du Conseil Electoral Permanent alors que les collectivités territoriales, sources de la désignation des membres, n'existaient point, le gouvernement créa un nouveau conseil provisoire très éloigné de l'esprit de la Constitution en cette matière, avec des membres ainsi choisis : 3 désignés par le Parlement, 3 par l'Exécutif et 3 par le Tribunal de Cassation.

Résultat : 7, sur les 9 membres nommés, étaient des proches reconnus et attestés de l'Exécutif.

Ce CEP réalisa dans des conditions contestées et de boycott les élections de juin et de décembre 1995 et celles d'avril 1997. Ces dernières choquèrent à un tel point la classe politique à cause des nombreuses fraudes et irrégularités constatées et dénoncées, qu'elles aboutirent forcément à une grave crise institutionnelle : la démission du chef du gouvernement et le renvoi par l'Exécutif du Parlement, suite à l'expiration du mandat des parlementaires en janvier 1999. Par la même occasion, les mairies étaient gérées désormais par des fonctionnaires nommés par le gouvernement à la place des élus. Voilà comment fonctionne la démocratie en Haïti, à l'heure du retour à l'ordre constitutionnel!

Face à la désapprobation générale, le gouvernement partit à la recherche d'une nouvelle formule pour la tenue rapide d'élections en vue de «nommer» un nouveau parlement et de nouveaux membres dans les mairies et les sections communales. L'accord politique signé le 6 mars 1999 entre cinq partis politiques et le gouvernement permit à l'Exécutif de donner naissance à un nouveau Conseil provisoire. Mais les élections organisées le 21 mai 2000 furent contestées non seulement par les partis politiques d'opposition, mais aussi par les cinq signataires de l'accord du 6 mars, la société civile et la communauté internationale.

Par la fraude et des manoeuvres déloyales, le gouvernement s'était attribué tous les postes en lice.

Outrés, deux des trois membres désignés par les cinq partis politiques de l'Accord du 6 mars s'empressèrent de démissionner sur demande de leur parti d'origine, et le président de l'institution, menacé, dut prendre le chemin de l'exil. Le CEP fut donc réduit à 6 membres.

La crise engendrée par les élections frauduleuses de 1997 s'est donc prolongée et s'annonce interminable, surtout après l'installation au Parlement, le 28 août 2000, des élus du scrutin contesté du 21 mai, en dépit des justes réclamations des partis politiques, des judicieux conseils de la société civile et de sérieux avertissements de la communauté internationale.

Pour comble de malheur, loin de prêter attention aux différentes remarques formulées, le président René Préval, à la surprise générale, prit l'initiative de nommer unilatéralement trois nouveaux membres pour remplacer ceux qui avaient démissionné au sein du CEP et le président du CEP parti en exil. Le président de la République annonça alors pour le 26 novembre 2000 la tenue prochaine des élections présidentielles. De telles perspectives n'augurent rien de bon dans la recherche d'une solution au problème de l'insécurité en Haïti.

Tel est le parcours de l'institution électorale depuis sa conception par les constituants de 1987. Au cours de cet itinéraire, les deux gouvernements Lavalas, réticents à toute idée de laisser une possibilité d'alternance au pouvoir, ont toujours manoeuvré pour dominer les structures de décision électorale.

Nous savons tous qu'un système politique

d'accaparement définitif de tous les espaces du pouvoir conduit à l'arbitraire, à la dictature, aux abus de toutes sortes, à la corruption et à tous les maux qui affectent l'avenir d'une nation. A ce propos, écoutons l'enseignement du professeur Olivier Duhamel sur l'importance de la tenue d'élections crédibles en vue d'assurer l'application du principe salutaire de l'alternance :

> «Doté du pouvoir considérable de choisir, l'électeur reçoit de surcroît le droit de changer d'avis et, en changeant d'avis, de changer le cours des choses. Tout système majoritaire doit connaître l'alternance ou, du moins, sa possibilité. L'opposition d'aujourd'hui est la majorité de demain, l'unique incertitude pesant sur la date de ce demain. Voilà qui incite ce dernier à un peu de modestie salutaire et qui contient, au moins partiellement, son arbitraire. Voilà qui donne au premier un peu d'espérance et qui contient, au moins partiellement, sa démagogie...
>
> L'alternance offre bien d'autres avantages. Elle renouvelle les élites, réveille la volonté politique, stimule les administrations, met fin au clientélisme installé, bouscule les corporatismes établis, suscite de nouveaux chantiers, régénère le débat public...
>
> Sans alternance, la classe politique dirigeante devient mafieuse à force de toujours gouverner. Le pouvoir use. Le pouvoir trop longtemps conservé use trop profondément. Le pouvoir abuse. Le pouvoir éternellement donné abuse éternellement. Le pouvoir corrompt. Le pouvoir durablement accaparé corrompt durablement. L'usure du pouvoir, l'abus du pouvoir et la corruption du pouvoir sont bousculés par

l'alternance et tempérés par la perspective d'une alternance ultérieure» (*Op. Cit.*, p. 320).

Après avoir traité de la réconciliation et de l'indépendance des structures judiciaires et électorales, abordons un autre point très important dans la bataille pour vaincre le phénomène de l'insécurité : l'existence d'une force publique efficace, bien formée, bien équipée et non politisée!

C.- Renforcement de la force publique

L'une des causes importantes de l'insécurité en Haïti réside dans la faiblesse marquée de la force publique haïtienne. Cette faiblesse se manifeste dans plusieurs domaines : les structures, le personnel et l'équipement.

Au point de vue structurel, il ne fait point de doute que la jeune institution nationale de police, la PNH, est privée de plusieurs infrastructures de base nécessaires au bon fonctionnement d'un corps ayant la charge d'assurer la sécurité des habitants sur toute l'étendue du territoire. Contrairement aux FAD'H, l'institution de sécurité et de défense qu'elle a remplacée, la PNH est dépourvue d'un nombre important de structures vitales ayant existé au sein de l'armée haïtienne. Pas de réseaux de communication fiable assurant la liaison entre le siège central et les villes et sections communales du pays; pas de bureaux de police ou de présence policière dans les sections communales et plusieurs villes importantes du pays; pas de système de transport organisé pour le déplacement du personnel; pas de service de génie établissant les normes de construction des commissariats et des prisons; pas de service de santé garantissant le maintien en bonne condition physique du personnel et fournissant des soins adéquats aux policiers malades ou à ceux blessés dans l'accomplissement de leur devoir, etc.

D'un autre côté, si la mer est, tant bien que mal, surveillée par le service de garde-côtes de la PNH, l'espace aérien haïtien est livré au désordre international des contrebandiers et des trafiquants de drogue. Des avions chargés de cocaïne et d'autres substances ou de matériels de contrebande atterrissent, de nos jours, sans aucune retenue, dans les villes de province, pour débarquer leurs marchandises. Leurs pistes d'atterrissage préférées : les routes nationales que des bandits maintiennent libres de toutes activités et de toute circulation pendant le déroulement de leurs opérations délictueuses.

Au point de vue du personnel, la force publique nationale fonctionne très en deçà de l'effectif nécessaire à l'accomplissement de sa tâche, sans oublier que les ressources humaines disponibles sont loin d'être bien rodées. De plus, seulement quelques mois avaient été octroyés pour la préparation des premières promotions de policiers. L'institution policière dispose à peine d'un effectif de 4 à 5 mille policiers pour tout le territoire, alors que les FAd'H qu'elle a remplacées comprenaient 7,000 hommes, sans compter les agents de la police rurale (chefs de Section) et leurs adjoints qui évoluaient dans les 565 sections communales du pays.

D'autre part, le personnel de la PNH se renouvelle constamment et à un rythme vraiment trop rapide du fait de licenciements massifs opérés dans les rangs de la jeune institution qui, à cause du manque de rigueur dans le choix des premières recrues, eut à faire face à de nombreux cas de policiers surpris en flagrant délit de violations des droits humains, de banditisme, de trafic de la drogue, de vols, d'assassinats.

A ces sérieuses déficiences, il faut ajouter le grand vide créé par l'absence de l'armée qui, normalement, demeure l'institution prévue par la Constitution pour détenir l'équipement adéquat et recevoir l'entraînement permettant de venir à bout des criminels et assassins lourdement armés, des terroristes en herbe, qui défient la police, et des trafiquants qui utilisent l'espace aérien haïtien comme leur cour privée.

Des dispositions urgentes devraient être prises pour remédier à cette situation de pénurie prévalant au sein des forces de sécurité du pays. Un service de santé, un corps de transport, un service de communications, des effectifs convenables, des responsables qualifiés et expérimentés, une structure bien hiérarchisée, un code d'éthique approprié, et, par-dessus tout, une institution nouvelle en vue de rendre possible l'utilisation d'équipements aptes à contrer l'action armée des bandits et à combler le vide laissé par les FAD'H démantelées. Voilà, en brèves hachures d'idées, l'ossature d'une nouvelle force publique nationale à même de faire face à ses lourdes responsabilités.

A tout prix, les responsables politiques doivent éviter de transformer l'institution policière en une armée dont seul le nom ferait défaut. Comme nous l'avions fait ressortir dans notre ouvrage, *L'Armée d'Haïti, Bourreau ou Victime*,

> «Il est fortement à déconseiller que la police nationale soit dotée de moyens militaires lui permettant d'affronter elle-même tous les problèmes de sécurité qui se présentent. La possession de ces moyens fera dévier, à coup sûr, cette institution de la mission pour laquelle elle fut conçue: la protection des vies et des biens de la population haïtienne. Elle risque de devenir une force armée puissante, d'autant plus qu'elle aura, à l'instar des FAD'H, ses tentacules étendues à travers tous le pays. Et l'on se retrouvera à moyenne ou longue échéance dans la même situation d'hégémonie de notre ancienne armée.» (*Op. cit.*, p. 324).

Quand on analyse la situation qui a prévalu en Haïti à l'occasion de la période électorale de 2000, on ne peut nier que la police nationale était visiblement dépassée par la situation de belligérance opposant des groupes rivaux à Anse d'Hainault, qui a perturbé la tenue des élections dans le département de la Grand'Anse. Dans tous les pays civilisés, une pareille situation aurait réclamé l'utilisation constitutionnelle d'une force spécialisée, différemment équipée et entraînée, pour ramener l'ordre et permettre à la police d'accomplir sa tâche. Faute de cette structure, la population eut à essuyer beaucoup de pertes en vies humaines et à subir les effets désastreux d'incendies criminels qui ont détruit un nombre considérable de maisons de cette localité. Pareille situation ne risque-t-elle pas de se répéter?

Forts de ce mauvais exemple apparemment toléré par les pouvoirs publics, les trublions d'autres localités ne se décideront-ils pas à l'avenir de tenir en échec l'autorité de l'Etat, sachant qu'ils pourront agir en toute impunité? Des tranches entières de la population ne sont-elles pas exposées à être privées, quand elles s'y attendent le moins, de cette sécurité que l'Etat a le devoir de leur fournir? Que se passerait-il si la situation ayant prévalu à Anse d'Hainault se reproduisait dans plusieurs localités simultanément?...

Autant de questions qui devraient interpeller la conscience de nos élites.

Pour ces raisons et bien d'autres, nous croyons impérieux pour la République d'Haïti de disposer d'une force publique bien pourvue pour garantir la sécurité du territoire, assurer la tranquillité d'esprit de ses citoyens, préserver en tout temps la paix publique, protéger la population, assurer une lutte efficace contre les délinquants équipés d'armes de guerre, intervenir à l'occasion de perturbations sociales quelle que soit leur ampleur.

Pierre-Raymond Dumas attirait l'attention des responsables sur ce point important dans un de ses articles:

> «Conçue pour le maintien de l'ordre, pour la protection des vies et des biens, la police nationale découvre au jour le jour qu'elle est mal adaptée en fait de lutte contre la drogue et le crime organisé. Et qu'une réforme s'impose si on veut qu'elle survive à tant de défis et d'insatisfactions. On ne fait pas de lutte contre des trafiquants aguerris et des bandits bien organisés comme on monte la garde devant les

ministères...

Les 'blancs'entrés en sauveurs n'avaient pas en toute logique anticipé les percés du grand banditisme et ne pensaient pas nous préparer à faire face à l'armée pléthorique dominicaine... Nombre de voix fort crédibles s'y sont très fermement élevées pour rappeler que la défense du territoire et de la frontière n'est pas le métier de la police et que cette faiblesse par rapport aux Dominicains est un danger intolérable qui finalement va nous coûter cher si rien n'est fait pour rétablir l'équilibre...

Ce n'est pas en faisant le mort sur les défuntes ...FAD'H qu'on éclairera les esprits sur les problèmes angoissant d'insécurité... La nécessaire conciliation entre défense du territoire, sécurité publique et stabilité démocratique passe sans doute par des voies à la fois éprouvées et nouvelles. Sinon... (*Débat sur la Force Publique en Haïti, Le Nouvelliste* du 29 novembre 1999, pp 15, 17).

Quant à la question du budget nécessaire pour réaliser un tel projet, nous pensons que l'objectif visé justifie l'effort à consentir. D'ailleurs, il n'a jamais été établi, comme on s'est plu à le répéter en maintes occasions, que l'armée dévorait le budget de la nation. Les faits ne supportent nullement un tel argument.

Pour la période avant 1990, par exemple, la loi budgétaire 1985-1986, reconduite pour plusieurs années subséquentes, prévoyait une enveloppe de 712,010,700 gourdes pour le fonctionnement des institutions de l'Etat. A l'intérieur de ce budget, les FAD'H émargeaient pour un montant de 96,182,000 de gourdes, soit un pourcentage de 13.5%. (*Le*

Moniteur # 69A du lundi 30 septembre 1985).

De nos jours, à l'intérieur du budget de fonctionnement national 1995-1996, atteignant 5,261,980,000 de gourdes et reconduit jusqu'à date, le montant alloué à la Police Nationale se chiffre à 779,000,000 gourdes, sans considération de la sécurité présidentielle qui, autrefois, dépendait également de l'armée. Cette valeur représente 14.8% du budget de fonctionnement. (*Le Moniteur* # 51 du jeudi 15 juillet 1996). La différence est donc difficilement perceptible.

A ce sujet, Pierre-Raymond Dumas exprime, une fois de plus, le mot juste. Il écrit:

> «Ce plaidoyer pour la force armée dissimule mal la compétition sur les budgets, les effectifs et la place de la question de la sécurité publique dans l'Haïti de l'an 2000. Car le budget de la police ne cesse d'augmenter. Or, nous sommes à des résultats piètres en dépit de la montée grandissante des périls». (*Op. cit.*, p. 17).

Le renforcement de la force publique n'aura, toutefois, aucun effet sans une volonté politique des gouvernants d'assurer et d'exiger de tous le respect de la loi. Rien ne peut aider à mieux combattre l'insécurité que l'application stricte de la loi par et pour tous, gouvernants et gouvernés.

Nous avons mis en évidence, à travers cet ouvrage, le drame poignant vécu par la population de Port-au-Prince à l'occasion des "journées chaudes" provoquées par les sorties intempestives de foules à l'encontre de toutes les lois de police et de sûreté, mais avec l'aval et, parfois, le support des autorités légales du pays. Ces pratiques doivent cesser pour que la paix et la sécurité puissent régner. Tout effort tendant à un renforcement de la force publique postule la volonté manifeste des pouvoirs publics de maintenir cette dernière à l'écart des clivages politiques et de restaurer effectivement l'autorité de l'Etat, c'est-à-dire, d'imposer à tous le règne de la loi.

Enfin, en vue d'obvier à toute carence de la force publique et de prévenir les abus ayant parfois cours dans ses relations avec la population qui, par définition, est son partenaire idéal pour la pleine efficacité des forces de l'Ordre, il est souhaitable que le Service Civique Mixte prévu par la Constitution soit mis en application. Un corps civique, non politisé, harmonisant les rapports de la population avec la force publique et agissant de concert avec la police dans son travail de protection des vies et des biens aiderait à chasser du territoire national le spectre de l'insécurité, insécurité qui crée l'instabilité avec son cortège de difficultés : crise économique, sous-emploi, chômage, etc., autant de facteurs qui augmentent les tensions sociales.

Cette dernière considération nous force à envisager un autre volet dans la recherche de solutions au problème qui nous concerne. Si l'insécurité peut provoquer le sous-emploi, le chômage chronique engendre aussi l'insécurité. C'est un cercle vicieux! Le dénuement et la misère étant étroitement associés à la délinquance, agir sur la pauvreté et la précarité en mettant en oeuvre un programme cohérent d'investissement public axé sur une politique de création d'emplois au bénéfice des masses aidera, à coup sûr, à réduire considérablement le mal de l'insécurité.

D.- Investissements publics et création d'emplois

«Dans un pays comme Haïti caractérisé par un haut degré de pauvreté, écrit l'économiste Jacques Vilgrain, toute action à caractère économique menée par la puissance publique devrait avoir pour objectif de réduire le chômage et d'augmenter le niveau de vie de la population» (*Structure, Mécanismes et Evolution de l'Economie Haïtienne*, p. 79). Cette réflexion de l'économiste Vilgrain vaut également dans la lutte à mener en vue d'éradiquer le phénomène de l'insécurité en Haïti.

En effet, vaincre l'insécurité qui affecte notre société implique la nécessité de livrer un combat constant en vue de résoudre la situation de chômage endémique qui sévit dans le pays. Dans un nouvel ordre international fondé sur le libre-échange et la libéralisation des économies nationales, beaucoup d'emplois pourraient être créés si, à côté du développement d'un secteur industriel fort et compétitif et de l'apport de l'assistance externe, se précise et se concrétise dans les faits l'exécution d'un programme d'investissement public axé sur une politique de création d'emplois au bénéfice des masses haïtiennes.

L'un des moyens efficaces de combattre le phénomène de l'insécurité, en effet, constituerait à relever le niveau de vie de la population grâce à ce programme d'investissement public susceptible de procurer de l'emploi à des centaines de milliers de nos compatriotes. Haïti étant un pays à construire, les domaines d'interventions, donc les possibilités de création d'emplois, sont innombrables.

En appliquant cette politique, l'Etat pourra rapidement diminuer le volume de l'oisiveté et la pénurie qui alimentent très fortement l'insécurité en Haïti, en prenant, d'urgence, des dispositions pour nourrir, éduquer, loger, vêtir le peuple haïtien, lui fournir les soins adéquats de santé, agir sur l'école haïtienne, accorder toute l'attention requise à la cellule familiale en vue de promouvoir la création d'un **Nouvel Homme Haïtien** apte à changer le visage du pays légué par Jean-Jacques Dessalines et Alexandre Pétion.

Améliorer de façon remarquable les conditions de vie de l'Haïtien, c'est-à-dire lutter constamment contre son état de pauvreté endémique, voilà le grand défi que la République d'Haïti doit relever pour mettre un frein définitif au phénomène de l'insécurité. L'Etat peut s'y engager avec succès en faisant construire des milliers de logements, des canaux d'irrigation, des aéroports, des terrains de sport, des routes de pénétration, des gares routières, des écoles, des hôpitaux et centres de santé, des bâtiments administratifs, des wharfs, des marchés publics, des parcs de loisirs; en promouvant l'agriculture moderne, l'artisanat, les arts, les coopératives, en entreprenant le reboisement du pays, en mettant en valeur les ressources nationales encore non exploitées...., bref, en transformant le pays en un vaste chantier.

La réussite d'un tel programme implique nécessairement

une assistance multinationale substantielle. En fait, même si l'embargo criminel appliqué contre notre pays a été approuvé, sollicité et encouragé par des Haïtiens, anxieux de revenir au pouvoir, la communauté internationale, ayant été le bras armé de ce choix politique, n'a-t-elle pas l'obligation morale de nous aider à réparer les nombreux torts causés aux infrastructures économiques du pays par cette décision injuste?

Pour remettre le pays sur la voie du renouveau en vue d'un développement humain acceptable et durable, il faudrait l'élaboration d'un véritable "plan Marshall"pour Haïti.

Face à cette réalité, Mme. Paulette Poujol Oriol, à défaut d'interroger directement les Haïtiens responsables de cette catastrophe, se demande justement par la voie de la presse:

> «A qui la République d'Haïti, la toute petite galeuse des Antilles, à qui devra-t-elle s'adresser pour les réparations que la communauté internationale lui doit pour un ensemble de maux dont nous n'avons pas fini de pâtir?
>
> - Pour un embargo meurtrier, injustifié et disproportionné qui a déstabilisé son économie;
>
> - pour les enfants d'Haïti morts faute d'aliments et de médicaments;
>
> - pour notre industrie de sous-traitance assassinée, ce qui a jeté à la rue des milliers de familles privées, du jour au lendemain, de leur pain quotidien;
>
> - pour l'insécurité de nos rues et la violence généralisée; car tout se tient: le travail manquant, le chômage croissant, l'escalade de la vie chère, nos jeunes se sont lancés, en

désespoir de cause, dans la drogue et la délinquance;

- pour ces renvois de ramassis de repris de justice, de bandits déjà endurcis et condamnés de droit commun que l'on déverse de temps à autre sur nos rives sous prétexte de les "rapatrier";

- pour notre armée avilie et démantelée au mépris de la lettre de la Constitution dont on a tant prôné par ailleurs le respect, l'intégrité et le maintien;

- pour notre monnaie réduite à une peau de chagrin, conséquence directe de notre commerce moribond, de nos exportations anéanties, de notre environnement polluée;

- pour notre tourisme poignardé dans le dos par une campagne de dénigrement sans précédent, par ces slogans affichés dans les agences de voyage étrangères et jusque dans les avions, déconseillant à tout voyageur potentiel de venir en Haïti, le pays étant réputé dangereux, insécure et insalubre...? (*Le temps des repentirs, Le Nouvelliste* du 10 juillet 2000, p. 14).

A ce questionnement légitime et pertinent qui devrait porter plus d'un à faire leur examen de conscience, à reconnaître leurs errements et à prendre la ferme résolution de repentir, nous répondrons que ces réparations se concrétiseront lorsque nous tous, Haïtiennes et Haïtiens, aurons, nous-mêmes, par un comportement responsable, établi l'environnement adéquat propice au développement économique durable de notre pays. Alors seulement pourra se matérialiser, comme le souhaite ardemment Mme. Odette Roy Fombrun, la miraculeuse combinaison «kombite solidarité nationale et kombite solidarité internationale conjointes pouvant permettre d'instaurer en Haïti une démocratie humaniste qui apportera enfin à l'Homme haïtien mieux-être et sécurité.» (*Le Nouvelliste* du 25 octobre 2000, p. 14).

CONCLUSION

Amis, lecteurs,

Vous venez d'emprunter avec nous un bien triste parcours. Vous avez vécu les tribulations que peut causer à une société l'insécurité généralisée. Vous avez touché du doigt l'impact dévastateur de la violence débridée sur le développement du pays. Le danger auquel la nation est exposée est immense, car la violence constitue un élément négatif, destructeur du système social.

Le politologue américain Charlmers Johnson, ancien professeur de science politique à l'Université de Californie, à Berkeley, démontre comment la violence généralisée peut provoquer la disparition d'un système social :

> «L'ordre parfait dans un système social, écrit-il, serait le signe que la société ultime, idéale a été réalisée; **la violence généralisée serait l'indice que le système touche à sa fin** (ou que le comportement social a totalement perdu son caractère de système organisé)...
>
> **La société représente la victoire sur la violence**. La preuve est en partie fondée chez Hobbes (philosophe britannique du 17ème siècle), dans le tableau qu'il brosse de ce que serait l'existence sans la société, dans cette condition chaotique

> qu'il appelle l'«état de nature». Dans cet état, explique-t-il,... il n'y aurait ni sciences, ni arts, ni échanges commerciaux, et, pire encore, les hommes y vivraient dans la crainte perpétuelle et le danger constant de mort violente. En somme, la vie de l'homme, dans de pareilles conditions, serait «solitaire, pauvre, grossière, abêtie et courte». Pour jouir des bienfaits de la société organisée..., l'homme doit renoncer à la violence, parce que la violence plus que toute autre chose marque de ses stigmates l'«état de nature.» (*Déséquilibre Social et Révolution*, pp. 14, 15).

En Haïti, l'insécurité, si elle n'est pas éradiquée, risque de tout chambarder. Toujours possible dans toutes les sociétés, l'étendue de la violence dans la vie quotidienne d'une nation est utilisée par tout investisseur potentiel comme un des instruments de mesure de la stabilité du pays considéré. Le degré de sécurité individuelle et collective dans une société a toujours servi d'étalon pour jauger le système social lui-même.

Comme nous l'avions vu au cours de cette étude, un nombre élevé de citoyens ont perdu leurs vies dans des circonstances obscures, alors que la période étudiée se situe en pleine expérience démocratique. Cette situation revêt un caractère encore plus grave lorsqu'on constate que le nombre de victimes de la violence répertorié dans cet ouvrage pendant la période couverte (1995-2000) est de loin plus élevé que celui recensé physiquement par la *Commission Nationale de Vérité et de Justice* pendant les trois années de gestion du régime putschiste (1451 contre 576).

Face à ce constat, nous pensons qu'il est important que

les Haïtiens comprennent enfin la nécessité de faire table rase des dissensions du passé, de se débarrasser de leurs rancoeurs ou de leur orgueil pour rendre effective l'unité de la famille haïtienne, une unité dans la diversité, bien sûr, mais capable de nous permettre d'envisager en commun la meilleure manière de sortir le pays de ce gouffre.

Nous avons, dans ce livre, essayé de tracer la voie : une réconciliation nationale effective, des structures judiciaires indépendantes, une structure électorale impartiale, une force publique forte et neutre, et enfin la mise en train d'un programme d'investissement public axé sur une politique de création d'emplois.

L'union historique autour de ces objectifs une fois réalisée, il faudrait, à la tête du pays, des leaders qui pratiquent la tolérance, respectent le droit de vote des citoyens, prônent le pluralisme idéologique et acceptent le principe de l'alternance au pouvoir.

Dans cet ordre d'idées, le pays attend un HOMME de la stature d'un Nelson Mandela, un PATRIOTE qui acceptera de partager le pouvoir pour que vive Haïti, saura tendre la main à ses ennemis pour créer l'harmonie au sein de la nation; un HAÏTIEN intégral qui placera son pays au-dessus de tout, de sa personne, de ses ambitions personnelles; un HUMANISTE qui choisira de «pardonner pour vivre ensemble».

Nelson Mandela a mis tout sentiment personnel de côté pour rendre effectif son plan de réconciliation avec les Blancs, ses bourreaux d'hier. En Afrique du Sud, aujourd'hui, les résultats de son choix se révèlent positifs. La stabilité nationale est consolidée. Les Blancs ne ressentent aucune peur d'être gouvernés par leurs victimes d'autrefois. Après le départ volontaire de la scène politique du grand leader charismatique, Nelson Mandela, qui a transmis le flambeau a son congénère, M. Thabo Mbeki, les militants de son parti, le Congrès National Africain (ANC), se sont montrés dignes de l'engagement de leur leader en bannissant de leur coeur toute idée de vengeance au point que les électeurs Sud-africains viennent de reconduire démocratiquement ce parti politique à la gouvernance de leur pays.

Un point très important à signaler : M. Mandela n'a pas utilisé son charisme, son immense popularité ou son prestige au niveau international pour détruire le multipartisme et le pluralisme politique dans son pays. Aux dernières élections de 1999 consacrant la victoire du nouveau leader de l'ANC, M. Thabo Mbeki, élu Président de la République Sud-Africaine avec 66.4% des voix exprimées, les 400 sièges du Parlement sud-africain ont été répartis entre plusieurs partis politiques : l'ANC gagna 266 sièges, le Parti Démocratique (DP) 38 sièges, l'Inkatha Freedom Party (IFP), 34 sièges; le New National Party (NNP), le parti qui a soutenu l'Apartheid, obtint 28 sièges, et 12 autres partis minoritaires partagèrent 34 sièges. La possibilité d'alternance au pouvoir n'est pas abolie sous le prétexte que l'ANC est aujourd'hui le parti le plus populaire en République Sud-Africaine.

Voilà l'exemple recommandé à nos leaders potentiels. La

grande réconciliation nationale doit devenir une réalité. Le respect des principes démocratiques également. Haïti ne peut plus se permettre le luxe de continuer à vivre dans l'erreur, sous peine de voir s'évanouir le rêve démocratique haïtien. Nous autres, de l'élite, devons oeuvrer à bon escient pour que le peuple ne nourrisse le sentiment de l'incapacité du système démocratique à lui procurer le bonheur, la sécurité, la paix.

Après six années d'expérience qualifiée de démocratique, notre population n'a vécu que déboires, insatisfactions, désenchantements, désillusions. Il appartient à l'élite intellectuelle, économique et politique du pays de créer ou de renforcer dans la conscience de nos concitoyens l'idée de l'efficacité du régime démocratique. Aux élites nationales revient le privilège d'offrir au peuple la démonstration tangible que le système démocratique est porteur d'amour, de paix, de prospérité, de sécurité, de vérité, de dépassement de soi.

> «La légitimité démocratique, écrivent Larry Diamond, Juan Linz et Seymourd Martin Lipset, là où elle est le plus ferme et le plus stable, prend sa source dans un attachement profond aux valeurs enracinées dans la culture politique du pays, et ce, à tous les niveaux, mais **elle tient également, surtout dans la phase initiale, à l'efficacité du régime démocratique et à ses résultats économiques et politiques: maintien de l'ordre, sécurité des personnes, arbitrage et règlement des conflits, et un minimum de prévisibilité** dans l'élaboration et la mise en oeuvre des décisions.» (*Les Pays en Développement et l'Expérience de la Démocratie,* p. 14).

Pour atteindre cette fin et parvenir à créer les véritables conditions du développement d'Haïti, commençons par «assurer le maintien de l'ordre, la sécurité des personnes» dans notre pays, à faire preuve d'un «minimum de prévisibilité dans la prise des décisions» qui concernent l'avenir de notre peuple, à «arbitrer et régler nos conflits internes» par l'application effective d'une politique de réconciliation nationale.

Les familles haïtiennes sont écoeurées à la vue de tant de vies innocentes inutilement détruites par la méchanceté ou la cupidité des hommes, d'assister aux ravages de l'esprit de vengeance de nos concitoyens ou de nos dirigeants, de regarder à la télévision les méfaits de la justice populacière. Elles sont fatiguées de souffrir de l'absence de structures adéquates de protection de la population, de constater le laxisme des responsables face à la délinquance juvénile et au crime organisé, d'être les victimes du manque de maîtrise de nos agents de la force publique!

Tout en exhortant nos concitoyens à s'armer de courage devant l'immensité de la tâche à accomplir, pensons à tous ces foyers détruits, à toutes ces jeunes femmes veuves ou privées brusquement de leurs enfants, à tous ces orphelins qui ont perdu un père, une mère, à toutes ces personnes traumatisées par la mort violente d'un frère, d'une soeur, d'un parent, d'un ami.

Gardons l'espoir, en méditant cette pensée des Evêques de la *Conférence Episcopale d'Haïti*, exprimée en l'année 1988, qui est encore d'une brûlante actualité :

> «Haïti n'est pas un pays maudit, mais un pays éprouvé. Il est sûr que notre peuple gémit depuis longtemps dans la souffrance. Le temps est venu pour chacun de faire la preuve qu'une prise de conscience de la situation et un sursaut d'amour pour ce pays avili, humilié, décrié, nous fassent enfin trouver, dans l'union, la force nécessaire pour nous engager dans les voies du développement et de la promotion intégrale de l'homme.» (*Présence de l'Eglise en Haïti - Message et documents de l'Episcopat 1980-1988*, p. 332)

Enfin, souhaitons que le cri de détresse parti de ce bouquin soit entendu par tous les Haïtiens, par tous ceux qui aspirent à diriger ce pays, et aussi par la communauté internationale qui, nous sommes certain, ne manquera pas d'offrir au pays son précieux concours dans la solution de l'épineux problème de l' insécurité pour le respect de la vie, le règne de l'ordre et de la paix, l'avènement d'une société haïtienne plus juste, plus humaine et plus prospère.

FIN

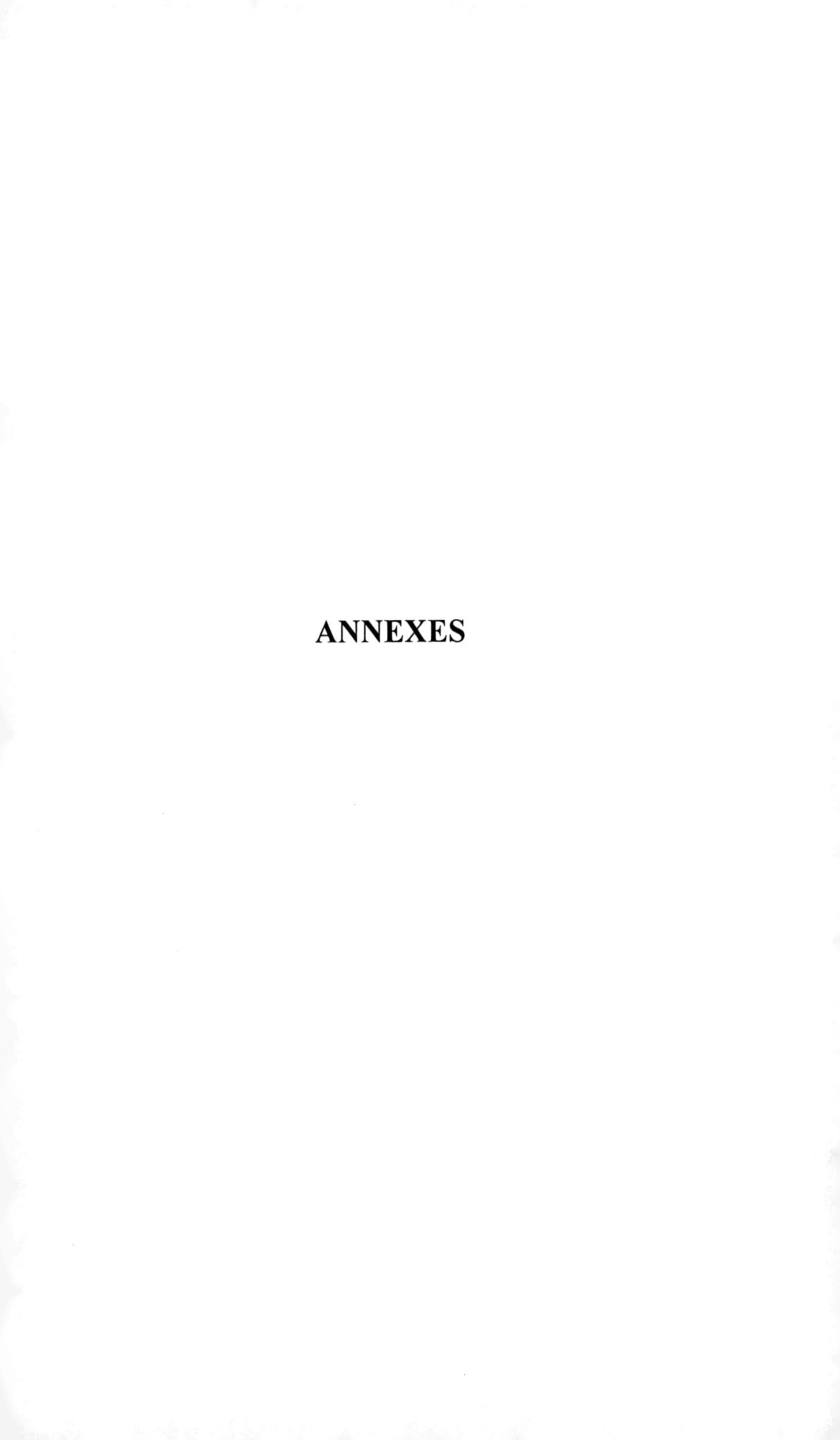

ANNEXES

LES VICTIMES DE L'INSÉCURITÉ EN HAÏTI

DE 1995 A 2000

Les références :

LN = Le Nouvellis te

LM = Le Matin

HO = Haiti Observateur

HP = Haiti Progr ès

HM = Haiti en Marche

1- Les victimes de l'année 1995

Date	Référence	Nom	Prénom (s)	Identification	Procédé	Lieu	No
7 janv.	HP 18-24/1, p. 2	Mathieu	Félix	ex-chef section	machettes	Carrefour	1
7 janv.	HP 11-17/1, p. 2	non identifié	non spécifié	paysan	machettes	Rivière Froide	1
12 janv.	HEM 18-24/1, p. 1	Cardott	Grégory	sgt Américain	balles	Gonaïves	1
12 janv.	HEM 18-24/1, p. 1	Frédéric	Aurel	ex-major	balles	Gonaïves	1
13 janv.	HO 22-29/11, p. 25	Joseph	Ali	ex-sergent	balles	P-au-Pce	1
13 janv.	HO 22-29/11, p. 25	Sans-Souci	Louis	ex-sergent	lynchage	P-au-Pce	1
19 janv.	LN 27-29/1, p. 15	Guirand	Anne-Marie	médecin	balles	P-au-Pce	1
23 janv.	HP 1-7/2, p. 3	Magloire	Thomas	non définies	machette	Hinche	1
23 janv.	HEM 25/1, p. 2	non identifié	non spécifié	non définies	balles	P-au-Pce	1
7 fév.	HP 15-21/2, p. 18	Jeanty	Robinson	mineur	balles	La Gonâve	1
11 fév.	LN 14/2, p. 1	Gracia	Henrya	ex-lieutenant	lynchage	Limbé	1
15 fév.	HP 15-21/2, p. 18	Valbrun	Pilon-Jean	non définies	balles	Delmas	1
28 fév.	HO 26/4-3/5, p. 18	Augustave	Jean	non définies	balles	Delmas	1
28 fév.	HO 26/4-3/5, p. 18	Augustave	Mme Jean	non définies	balles	Delmas	1
28 fév.	HO 26/4-3/5, p. 18	Fillette de	Augustave	mineure	balles	Delmas	1
28 fév.	HO 26/4-3/5, p. 18	Belle-soeur	Augustave	non définies	balles	Delmas	1
8 mars	HEM 8/3, p. 2	Lamothe	Eric	ex-député	balles	Frères	1
9 mars	HEM 15-21/3, p. 20	Simon	Faudener	membre MPP	balles	P-au-Pce	1
9 mars	HP 15-21/3, p. 1	non identifié	non spécifié	chauffeur	balles	Gonaïves	1
9 mars	HP 15-21/3, p. 1	non identifiés	non spécifié	passagers	balles	Gonaïves	2
15 mars	HEM 9-15/8, p. 3	Fanfan	ainsi connu	Borlette	balles	P-au-Pce	1
19 mars	HEM 22-28/3, p. 2	Augustin	Michel	commerçant	balles	Delmas	1
19 mars	HEM 22-28/3, p. 2	Augustin	Founia	fille de Michel	balles	Delmas	1
19 mars	HEM 22-28/3, p.	Augustin	Suzanne	fille de Michel	balles	Delmas	1

2

19 mars	HEM 22-28/3, p. 2	Augustin	Shelly	fille de Michel	balles	Delmas	1
25 mars	LN 27/3, p. 16	non identifiés	non spécifié	non définies	non spécifié	Cité Soleil	2
25 mars	LN 27/3, p. 16	non identifiée	non spécifié	femme enceinte	non spécifié	Bourdon	1
28 mars	HO 17-24/9, p. 20	Bertin D.	Mireille	avocat	balles	P-au-Pce	1
22 mars	LN 22/3, p. 16	Claude	Marc	ex-lieutenant	balles	P-au-Pce	1
28 mars	HO 17-24/9, p. 20	Baillergeau	Eugène	pilote	balles	P-au-Pce	1
29 mars	LN 30/3-2/4, p. 20	non identifiés	non spécifié	non définies	lynchage	Santo	2
30 mars	HO 26/4-3/5, p. 1	François	Gérard	paysan	balles	Santo	1
30 mars	HO 26/4-3/5, p. 1	Chevenelle	Pierre	ex-capitaine	lynchage	Santo	1
mars	HEM 26/4, p. 1	non identifiés	non spécifié	non définies	lynchage	P-au-Pce	97
6 avril	LN 7-9/4, p. 20	Métellus	Camélot	non définies	balles	Mirebalais	1
10 avril	LN 10/4, p. 1	St-Auguste	Altero	non définies	non spécifié	P-au-Pce	1
10 avril	LN 10/4, p. 1	Coriolan	St-Jean	non définies	non spécifié	P-au-Pce	1
10 avril	LN 10/4, p. 1	Noël	Joël	non définies	non spécifié	P-au-Pce	1
15 avril	LN 17/4, p. 16	non identifié	non spécifié	non définies	balles	Plaisance	1
19 avril	LN 19/4, p. 16	non identifiés	non spécifié	voleurs	lynchage	P-au-Pce	2
21 avril	HEM 26/4, p. 1	Eugène	Occilien	étudiant	balles	P-au-Pce	1
21 avril	HO 10-17/5, p.1	Lespinasse	Emile	commerçant	balles	P-au-Pce	1
21 avril	HO 26/4-3/5, p. 1	non identifié	non spécifié	vendeur	balles	P-au-Pce	1
24 avril	LN 25-26/4, p. 1	non identifiés	non spécifié	voleurs	lynchage	Cx-Bossales	4
24 avril	HO 26/4-3/5, p. 2	Joseph	Osselin	non définies	balles	P-au-Pce	1
25 avril	LN 25-26/4, p. 1	non identifiés	non spécifié	voleurs	lynchage	Cx-Bossales	2
25 avril	HO 26/4-3/5, p. 2	non identifiés	non spécifié	non définies	balles	Pétion-Ville	4
25 avril	HO26/4-3/5, p. 2	non identifiés	non spécifié	non définies	balles	P-au-Pce	3
27 avril	LN 28/4-1/5, p. 24	non identifié	non spécifié	non définies	balles	Gonaïves	1
30 avril	LN 3/5, p. 16	Mme Jeune	ainsi connue	non définies	machette	Marmelade	1
30 avril	LN 2/5, p. 15	Lamour	Philogène	lieutenant	balles	P-au-Pce	1
3 mai	LN 3/5, p. 16	Lamarre	Frénel	non définies	balles	Cul-de-Sac	1
4 mai	LN 4/5, p. 16	Cabrouet	Voltaire	employé Teleco	balles	Morne-Cabrits	1
5 mai	LN 5/5, p. 23	non identifié	non spécifié	commerçant	balles	Lilavois	1
5 mai	HO 10-17/5, p. 13	non identifié	non spécifié	commerçant	balles	Cx-Missions	1
5 mai	HP 10-16/5, p. 2	Lamarre	Fresnel	non définies	balles	Bon Repos	1
6 mai	HP 10-16/5, p. 2	non identifié	non spécifié	membre CEP	machette	Gonaïves	1
6 mai	HP 10-16/5, p. 2	non identifiés	non spécifié	bandits	lynchage	Mahotières	2
6 mai	HP 10-16/5, p. 2	Fabien	Joseph	non définies	non spécifié	Mahotières	1
9 mai	LN 9/5, p. 16	Jeudy	Lipsie	non définies	strangulation	Cayes-Jacmel	1

10 mai	LN 10/5, p. 20	non identifiés	non spécifié	paysans	conflits	Dessalines	5
11 mai	LN 12-14/5, p. 20	non identifiée	non spécifié	femme	balles	Pétion-Ville	1
11 mai	HP 17-23/5, p. 2	non identifié	non spécifié	non définies	balles	P-au-Pce	1
15 mai	HP 17-23/5, p. 17	Bonaparte	Clerveau	commerçant	balles	Lilavois	1
15 mai	HP 17-23/5, p. 17	Pachinau	ainsi connu	paysan	non spécifié	Léogane	1
37027	LN 19-21/5, 24	non identifié	non spécifié	non définies	lynchage	P-au-Pce	1
22 mai	LN 23/5, p. 1	Gonzalès	Michel	entrepreneur	balles	Tabarre	1
23 mai	LN 23/5, p. 20	non identifié	non spécifié	mineur	balles	P-au-Pce	1
24 mai	LN 24/5, p. 1	Hermann	Michel-Ange	ex-major	balles	P-au-Pce	1
31 mai	LN 31/5, p. 20	non identifié	non spécifié	bandit	balles	Mon Repos	1
5 juin	LM 7/6, p. 2	Moussignac	Frantz	commerçant	balles	P-au-Pce	1
7 juin	HO 7-14/6, p. 2	Turenne	Eugène	commerçant	balles	Santo	1
9 juin	LN 12/6, p. 1	Figaro	Wilfrid	médecin	balles	P-au-Pce	1
9 juin	HO 22-29/11, p.25	Blaise	Clothaire	ex- lieutenant	balles	P-au-Pce	1
10 juin	LN 12/6, p. 1	Grimard	Leslie	entrepreneur	balles	P-au-Pce	1
13 juin	LM 13/5, p. 2	non identifiés	non spécifié	non définies	non spécifié	P-au-Pce	4
21 juin	HEM 21-27/6, p.2	Boucard	Claudy	chauffeur	balles	jacmel	1
25 juin	HO 22-29/11, p.25	Kébreau	Joseph	ex-adjudant	lynchage	P-au-Pce	1
26 juin	LN 27/6, p. 16	non identifiée	non spécifié	non spécifiée	explosif	Cap-Haïtien	1
27 juin	LN 28/6, p. 1	Jean-Charles	Enock	membre KID	balles	Anse Hainault	1
28 juin	LN 28/6, p. 1	Romulus	Dumarsais	ex-colonel	balles	Delmas	1
29 juin	HEM 26/7-2/8, p.3	Dorsainvil	Joséphine	non définies	balles	Arcahaie	1
29 juin	LN 29/6, p.16	Juste	Roberson	ex-sergent	balles	Belladère	1
4 juil.	LN 5/7, p. 1	Claude	Yves-Marie	entrepreneur	balles	P-au-Pce	1
4 juil.	LN 5/7, p. 1	Beaubrun	Mario	comptable	balles	P-au-Pce	1
6 juil.	LN 5-9/7, p.20	non identifiés	non spécifié	voleurs	lynchage	St-Marc	2
6 juil.	LN 5-9/7, p.20	Maurice	Betty	commerçante	balles	P-au-Pce	1
6 juil.	LN 15-17/9, p.1	Germain	Soimilla	non définies	non spécifié	Fds-Verrettes	1
10 juil.	LN 10/7, p.20	non identifiés	non spécifié	paysans	machettes	Artibonite	2
12 juil.	HP 17-23, p.2	non identifié	non spécifié	non définies	balles	Marchand	1
14 juil.	LN 14-16/7, p.1	non identifié	non spécifié	non définies	balles	P-au-Pce	1
20 juil.	LN 21-23/7, p.1	César	Félio	non définies	balles	P-au-Pce	1
28 juil.	LN 28/7, p.1	Plaisimond	Hans	industriel	balles	P-au-Pce	1
29 juil.	LN 31/7, p.1	Marie-Colas	Etienne	Commerçant	balles	P-au-Pce	1
29 juil.	LN 31/7, p. 1	Gilbert	ainsi connu	cambiste	balles	P-au-Pce	1

2 août	LM 5/8, p. 1	Davilmar	Philoclès	non définies	lynchage	Acul-du-Nord	1
2 août	LM 5/8, p. 1	Chouchou	ainsi connu	non définies	lynchage	Acul-du-Nord	1
4 août	LN 7/8, p. 16	Mérilus	Joseph	policier	balles	P-au-Pce	1
4 août	LN 7/8, p. 11	Ernest	Franckel	non définies	balles	Carrefour	1
7 août	LN 8/8, p. 16	non identifié	non spécifié	non définies	balles	Martissant	1
9 août	HEM 9-15/8, p.18	El Gallo	ainsi connu	bandit	balles	P-au-Pce	1
12 août	LN 14-15/8, p.20	Sicard	Charles Anga	non définies	balles	Arcachon	1
21 août	LN 21/8, p.1	Thélusma	Jacqueline	non définies	balles	Carrefour	1
3 sept.	LN 6/9, p. 16	Noëo	André	non définies	machette	Verrettes	1
15 sept.	HP 20-26/9, p. 2	Lespinasse	Jacques	non définies	balles	Cap-Haïtien	1
19 sept.	LM 21/9, p. 2	Pierre	Lexius	non définies	balles	Delmas	1
29 sept.	LM 30/9-2/10, p.2	non identifié	non spécifié	cambiste	balles	P-au-Pce	1
3 oct.	LM 3/10, p. 1	Mayard	Max	ex-général	balles	Delmas	1
3 oct.	LM 3/10, p. 2	Amilcar	Odinette	non définies	balles	Gonaïves	1
13 oct.	LN 13-15/10	non identifié	non spécifié	non définies	lynchage	P-au-Pce	1
13 oct.	LM 14-16/10, p.2	non identifié	non spécifié	voleur	balles	P-au-Pce	1
23 oct.	LN 25/10, p. 1	Blanchard	Gérard	non définies	balles	Delmas	1
25 oct.	HP 25-31/10, p. 2	non identifié	non spécifié	jeune	non spécifié	Grand-Goâve	1
31 oct.	HP 8-14/11, p. 2	Colonne	ainsi connu	non définies	machette	La Chapelle	1
6 n0v.	HP 8-14/11, p. 2	non identifiés	non spécifié	voleurs	balles	Delmas	3
7 nov.	LN 8/11, p. 1	Feuillé	Yvon	député	balles	P-au-Pce	1
8 nov.	HO 8-15/11, p. 3	Sifré	Alain	Français	balles	Delmas	1
9 nov.	LN 9/11, p. 24	Estinval	Yves-Marie	dit makout	lynchage	Cayes	1
13 nov.	HO 22-29/11, p.17	non identifiés	non spécifié	bandits	lynchage	Gonaïves	5
13 nov.	HO 22-29/11, p.17	non identifiés	non spécifié	émeutiers	balles	Gonaïves	2
13 nov.	HO 22-29/11, p.17	non identifié	non spécifié	non définies	piques	Drouillard	1
14 nov.	LN 14/11, p. 1	non identifiés	non spécifié	non définies	émeutes	P-au-Pce	7
15 nov.	HO 22-29/11, p.1	non identifiés	non spécifié	non définies	balles	Limbé	2
21 nov.	LN 21/11, p. 20	Molière	ainsi connu	prisonnier	balles	P-au-Pce	1
36850	LN 21/11, p. 20	Sajous	Pierre	prisonnier	balles	P-au-Pce	1
24 nov.	HO 29/11-6/12, p.2	Thermidor	Vania	âgée de 6 ans	balles	Cité Soleil	1
24 nov.	HO 29/11-6/12, p.2	non identifiés	non spécifié	non définies	balles	Cité Soleil	2
29 nov.	HO 29/11-6/12, p.2	André	Rosemé	non définies	balles	Cité Soleil	1
7 déc.	HO 13-20/12, p.8	Mme Emile	ainsi connue	dite sorcière	brûlée	P-au-Pce	1

7 déc.	HO 13-20/12, p.8	Tania	ainsi connue	dite sorcière	brûlée	P-au-Pce	1
11 déc.	LN 11/12, p. 24	non identifiés	non spécifié	non définies	machette	Trou-du-Nord	4
12 déc.	LN 12/12, p. 1	Richemond	Jocelyn	agent sécurité	balles	P-au-Pce	1
12 déc.	LN 12/12, p. 1	Alerte	Mireille	non définies	balles	Delmas	1
26 déc.	LN 28/12, p.24	David	ainsi connu	non définies	sévices	Anse-Foleur	1
26 déc.	LN 26/12, p.24	Fleurantin	Hubert	agent sécurité	balles	Santo	1
26 déc.	LN 26/12, p.32	Volcy	Josué	chauffeur	balles	P-au-Pce	1
29 déc.	LN 3/1/96, p. 1	Dautruche	Wilner	entrepreneur	balles	Delmas	1
31 déc.	LN 3/1/96, p. 1	Mondésir	Oreste	policier	balles	P-au-Pce	1
31 déc.	LN 3/1/96, p. 1	Génord	Emmanuela	non définies	balles	P-au-Pce	1

Total non exhaustif des assassinés pour l'année 1995 **272**

2- Les victimes de l'année 1996

Date	Référence	Nom	Prénom (s)	Identification	Procédé	Lieu	No
2 janv.	LN 3/1, p. 1	Louis	Jacquelin	non spécifiée	balles	P-au-Pce	1
11 janv.	LN 11/1, p. 1	non identifié	non spécifié	paysan	balles	P-au-Pce	1
27 janv.	LN 2-4/2, p. 23	Lucito	Jean-Robert	commerçant	balles	P-au-Pce	1
27 janv.	LN 29/1, p. 1	non identifiés	non spécifié	non spécifiée	lynchage	La Saline	6
2 fév.	LN 2-4/2, p.23	non identifié	non spécifié	bandit	lynchage	P-au-Pce	1
6 fév.	LN 62, p.24	non identifié	non spécifié	bandit	lynchage	Gonaïves	1
7 fév.	HO 7-14/2, p. 6	non identifié	non spécifié	bandit	lynchage	Cité Soleil	1
16 fév.	HP 6-12/3, p. 4	Brésil	ainsi connu	paysan	balles	Bellanse	1
21 fév.	HP 20-26/3, p.16	non identifiés	non spécifié	paysans	conflits	Gde-R. Nord	20
2 mars	HM 6/3, p.2	non identifié	non spécifié	employé APN	balles	P-au-Pce	1
4 mars	LN 4/3, p. 1	non identifié	non spécifié	jeune	balles	Carrefour	1
4 mars	LN 5/3, p.20	Dorval	Stéphane	non spécifiée	balles	Carrefour	1
4 mars	HP 20-26/3, p.3	non identifiés	non spécifié	non spécifiée	balles	Cité Soleil	9
4 mars	HP 20-26/3, p.3	non identifiés	non spécifié	non spécifiée	balles	Cité Soleil	2
8 mars	LN 8-10/3, p.1	non identifié	non spécifié	non spécifiée	balles	Varreux	1
11 mars	LN 11/3, p.1	non identifiés	non spécifié	non spécifiée	balles	P-au-Pce	4
11 mars	LN 11/3, p.24	non identifiés	non spécifié	non spécifiée	lynchage	P-au-Pce	4
12 mars	LM 12/3, p.2	non identifiés	non spécifié	non spécifiée	balles	Cité Soleil	7
14 mars	HP 20-26/3, p.5	non identifiés	non spécifié	jeunes	lynchage	Limbé	5
16 mars	HO 27/3-3/4, p.13	non identifiés	non spécifié	commerçantes	balles	Gros-Morne	4
17 mars	HO 27/3-3/4, p.6	Jeune	Julien	octogénaire	machette	Gonaïves	1
19 mars	LN 12-13/8, p.1	Jeune	Christine	policière	balles	Frères	1
20 mars	LN 20/3, p.16	non identifié	non spécifié	policier	balles	Carrefour	1
22 mars	LN 24/3, p.24	Jean	Occil	non spécifiée	machette	Léogane	1
26 mars	LN 26-30/3, p. 24	Morisseau	Charité	Borlette	machette	Mirebalais	1
26 mars	HO 27/3-3/4, p.13	non identifié	non spécifié	non spécifiée	balles	P-au-Pce	1
26 mars	LN 26-30/3, p. 24	Ladouceur	Béril	policier	balles	Petit-Goâve	1
26 mars	LN 26-30/3, p. 24	Diamand	Donald	policier	balles	Petit-Goâve	1
26 mars	LN 26-30/3, p. 24	non identifiés	non spécifié	non spécifiée	balles	Petit-Goâve	2
15/30 mar	LN 26-30/3, p. 24	non identifiés	non spécifié	non spécifiée	balles	P-au-Pce	40
1er avril	LN 2/4, p. 20	François	Raymond	policier	balles	Pétion-Ville	1

3 avril	HM 31/7, p.3	Steinmann	Hubert	Suisse	balles	P-au-Pce	1
3 avril	HM 31/7, p.3	Steinmann	Anne Kung	Suisse	balles	P-au-Pce	1
12 avril	LN 29/7/98, p.24	Paulémond	Ferdinand	non spécifiée	machette	Cornillon	1
18 avril	LN 19-21/4, p.20	Joseph	Nicole	non spécifiée	balles	Delmas	1
25 avril	LN 12-13/8, p.1	Conséant	Jean Léonard	non spécifiée	balles	P-au-Pce	1
26 avril	HO 1-8/5, p.1	Désir	Ernest	enseignant	balles	P-au-Pce	1
26 avril	HO 1-8/5, p.1	Désir	Anne-Marie	enseignante	balles	P-au-Pce	1
27 avril	LN 30/4-1/5, p.24	Elysée	Pierre-Joseph	commerçant	balles	Arcahaie	1
27 avril	LN 12-13/8, p.1	Bignac	Milcent	policier	balles	P-au-Pce	1
27 avril	LN 12-13/8, p.1	Désir	Philistin	policier	balles	P-au-Pce	1
3 mai	HP 14-20/5, p.4	Baptiste	Milcent	ex-député	balles	Cayes	1
3 mai	HP 14-20/5, p.4	non identifié	non spécifié	bandit	balles	Cité Soleil	1
3 mai	HP 14-20/5, p.4	François	Islande	étudiante	balles	Cité Soleil	1
3 mai	HP 14-20/5, p.4	non identifiés	non spécifié	non spécifiée	brûlés	Mne-cabrits	4
4 mai	LN 12-13/8, p.1	Chéry	Berthony	policier	balles	Cité Soleil	1
14 mai	HO 15-22/5, p.1	Léonard	Jean	policier	balles	Cité Soleil	1
16 mai	HO 22-29/5, p.3	Lacombe	Joannès	gardien	machette	Delmas	1
11 mai	LN 13/5, p.24	non identifié	non spécifié	non spécifiée	balles	P-au-Pce	1
20 mai	LN 20/5, p.20	non identifiés	non spécifié	non spécifiée	brûlés	Sarthe	6
27 mai	LN 12-13/8, p.1	Désir	Valcourt	policier	balles	P-au-Pce	1
27 mai	LN 29/5, p.1	non identifié	non spécifié	non spécifiée	balles	P-au-Pce	1
29 mai	HO 5-12/6, p.4	Jn-François	Erla	mairesse	balles	P-au-Pce	1
29 mai	HO 5-12/6, p.4	Dessources	Jude	policier	balles	Cayes	1
3 juin	HO 5-12/6, p.13	Elie	Pierre	employé SIN	balles	P-au-Pce	1
3 juin	HO 5-12/6, p.13	Pierre	Germaine	non spécifiée	balles	Delmas	1
3 juin	HO 5-12/6, p.13	Pierre	enfants (3)	non spécifiée	balles	Delmas	3
4 juin	LN 12-13/8, p.1	Désaubry	Marc-Holly	non spécifiée	balles	Mirebalais	1
6 juin	LN 12-13/8, p.1	Germain	Shiller	policier	balles	Martissant	1
11 juin	HO 26/6-3/7, p.1	non identifié	non spécifié	mineur 6 ans	balles	Mne-Cabrits	1
11 juin	HO 19-26/6, p.1	Jean-Philippe	Frantz	mineur	balles	Mne-cabrits	1
12 juin	LN 13/6, p.28	Michel	Marc	Hôtelier	balles	Lascahobas	1
15 juin	HO 19-26/8, p.22	Pierre	Francesca	non spécifiée	balles	Delmas	1
18 juin	LN 18/6, p. 24	non identifiés	non spécifié	bandits	lynchage	Roseaux	3
18 juin	HO 26/6-3/7, p. 6	Sérah	Jean-Victor	policier	balles	Pétion-Ville	1
19 juin	LN 19/6, p. 1	non identifiés	non spécifié	paysans	conflits	Artibonite	7

19 juin	HO 26/6-3/7, p.19	non identifié	non spécifié	bandit	balles	P-au-Pce	1
22 juin	HO 26/6-3/7, p.19	Pierre	Yves	vacancier	balles	Delmas	1
23 juin	HO 26/6-3/7, p.19	Jean	Elie	jeune	balles	Delmas	1
23 juin	HO 26/6-3/7, p.19	non identifiés	non spécifié	couple	balles	Tabarre	2
2 juillet	LN 3/7, p. 24	Saint-Cyr	Madeleine	non spécifiée	balles	Delmas	1
11 juillet	HP 06/08, p. 3	non identifié	non spécifié	technicien	machette	Pont-Sondé	1
11 juillet	HP 06/08, p. 3	Raynold	ainsi connu	non spécifiée	machette	Pont-Sondé	1
13 juillet	LN 15/7, p. 24	Antoine	Jacky	jumeau	balles	P-au-Pce	1
13 juillet	LN 15/7, p. 24	Antoine	Charles	jumeau	balles	P-au-Pce	1
13 juillet	LN 15/7, p. 24	Abraham	Alix	non spécifiée	balles	Delmas	1
13 juillet	LN 15/7, p. 24	non identifié	non spécifié	agent sécurité	balles	P-au-Pce	1
19 juillet	HEM 24-30/7, p.7	Charles T.	Emmanuel	vacancier	strangulati on	Bon Repos	1
20 juillet	LN 22/7, p1	Armand	André	ex-militaire	balles	P-au-Pce	1
20 juillet	LN 22/7, p.1	Moïse	ainsi connu	cambiste	balles	P-au-Pce	1
30 juillet	LM 1/8, p.10	Leconte	Mariette	commerçantes	balles	P-au-Pce	1
1er août	HO 21-28/8. P.4	Fénélus	Orasmin	non spécifiée	sévices	Jean-Rabel	1
5 août	HO 7-14/8, p.1	Charles	Joseph Rony	banquier	balles	Cap-Haïtien	1
5 août	HO 7-14/8, p.1	Joseph	Molovis	agent sécurité	balles	Cap-Haïtien	1
5 août	HO 7-14/8, p.1	Ginoh	ainsi connu	agent sécurité	balles	Cap-Haïtien	1
5 août	HO 7-14/08, p.1	Francisque	ainsi connu	agent sécurité	balles	Cap-Haïtien	1
12 août	LN 12-13/8, p.1	Lazarre	Gary	policier	balles	Cx-Bouquets	1
19 août	LN 19/8, p.1	non identifié	non spécifié	non spécifiée	balles	P-au-Pce	1
20 août	LN 20/8, p.1	Leroy	Antoine	pasteur	balles	P-au-Pce	1
20 août	LN 20/8, p.1	Florival	Jacques	politique	balles	Delmas	1
20 août	LM 20/8, p.1	Pape	Madeleine	octogénaire	balles	P-au-Pce	1
21 août	LN 21/8, p.24	non identifié	non spécifié	non spécifiée	balles	Bellanse	1
21 août	LN 21/8, p.24	non identifié	non spécifié	non spécifiée	balles	Bellanse	1
21 août	LN 21/8, p.24	non identifiés	non spécifié	non spécifiée	balles	Bellanse	3
25 août	LN 28/8, p.24	Civil	Yves Wilner	non spécifiée	balles	P-au-Pce	1
25 août	LN 26/8, p.24	Prévilon	Dieuseul	non spécifiée	balles	P-au-Pce	1
30 août	LN 30/8, p.1	Phanor	Yves Wilner	policier	balles	P-au-Pce	1
3 sept.	LN 03/9, p.1	non identifiés	non spécifié	non spécifiée	balles	Delmas	2
3 sept.	LN 3/9, p.1	non identifiés	non spécifié	non spécifiée	machette	P-au-Pce	4
3 sept.	LN 4/9, p.20	non identifié	non spécifié	non spécifiée	machette	Sapotille	1
10 sept	Ln 11/9, p.24	Pétion	Marcel	ex-maire	balles	P-au-Pce	1

11 sept.	Ln 11/9, p.24	Coq	Hilda	avocat	balles	P-au-Pce	1
11 sept.	Ln 11/9, p.24	Charles	Jean Bernard	non spécifiée	balles	P-au-Pce	1
11 sept.	HM 11/9, p.2	non identifiés	non spécifié	paysans	machette	Artibonite	2
17 sept.	LN 21/10, p.24	non identifié	non spécifié	jeune	balles	Miragoâne	1
30 sept.	HP 9-15/10, p.2	non identifiée	non spécifié	enceinte	balles	Delmas	1
2 oct.	HM 29/11, p.17	Joseph	Renel	policier	balles	Léogane	1
2 oct.	HM 2/10, p.17	Beauplan	Eliazar	policière	balles	Cap-Haïtien	1
9 oct.	HP 9-15/10, p.2	Victor	Constance	non spécifiée	balles	P-au-Pce	1
9 oct.	LN 14/10, p.20	non identifié	non spécifié	non spécifiée	balles	Mirebalais	1
11 oct.	HO 16-23/10, p.3	non identifié	non spécifié	bandits	machette	Ravine-Sud	1
11 oct.	HO 16-23/10, p.3	Douval	Jean-Michel	bandit	machette	Ravine-Sud	1
11 oct.	LN 14/10, p.20	Sanon	Thony	ex-militaire	balles	P-au-Pce	1
11 oct.	LN 14/10, p.20	non identifiés	non spécifié	non spécifiée	lynchage	Cayes	2
11 oct.	LN 14/10, p.20	Exat	ainsi connu	bandit	lynchage	St-Marc	1
18 oct.	Ln 18-20, p.1	non identifié	non spécifié	non spécifiée	balles	Tabarre	1
3 nov.	LN 5/11, p.4	Delbal	Jean-Claude	non spécifiée	étranglé	Laboule	1
4 nov.	LN 5/11, p.20	Vincent	Edriss	entrepreneur	balles	P-au-Pce	1
4 nov.	LN 5/11, p.20	Lubin	Mario	policier	balles	P-au-Pce	1
5 nov.	LN 5/11, p.1	non identifiés	non spécifié	bandits	balles	Delmas	3
5 nov.	LN 5/11, p.1	Germain	Jean-Jérôme	bandit	balles	Delmas	1
5 nov.	ln 5/11, p.1	Salomon	Kesnel	bandit	balles	Delmas	1
9 nov.	HO 27-4/12, p.14	Vaval	Luc	management	balles	Thiotte	1
11 nov.	HO 13-20/11, p.2	non identifié	non spécifié	non spécifiée	balles	Anse-Galets	1
14 nov.	LN 19/11, p. 24	Bourdeau	Ronald	policier	balles	P-au-Pce	1
2 déc.	LN 3/12, p.24	Rouchon	Micheline	commerçantes	machette	P-au-Pce	1
2 déc.	LN 3/12, p.24	Rouchon	Fédia	mineure	étranglée	P-au-Pce	1
3 déc.	LN 3/12, p.24	non identifiés	non spécifié	Dominicains	balles	P-au-Pce	2
9 déc.	LN 9/12, p.24	non identifiés	non spécifié	non spécifiée	lynchage	Gressier	4
9 déc.	LN 9/12, p.24	Durogène	Moïse	non spécifiée	machette	Gonaïves	1
13 déc.	LN 13-15/12, p.1	non identifiés	non spécifié	non spécifiée	balles	Cx-Bouquets	10
15 déc.	LN 16/12, p.1	Harris	ainsi connu	non spécifiée	balles	Thuitier	1
15 déc.	LN 16/12, p.1	Cauvin	Serge	non spécifiée	balles	Thuitier	1
15 déc.	LN 12-13/8, p.1	Hébert	ainsi connu	non spécifiée	balles	Thuitier	1
15 déc.	LN 16/12, p.1	Thézine	Girald	non spécifiée	balles	Thuitier	1
17 déc.	HO 18-25/12, p.2	Duvernois	Edouard	non spécifiée	balles	Thuitier	1

22 déc.	HP 24-30/12, p.4	non identifiés	non spécifié	non spécifiée	balles	Tabarre	5
23 déc.	HP 24-30/12, p.4	non identifiés	non spécifié	non spécifiée	balles	P-au-Pce	9
23 déc.	HP 20-24/12, p.2	Song	Yoon Ki	Sud-Coréen	balles	P-au-Pce	1

Total non exhaustif des assassinés pour l'année 1996 **285**

3- Les victimes de l'année 1997

Date	Référence	Nom	Prénom (s)	Identification	Procédé	Lieu	No.
3 janv.	LN 12/1, p. 1	Colbert	Georges	non définies	balles	Fragneau-Ville	1
7 janv.	HO 30/4-7/5, p. 4	Rousseau	Dumesle	mécanicien	balles	Cayes	1
16 janv.	HP 22-28/1, p. 17	Edmond	Sofli	non définies	balles	Cap-Haïtien	1
16 janv.	LN 16-19/1, p. 1	non identifié	non spécifié	non définies	émeute	Cap-Haïtien	1
2 fév.	HO 19-26/2, p. 4	Estève	Gérard M.	non définies	balles	P-au-Pce	1
2 fév.	HO 30/4-7/5, p. 4	Montalveau	Lexi Léonel	non définies	balles	Cayes	1
2 fév.	HO 5-12/12, p. 8	Pierre	Harold	bandit	balles	Cayes	1
4 fév.	LN 4/2, p. 20	non identifié	non spécifié	cambiste	balles	Cité Soleil	1
5 fév.	HO 5-12/12, p. 2	Similien	Robel	hôtelier	balles	Aquin	1
6 fév.	LN 6/2, p. 24	non identifié	non spécifié	non définies	lynchage	Gonaïves	1
14 fév.	HO 19-26/2, p. 1	Bellony	Reynold	mineur	balles	P-au-Pce	1
17 fév.	LN 17/2, p. 1	non identifié	non spécifié	non définies	émeute	Cité Soleil	4
18 fév.	HP 26/2-4/3, p. 3	Vega	Eduardo	Chilien	brûlé	Tabarre	1
24 fév.	HO 2/6-5/3, p. 1	Paraisy	Henry	cambiste	balles	P-au-Pce	1
24 fév.	HO 2/6-5/3, p. 7	Legros	Métellus	non définies	balles	St-Marc	1
25 fév.	HO 26/2-5/3, p. 1	Joassaint	Mario	policier	balles	Cité Soleil	1
25 fév.	HO 26/2-5/3, p. 3	Paul	Mondésir	agent sécurité	balles	P-au-Pce	1
27 fév.	LN 27/2, p. 1	non identifié	non spécifié	non définies	émeute	Cité Soleil	20
36585	LN 3/3, p. 28	Geatjens	Margareth	non définies	balles	Delmas	1
2 mars	LN 3/3, p. 28	Hakime	Guy	entrepreneur	balles	P-au-Pce	1
4 mars	LN 4/3, p. 28	non identifié	non spécifié	policier	balles	Delmas	1
4 mars	LN 4/3, p. 28	non identifié	non spécifié	Dominicain	machette	Belladère	1
5 mars	HO 19-26/3, p. 18	Jean	Edner	policier	balles	P-au-Pce	1
5 mars	HM 12/3, p. 2	non identifié	non spécifié	non définies	balles	La Gonâve	1
8 mars	HO 19-26/3, p. 1	Gédéon	Sony	chauffeur	balles	P-au-Pce	1
8 mars	HO 19-26/3, p.1	Mompremier	Emmanuel	policier	balles	P-au-Pce	1
9 mars	HM 12/3, p.2	non identifié	non spécifié	non définies	balles	P-au-Pce	7
10 mars	HM 12/3, p. 2	non identifié	non spécifié	non définies	balles	P-au-Pce	3
10 mars	HM 12/3, p.2	Charles	Avrinel	agt sécurité	balles	P-au-Pce	1
11 mars	LN 11/3, p. 1	non identifié	non spécifié	non définies	balles	Delmas	1

11 mars	LN 12/1, p. 1	François	Frantz	policier	balles	Cité Soleil	1
11 mars	HO 19-26/3,p. 18	Obas	Gary	chauffeur	balles	P-au-Pce	1
12 mars	LN 17/3, p. 24	Bernardin	Harrisson	non définies	brûlé	Thomassique	1
13 mars	LN 13/3, p. 1	Joseph	Lionel	bandit	balles	P-au-Pce	1
13 mars	LN 13/3, p. 1	non identifié	non spécifié	chauffeur	balles	P-au-Pce	1
27 mars	HM 2/4, p. 6	Ladouceur	Béril	policier	balles	Petit-Goâve	1
27 mars	HM 2/4, p. 6	Dormant	Donald	policier	balles	Petit-Goâve	1
6 avril	HO 9-16/4, p. 7	Chéry	Célouinord	politique	balles	Delmas	1
6 avril	HO 9-16/4, p. 2	Garotte	Emmanuel	non définies	balles	P-au-Pce	1
7 avril	HO 9-16/4, p. 2	Tarjet	Patrick	avocat	balles	Cx-Missions	1
7 avril	HO 9-16/4, p. 2	Bayard	Laureston	greffier	balles	Cx-Missions	1
7 avril	HO 9-16/4, p. 2	Ti-Papit	ainsi connu	non définies	balles	Cité Soleil	1
8 avril	LN 8/4, p. 1	Louisdhon	Célinord	non définies	balles	P-au-Pce	1
10 avril	HP 17-23/4, p. 2	Ménard	John	étudiant	balles	P-au-Pce	1
11 avril	HP 17-23/4, p. 2	Baret	Amaguel	non définies	balles	Léogane	1
17 avril	HO 23-30/4, p. 22	non identifié	non spécifié	non définies	balles	Delmas	1
18 avril	HO 23-30/4, p. 2	Jean	Fénaka	bandit	balles	Delmas	1
24 avril	LN 24/4, p. 1	Milcent	Datus	ex-député	balles	Delmas	1
25 avril	LN 28/4, p. 24	Acloque	Yvon	entrepreneur	balles	Delmas	1
2 mai	HO 7-14/5, p. 3	Désulmé	Jonas	prisonnier	balles	Cx-Bouquets	1
9 mai	LN 12/5, p. 4	non identifié	non spécifié	non définies	balles	Cayes	4
9 mai	HO 21-28/5, p. 3	Jeantiné	Onot	non définies	balles	Cayes	1
9 mai	HO 21-28/5, p. 3	non identifié	non spécifié	voleur	lynchage	Cayes	1
9 mai	HO 21-28/5, p. 3	Blaise	Ronald	voleur	sévices	Cavaillon	1
9 mai	HO 21-28/5, p. 3	non identifié	non spécifié	voleur	sévices	Cavaillon	1
15 mai	HP 21-28/5, p. 1	non identifié	non spécifié	écoliers	balles	P-au-Pce	7
15 mai	HP 21-28/5, p. 1	Ti-blanc	ainsi connu	non définies	balles	P-au-Pce	1
15 mai	HP 21-28/5, p. 1	non identifié	non spécifié	jeunes	balles	P-au-Pce	1
15 mai	HO 21-28/5, p. 13	Cadet	Alix	policier	balles	P-au-Pce	1
16 mai	LN 22/5, p. 1	non identifié	non spécifié	policier	balles	Cap-Haïtien	1
18 mai	HO 21-28/5, p. 3	Lafrance	Pascale	non définies	explosif	Thomassin	1
22 mai	LN 22/5, p. 1	non identifié	non spécifié	non définies	émeute	La Saline	10
1er juin	LN 2/6, p. 24	Athis	Jonas	non définies	balles	Arcahaie	1
1er juin	LN 2/6, p. 24	Athis	Yvane	non définies	balles	Arcahaie	1
2 juin	LN 2/6, p. 24	non identifié	non spécifié	bandits	balles	Arcahaie	2

2 juin	LN 2/6, p. 24	Hérode	Pierre	non définies	balles	St-Marc	1
3 juin	LN 3/6, p. 20	non identifié	non spécifié	cambistes	balles	P-au-Pce	3
3 juin	LM 3/6, p. 2	non identifié	non spécifié	agt sécurité	balles	P-au-Pce	2
4 juin	LN 4/6, p. 24	Jean-Louis	Elan	commerçant	balles	Delmas	1
7 juin	LN 9/6, p. 1	Célestin	Michèle	commerçant e	balles	P-au-Pce	1
9 juin	LN 9/6, p. 24	Bedonet	Charles E.	non définies	balles	Gonaïves	1
19 juin	LN 19/6, p. 1	non identifié	non spécifié	non définies	conflits	Artibonite	7
20 juin	HO 25/6-2/7, p. 7	non identifié	non spécifié	non définies	balles	Cap-Haïtien	1
21 juin	HO 26/6-2/7, p. 1	non identifié	non spécifié	bandits	balles	Cap-Haïtien	3
22 juin	HO 25/6-2/7, p. 7	Dorcelin	Dieujuste	non définies	balles	Cap-Haïtien	1
28 juin	LN 23/6, p. 28	non identifié	non spécifié	non définies	balles	P-au-Pce	3
19 juin	LN 19/6, p. 1	non identifié	non spécifié	paysans	conflits	Artibonite	7
5 juil.	HO 23-30/7, p. 9	Pierre	Justin	vacancier	balles	Cap-Haïtien	1
5 juil.	HO 23-30, p. 9	Pierre	Anne-Marie	vacancière	balles	Cap-Haïtien	1
10 juil.	HO 16-23/7, p. 14	Gourgue	Ernestine	non définies	machette	Delmas	1
10 juil.	HO 16-23/7, p. 14	Frédony	Wilson	non définies	machette	Delmas	1
15 juil.	LN 16/7, p. 1	non identifié	non spécifié	bandit	brûlés	Saut-d'Eau	1
15 juil.	LN 16/7, p. 1	Kironé	Lamousse	non définies	balles	Saut-d'Eau	1
15 juil.	LN 15/7, p. 24	non identifié	non spécifié	non définies	machette	Belladère	3
21 juil.	LN 22/7, p. 1	Jean	Jn-Claude	policier	balles	P-au-Pce	1
21 juil.	LN 21/7, p. 3	non identifié	non spécifié	non définies	balles	Drouillard	3
22 juil.	LN 22/7, p. 20	non identifié	non spécifié	non définies	lynchage	Pont Sondé	3
28 juil.	LN 28/7, p. 18	non identifié	non spécifié	non définies	balles	Varreux	3
6 août	LN 6/8, p. 24 n	non identifié	non spécifié	non définies	conflits	P-au-Pce	1
9 août	HO 20-27/8, p. 10	Méus	François	non définies	machette	Savanette	1
24 août	LN 24/8, p. 24	non identifié	non spécifié	non définies	balles	P-au-Pce	1
3 sept.	LN 5-7/9, 24	Métellus	Roland	non définies	balles	CitéSoleil	1
4 sept.	LN 25/9, p. 24	Pierre	Angela	non définies	non spécifié	St M-Attalaye	1
4 sept.	LN 9/10, p. 1	Anglade	Edith S.	commerçant e	balles	P-au-Pce	1
7 sept.	LN 15/9, p. 24	Joseph	Réginald	non définies	balles	Cité Soleil	1
7 sept.	LN 15/9, p. 24	Céderme	ainsi connu	non définies	balles	Cité Soleil	1
36775	LN 15/9, p. 24	Jean	ainsi connu	non définies	balles	Cité Soleil	1
7 sept.	HO 10-17/9, p. 1	non identifié	non spécifié	non définies	balles	P-au-Pce	6
12 sept.	LN 18-21/9, p. 40	Jean-Louis	Louinord	non définies	machette	Tiburon	1
12 sept.	LN 18-21/9, p. 40	Jeune	Vesta	enceinte	machette	Tiburon	1

12 sept.	LN 25/9, p. 1	Benoit	Elda	non définies	machette	St-M. Attalaye	1
12 sept.	LN 25/9, p.1	Benoit	non spécifié	fils de Elda	machette	St-M. Attalaye	1
13 sept.	LN 15/9, p. 24	non identifié	non spécifié	non définies	brûlés	Chantal	2
15 sept.	LN 16/9, p. 24	Toussaint	Pierre	vacancier	balles	P-au-Pce	1
15 sept.	HO 17-24/9, p. 5	Léger	non spécifié	mineurs	balles	Delmas	2
15 sept.	LN 15/9, p. 24	non identifié	non spécifié	jeunes	balles	Cité Soleil	5
15 sept.	LN 16/9, p. 24	Josias	Solane	non définies	balles	Cx-Bouquets	1
15 sept.	LN 16/9, p. 24	Josias	M.meSolane	non définies	balles	Cx-Bouquets	1
17 sept.	HO 17-24/9, p. 2	non identifié	non spécifié	agt sécurité	balles	P-au-Pce	1
17 sept.	Ho 17-24/9, p.2	non identifié	non spécifié	agt sécurité	balles	Pétion-Ville	1
20 sept.	LN 25/9, p. 1	Stanio	Vilus Alexis	non définies	machette	St-M. Attalaye	1
26 sept.	HO 1-8/10, p. 1	Elie	Claude	non définies	balles	Cx-Bouquets	1
6 oct.	HO 8-15/10, p. 1	Dorléans	Martine	non définies	balles	P-au-Pce	1
6 oct.	HO 8-15/10, p. 1	Auguste	Jean-Luc	non définies	balles	P-au-Pce	1
6 oct.	LN 6/10, p. 20	non identifié	non spécifié	non définies	lynchage	Bellanse	1
10 oct.	HO 12-15/10, p.10	non identifié	non spécifié	non définies	machette	Péligre	4
12 oct.	HO 12-15/10, p.10	Patrick	ainsi connu	non définies	balles	P-au-Pce	1
12 oct.	HO 12-15/10, p.10	non identifié	non spécifié	mère Patrick	balles	P-au-Pce	1
13 oct.	HO 12-15/10, p.10	Lecorps	Frantz	non définies	balles	Bedoret	1
16 oct.	LN 20/10, p. 1	Passe	Emilio	député	balles	Jérémie	1
20 oct.	HO 29/10-5/11, p. 9	Louima	Dieusibon	bandit	balles	Cité Soleil	1
20 oct.	HO 29/10-5/11, p. 9	Ti-Moïse	ainsi connu	bandit	balles	Cité Soleil	1
21 oct.	HO 29/10-5/11, p. 9	Gratien	Jean Renel	non définies	balles	P-au-Pce	1
21 oct.	LN 22/10, p. 24	non identifié	non spécifié	non définies	balles	P-au-Pce	1
24 oct.	HO 3-10/12, p. 18	Léon Joseph	non spécifié	non définies	machette	Laborde	1
25 oct.	LN 27/10, p. 1	Faustin	Jean-Saurel	policier	balles	Delmas	1
29 oct.	HO 29/10-5/11, p. 9	Lovinsky	Sévère	médecin	balles	P-au-Pce	1
30 oct.	HO 3-10/12, p. 18	Neptune	Ralph	bandit	lynchage	Camp-Perrin	1
6 nov.	HP 12-18/11, p. 7	Langlais	Germain	non définies	machette	Marigot	1
8 nov.	HO 12-19/11, p. 5	Azima	Jn-François	non définies	balles	Aquin	1
10 nov.	HP 12-18/11, p. 16	Tipa	ainsi connu	non définies	balles	Pte-Riv. (Art.)	1
10 nov.	LN 10/11, p. 1	Paula	ainsi connu	non définies	explosif	P-au-Pce	1
12 nov.	HP 12-18/11, p.16	Clergé	Penny	vieillard	balles	Cayes	1
12 nov.	HP 12-18/11, p.16	Thomas	Fontaine	vieillard	balles	Cayes	1
12 nov.	HP 12-18/11, p.16	Odette	ainsi connu	dite sorcière	brûlée	Torbeck	1

15 nov.	HO 3-10/12, p. 18	Delgrès	Dieuseul	professeur	machette	Fds-Blancs	1
11 nov.	LM 18-19/11, p. 1	Gaillard	Robert	non définies	balles	Pétion-Ville	1
11 nov.	LM 18-19/11, p. 1	Gaillard	Mme Robert	non définies	balles	Pétion-Ville	1
11 nov.	HP 12-18/11, p.16	non identifié	non spécifié	non définies	balles	St-Marc	3
17 nov.	HO 3-10/12, p. 18	Blaise	Doky	non définies	lynchage	Aquin	1
17 nov.	HO 3-10/12, p. 18	Blaise	Mme Doky	non définies	lynchage	Aquin	1
29 nov.	LN 4/12. P. 24	Augustin	Gary	policier	balles	P-au-Pce	1
30 nov.	HO 3-10/12, p. 18	non identifié	non spécifié	non définies	explosif	Léogane	1
6 déc.	LM 6-8/12, p. 2	Mérizier	Willy	non définies	balles	P-au-Pce	1
6 déc.	LM 6-8/12, p. 2	Mérizier	Alicia	non définies	balles	P-au-Pce	1
14 déc.	HO 17-24/12, p. 1	Arbrouet	Eddy	bandit	balles	Léogane	1
22 déc.	HO 31/12-7/1, p.16	Coulanges	Micheline	commerçant e	balles	P-au-Pce	1

Total non exhaustif des assassinés pour l'année 1997 **239**

4-Les victimes de l'année 1998

Date	Référence	Nom	Prénom (s)	Identification	Procédé	Lieu	No.
1er janv.	HO 7-14/1, p. 9	non identifiés	non spécifié	non définies	lynchés	Cité Soleil	3
7 janv.	HP 7-13/1, p. 2	non identifié	non spécifié	jeune	balles	P-au-Pce	1
12 janv.	LN 5/1	Thomas	ainsi connu	Telecom	balles	P-au-Pce	1
14 janv.	LN 14/1, p. 20	Dieubéni	ainsi connu	non définies	balles	Gonaïves	1
18 janv.	HO 11-18/3, p. 5	non identifiés	non spécifié	bandit	lynchés	Aquin	3
19 janv.	HO 4-11/2, p. 4	non identifiés	non spécifié	bandit	brûlés	Bonne Fin	4
19 janv.	HO 4-11/2, p. 18	non identifié	non spécifié	bandit	balles	Cayes	1
21 janv.	21/1, p. 20	non identifiés	non spécifié	non définies	lynchés	Cavaillon	2
22 janv.	LN 22/1, p. 1	non identifiés	non spécifié	non définies	lynchés	P-au-Pce	8
26 janv.	LN 26/1, p. 1	non identifié	non spécifié	jeune fille	balles	P-au-Pce	1
27 janv.	HP 4-10/2, p. 2	Toussaint	Orphélia	non définies	balles	Tou-du-Nord	1
30 janv.	HO 4-11/2, p. 1	Desmornes	Marie D.	non définies	balles	P-au-Pce	1
31 janv.	HO 4-11/2, p. 17	Bourcenet	Jean-Baptiste	agt sécurité	balles	Delmas	1
2 fév.	LM 5/2, p. 2	Thimothé	Jimmy	étudiant	balles	Carrefour	1
5 fév.	LN 6-8/2, p. 1	Dorméus	Risselin	policier	lynché	Mirebalais	1
5 fév.	HO 1-8/4, p. 8	Mérisier	Jean-Baptiste	non définies	balles	Mirebalais	1
11 fév.	LN 11/2, p. 24	Sonthonax	Norbert	non définies	balles	Gonaïves	1
15 fév.	HO 11-18/3, p. 5	non identifié	non spécifié	paysan	balles	Cayes	1
18 fév.	LM 10/2, p. 2	Kansky	Pierre	entrepreneur	balles	Delmas	1
21 fév.	LN 11/3, p. 1	François	Anneté	non définies	balles	Desdunes	1
22 fév.	HO 11-18/3, p. 3	non identifiés	non spécifié	bandit	lynchés	Cayes	2
27 fév.	HO 11-18/3, p. 5	non identifiés	non spécifié	bandit	brûlés	Cayes	7
19 mars	LN 19/3, p. 1	Etienne	Joël	non définies	balles	Jérémie	1
19 mars	LN 19/3, p. 24	Chery	Berthony	policier	balles	P-au-Pce	1
19 mars	LN 19/3, p. 24	Joassaint	Mario	policier	balles	P-au-Pce	1
19 mars	LN 19/3, p. 24	Blaise	Preneur	policier	balles	P-au-Pce	1
19 mars	LN 19/3, p. 24	Charles	Pierre-Loty	policier	balles	P-au-Pce	1
19 mars	LN 19/3, p. 24	Joseph	Robert Gary	policier	balles	P-au-Pce	1
19 mars	LN 20-22/3, p.32	Refusé	Miguel	non définies	balles	P-au-Pce	1

20 mars	LN 20-22/3, p. 1	non identifié	non spécifié	agt sécurité	balles	P-au-Pce	1
26 mars	HP 22-28/4, p. 5	Dorilien	Dieusibon	hougan	lynché	Corail	1
29 mars	LN 30/3, p. 24	Alva	Ronald	chauffeur	balles	Tabarre	1
1er avril	LM 1/4, p. 2	Lavache	Tony	non définies	balles	Pétion-Ville	1
2 avril	HP 13-20/4, p. 5	Salnave	Dézilma	bandit	lynché	P-au-Pce	1
7 avril	HP 22-28/4, p. 4	Bolville	Gérard	non définies	balles	P-au-Pce	1
8 avril	HP 8-14/4, p. 3	Azémar	Coriolan	policier	balles	Delmas	1
8 avril	LN 8-12/4, p. 1	Etienne	Renaud	policier	lynché	Cavaillon	1
8 avril	LN 8-12/4, p. 1	Enerve	Espérant	policier	lynché	Cavaillon	1
13 avril	HP 22-28/4, p. 2	Juste	Daniel	prisonnier	sévices	Jérémie	1
13 avril	HO 29/4-6/5, p.1	Morency	René	non définies	balles	Fontamara	1
20 avril	HO 22-29/4, p.1	Pétinord	Célavi	paysan	machette	Jean-Rabel	1
20 avril	HO 22-29/4, p.1	Pétinord	Mme Célavi	paysanne	machette	Jean-Rabel	1
20 avril	HO 22-29/4, p.1	Prémilus	Ilméus	bandit	lynché	Jean-Rabel	1
22 avril	HO 22-29/4, p.2	Antoine	Patrick	policier	balles	Cap-Haïtien	1
22 avril	HP 22-29/4, p.1	non identifiés	non spécifié	non définies	balles	P-au-Pce	2
22 avril	HO 22-29/4, p.1	non identifié	non spécifié	bandit	lynché	St-Marc	1
28 avril	LN 28/4, p. 5	Pierre-Louis	Raynald	non définies	balles	P-au-Pce	1
5 mai	LN 6/5, p. 1	Gracien	Chenel	non définies	balles	Borel	1
5 mai	LN 6/5, p. 1	Gracien	Mme Chenel	non définies	balles	Borel	1
9 mai	HO 13/5, p.23	Borno	Jean-Marie	non définies	balles	Kenscoff	1
11 mai	LN 11/5, p. 28	non identifié	non spécifié	étalagiste	balles	P-au-Pce	1
13 mai	LN 13/5, p. 32	non identifié	non spécifié	non définies	balles	Cité Soleil	1
21 mai	HO 27/5, p. 1	Cétray	ainsi connu	non définies	poison	St-Ls-du Nord	1
21 mai	HO 27/5-3/6, p.1	Desrivières	Madame	non définies	lynché	St-Ls-du Nord	1
24 mai	LN 25/5, p. 40	St-Fort	Guens	policier	balles	Carrefour	1
25 mai	LN 25/5, p. 1	Aristide	Charles Pelé	policier	balles	P-au-Pce	1
28 mai	LN 4/6, p. 1	Joseph	Emanie	non définies	balles	Hinche	1
28 mai	LN 4/6, p. 1	Julio	ainsi connu	non définies	balles	Hinche	1
28 mai	LN 4/6, p. 28	Molière	Lefranc	non définies	balles	Chansolme	1
15 juin	HO 17-25/6, p.3	non identifié	non spécifié	bandit	lynché	Mirebalais	1
17 juin	HO 24/6-1, p.21	Jean-François	César	policier	balles	P-au-Pce	1
19 juin	HO 1-8/7, p. 1	Métayer	Jocelyn	ingénieur	balles	P-au-Pce	1
28 juin	HO 1-8/7, p. 11	Papillon	Pierre	non définies	balles	P-au-Pce	1
16 juil.	HO 22/7, p. 12	Innocent	Jean	non définies	balles	Pétion-Ville	1

17 juil.	LN 17-19/7, p.40	Mathé	Avrius	policier	balles	Delmas	1
23 juil.	HO 6/1/99, p.11	Wesh	Bernard	non définies	balles	Beaumont	1
24 juil.	HO 29/7-5, p.11	McLaney	Michael	entrepreneur	balles	P-au-Pce	1
24 juil.	LN 24-26/7, p.32	non identifiés	non spécifié	non définies	balles	Delmas	3
2 août	HO 2-12/8, p. 7	Bruno	Joudnel	entrepreneur	balles	Delmas	1
2 août	HO 2-12/8, p. 7	Domersant	Louis	policier	balles	Port-de-Paix	1
3 août	LN 3/8, p. 1	Pierre-Louis	Jean	prêtre	balles	P-au-Pce	1
5 août	LN 5/8, p. 24	Jérome	ainsi connu	non définies	balles	Arcahaie	1
5 août	LN 5/8, p. 24	Jean-Baptiste	Saurel	non définies	balles	Cabaret	1
6 août	HO 12-19/8, p.16	Exantus	Luckner	non définies	balles	Cabaret	1
6 août	LN 5/8, p. 24	Casséus	Ricardo	non définies	balles	Petit-Goâve	1
13 août	LN 13/8, p. 32	Tédal	Sorel	non définies	balles	P-au-Pce	1
21 août	HO 26/8-1, p.18	non identifié	non spécifié	bandit	balles	St-Martin	1
25 août	LN 25/8, p. 32	Jameson	ainsi connu	mineur	balles	P-au-Pce	1
30 août	HO 9-16/9, p. 20	Tiga	ainsi connu	non définies	balles	P-au-Pce	1
31 août	HO 2-9/9, p. 10	Versailles	Clothaire	non définies	balles	P-au-Pce	1
5 sept.	HO 9-16/9, p. 20	Jean-Baptiste	Jean-Robert	prisonnier	sévices	La Tortue	1
8 sept.	HEM 2-8/9, p. 18	Geatjeans	Max	antiquaire	non spécifié	Pétion-Ville	1
9 sept.	HO 16-23/9, p.18	Gilbert	Philippe	salesman	balles	Delmas	1
21 sept.	HO 23-30/9, p.22	Théodule	Onel	mineur	balles	Cité Soleil	1
26 sept.	LN 28/9, p. 1	Pierre	Marie Eric	professeur	machette	P-au-Pce	1
26 sept.	LN 1/10, p.1	Baltazar	Murielle	étudiante	sévices	Martissant	1
30 sept.	LN 30/9, p. 32	Phanor	Gary	étudiant	balles	P-au-Pce	1
4 oct.	HO 7-14/10, p.17	non identifié	non spécifié	Sud-Coréen	balles	Cap-Haïtien	1
4 oct.	HO 7-14/10, p.17	non identifié	non spécifié	chauffeur	balles	Cap-Haïtien	1
11 oct.	LN 14/11, p. 32	Altidor	Lüders	non définies	balles	Cayes	1
11 oct.	LN 12/10, p. 1	non identifiés	non spécifié	non définies	lapidation	Cx-Missions	2
11 oct.	LN 12/10, p. 1	non identifié	non spécifié	non définies	balles	Pétion-Ville	1
29 oct.	HO 4-11/11, p. 5	Diallo	Moktar	MIPONUH	balles	Delmas	1
7 nov.	HEM 18/11, p. 17	Bijou	André	entrepreneur	balles	Frères	1
9 nov.	HO 2-9/12, p.	Mehring	Kurt	Américain	balles	Pétion-Ville	1
14 nov.	HEM 18/11, p. 17	non identifiés	non spécifié	bandits	lynchage	Mirebalais	2
15 nov.	HO 9-16/12, p. 3	Baronville	Luckner	commerçant	balles	Anse-Galets	1
18 nov.	HO 9-16/12, p. 3	non identifiés	non spécifié	non définies	balles	St-Ls-du Nord	2
21 nov.	LN 24/11, p. 32	Lapin	Malherbe	messager	balles	P-au-Pce	1

21 nov.	HO 25/11-2, p. 5	Théodore	Yolène T.	non définies	balles	P-au-Pce	1
24 nov.	LN 27/11, p.40	non identifié	non spécifié	non définies	balles	Jérémie	1
27 nov.	HO 2-9/12, p. 11	Lambert	Jean Eric	non définies	balles	Pétion-Ville	1
27 nov.	HO 2-9/12, p. 11	Bernardin	Hurdon	Frère (FIC)	machette	La Vallée	1
27 nov.	HO 2-9/12, p. 11	Don Mike	Charles	bandit	lynché	P-au-Pce	1
30 nov.	LN 30/11, p. 1	non identifié	non spécifié	Hougan	lynchage	Vallée Jacmel	1
2 déc.	HP 9-15/12, p. 2	non identifié	non spécifié	policier	balles	Ouanaminthe	1
2 déc	HO 2-9/12, p. 16	non identifié	non spécifié	policier	lynché	Plaisance	1
3 déc.	LN 3/12, p. 32	non identifiés	non spécifié	agt sécurité	balles	Delmas	2
8 déc.	HP 9-15/12, p. 2	non identifié	non spécifié	paysan	conflits	Verrettes	1
11 déc.	HP 9-15/12, p. 8	Damas	Ruls	vacancier	balles	Santo	1
11 déc.	HO 16/12, p.22	Montreuil	Fritz	banquier	balles	Port-de-Paix	1
14 déc.	LN 14/12, p. 40	non identifié	non spécifié	non définies	balles	P-au-Pce	1
16 déc.	HO 23/12, p.1	non identifiés	non spécifié	agt sécurité	balles	P-au-Pce	2
22 déc.	LN 22/12, p. 44	non identifiés	non spécifié	bandit	brûlé	Delmas	4

Total non exhaustif des assassinés pour l'année 1998 **147**

5- Les victimes de l'année 1999

Date	Référence	Nom	Prénom (s)	identification	Procédé	Lieu	No.
6 janv.	LN 7/1, p. 24	Paul	Hubert	bandit	lapidation	Mirebalais	1
12 janv.	LN 13/1, p. 1	Versailles	Jean-Franklin	chauffeur	balles	P-au-Pce	1
23 janv.	LN 25-26/1, p.32	Dominique	Yvel	non définies	balles	St Mic. Attalaye	1
27 janv.	LN 27/1, p. 24	non identifié	non spécifié	non définies	lapidation	Mirebalais	1
4 fév.	LN 4-6/2, p. 1	non identifiés	non spécifié	non définies	balles	Crfour-Feuilles	11
10 fév.	LN 16/2, p. 32	St-Fleur	Enks	musicien	balles	Gonaïves	1
10 fév.	HO 17-24/2, p. 1	St-Pierre	Jules	non définies	balles	Capotille	1
10 fév.	HO 17-24/2, p. 1	Présent	Théonique	non définies	balles	Capotille	1
10 fév.	HO 17-24/2, p. 1	non identifié	non spécifié	bandit	balles	P-au-Pce	1
21 fév.	LN 22/2, p. 1	Money	Joseph Simon	pasteur	balles	P-au-Pce	1
22 fév.	HO 24/2-2/3, p.5	Midi	Pierre-Marie	politique	sévices	Jérémie	1
22 fév.	HO 24/2-2/3, p.5	non identifié	non spécifié	Américain	machette	Morne Calvaire	1
23 fév.	LN 23/2, p. 1	Francis	Georges	entrepreneur	balles	P-au-Pce	1
26 fév.	HO 2-9/3, p. 18	non identifié	non spécifié	non définies	machette	P-au-Pce	1
27 fév.	LN 1/3, p. 1	Lalanne	Jimmy	médecin	balles	P-au-Pce	1
1 mars	LN 1/3, p. 1	Toussaint	Yvon	sénateur	balles	P-au-Pce	1
1 mars	LN 1/3, p. 1	Figaro	Wilfrid	médecin	balles	P-au-Pce	1
1 mars	LN 1/3, p. 1	Plaisimond	Maryse	médecin	balles	P-au-Pce	1
1 mars	LN 1/3, p. 1	Jocelyn	Fritz	Médecin	balles	Pétion-Ville	1
1 mars	LN 1/3, p. 1	non identifiés	non spécifié	non définies	balles	P-au-Pce	5
3 mars	LN 8/3, p. 24	Michelet	Dazouloute	policier	balles	Delmas	1
6 mars	HO 10-17/3, p.14	Pierre	Joceline	non définies	machette	Marigot	1
6 mars	HO 10-17/3, p.14	Pierre	Edouane	non définies	machette	Marigot	1
8 mars	LN 8/3, p. 24	non identifiés	non spécifié	non définies	machette	Marigot	2
8 mars	LN 8/3, p. 1	non identifiés	non spécifié	non définies	balles	P-au-Pce	3
9 mars	LN 10/3, p. 1	Edouard	Louis Galet	non définies	balles	Lilavoix	1
10 mars	LN 10/3, p. 1	Richard	Albert Joseph	policier	balles	P-au-Pce	1
12 mars	LN 12-14/3, p.32	non identifiés	non spécifié	non définies	balles	Cabaret	4
13 mars	HO 17-24/3, p.17	non identifié	non spécifié	agt sécurité	balles	P-au-Pce	1
13 mars	HO 17-24/3, p.17	non identifiés	non spécifié	non définies	balles	Delmas	2

14 mars	HO 17-24/3, p.17	non identifiés	non spécifié	non définies	balles	P-au-Pce	5
22 mars	LN 25/3, p. 32	Germain	Brignol	chauffeur	lynchage	Mare-Rouge	1
22 mars	LN 25/3, p. 32	Tiyoute	ainsi connu	non définies	balles	Mare-Rouge	1
26 mars	HO 31/3-7/4, p.18	Désir	Valentine	non définies	balles	P-au-Pce	1
28 mars	HO 31/3-7/4, p.18	non identifiés	non spécifié	pompistes	balles	P-au-Pce	2
30 mars	LN 5/4, p. 1	Pierre	Mme Ph.	non définies	machette	Gde Riv.-Nord	1
30 mars	HO 31/3-7/4, p.4	Smith	ainsi connu	vacancier	balles	Delmas	1
5 avril	LN 5/4, p. 1	non identifiés	non spécifié	non définies	balles	P-au-Pce	5
7 avril	HO 14-21/4, p. 3	Hervé	Jean Gérald	non définies	balles	Delmas	1
7 avril	HO 14-21/4, p. 3	Poincarré	Charles	non définies	sévices	Petit-Goâve	1
8 avril	LN 8/4, p. 32	non identifié	non spécifié	non définies	machette	Mariani	1
9 avril	HO 12-19/5, p. 3	Pierre	André	non définies	machette	Delmas	1
9 avril	HO 12-19/5, p. 3	Pierre	enfants André	mineurs	machette	Delmas	2
9 avril	HO 21-28/4, p. 10	non identifié	non spécifié	patient HUEH	balles	P-au-Pce	1
10 avril	HO 14-21/4, p. 2	Payne	Jean Ovens	policier	balles	Fontamara	1
10 avril	HO 14-21/4, p. 2	non identifiés	non spécifié	jeunes	balles	Fontamara	5
11 avril	HO 14-21/4, p. 3	non identifié	non spécifié	bandit	brûlé	Fort Sinclair	1
11 avril	HO 14-21/4, p. 3	non identifiés	non spécifié	non définies	balles	Delmas	2
12 avril	HO 14-21/4, p.24	non identifiés	non spécifié	non définies	balles	P-au-Pce	12
13 avril	HO 14-21/4, p. 2	non identifié	non spécifié	non définies	machette	Cap-Haïtien	1
14 avril	HO 21-28/4, p. 2	Mitton	Jacky	ex-capitaine	balles	P-au-Pce	1
17 avril	LN 17-19/4, p. 1	Elysée	Hippolite	bandit	balles	P-au-Pce	1
20 avril	LN 28/4, p. 1	Phyllis	Michel-Ange	Alis Boa	balles	P-au-Pce	1
28 avril	LN 28/4, p. 32	St-Georges	Milord	non définies	balles	Delmas	1
28 avril	LN 29/4, p. 5	Alcantara	Ramon	Dominicain	non spécifié	Lascahobas	1
28 avril	HO 5-12/5, p. 9	Milhomme	Dieuseul	non définies	lynchage	Dessalines	1
1er mai	LN 3/5, p. 1	Morisset	Mad	policier	balles	Tabarre	1
1er mai	HO 5-12/5, p. 8	Pierre-Louis	Bertrand	journaliste	balles	P-au-Pce	1
2 mai	LN 3/5, p. 24	Barelli	Lucas	commerçant	balles	Pétion-Ville	1
3 mai	HO 5-12/5, p. 8	Samuel	Sylvain	policier	balles	Pte Pl. Cazeau	1
3 mai	LN 3/5, p. 1	non identifiés	non spécifié	non définies	balles	P-au-Pce	6
4 mai	LN 4/5, p. 1	Johanne	ainsi connue	mineure	balles	P-au-Pce	1
7 mai	HO 12-19/5, p.10	non identifié	non spécifié	dite sorcière	lapidation	St. Ls du-Nord	1

7 mai	HO 12-19/5, p.10	Maxo	ainsi connu	hougan	lynchage	Anse-à-Foleur	1
10 mai	HO 12-19/5, p. 3	Hector	Maxime	ingénieur	balles	Pétion-Ville	1
10 mai	HO 12-19/5, p. 3	Joseph	Onius	dit sorcier	lynchage	Savanette	1
10 mai	HO 12-19/5, p. 3	Démosthène	ainsi connu	dit sorcier	non spécifié	Savanette	1
12 mai	HO 12-19/5, p. 3	non identifiés	non spécifié	non définies	lynchage	St. Ls du-Nord	2
12 mai	HO 19-26/5, p. 6	Tinès	ainsi connu	non définies	balles	St-Marc	1
12 mai	HO 19-26/5, p.10	non identifié	non spécifié	jeune	balles	Delmas	1
12 mai	LN 13/5, p. 1	Ti Boulé	ainsi connu	jeune	machette	Mirebalais	1
14 mai	HO 19-26/5, p. 6	non identifié	non spécifié	non définies	balles	Cité Soleil	1
15 mai	LM 15-17/5, p. 2	non identifié	non spécifié	non définies	balles	P-au-Pce	1
17 mai	HO 19-26/5, p. 6	Romain	Venel	footballeur	balles	Léogane	1
25 mai	LN 25/5, p. 1	non identifié	non spécifié	non définies	balles	Gonaïves	3
25 mai	LN 25/5, p. 1	Aristide	Charles Pelé	policier	balles	Gonaïves	1
27 mai	HO 2-9/6, p. 2	Jeudilien	Idilan	ex- sergent	balles	P-au-Pce	1
28 mai	LN 31/5, p. 1	non identifiés	non spécifié	non définies	balles	Crfour-Feuilles	11
31 mai	HO 2-9/6, p. 2	non identifiés	non spécifié	bandit	lynchage	Cité Soleil	2
31 mai	HO 2-9/6, p. 2	non identifié	non spécifié	chauffeur	balles	Cité Soleil	1
6 juin	HP 9-15/6, p. 2	Francis	Roseline	non définies	balles	Léogane	1
6 juin	LN 8/6, p. 24	non identifié	non spécifié	bandit	balles	P-au-Pce	1
6 juin	LN 8/6, p. 24	non identifié	non spécifié	policier	balles	Montrouis	1
6 juin	LN 8/6, p. 24	non identifié	non spécifié	bandit	balles	Carrefour	1
7 juin	LN 9/6, p. 24	Bazile	Berthony	policier	balles	P-au-Pce	1
7 juin	LN 9/8, p. 24	Adonis	Carlo	agt sécurité	balles	P-au-Pce	1
7 juin	LN 7/6, p. 24	non identifié	non spécifié	jeune	machette	Prtail-Léogane	1
8 juin	LN 8/6, p. 24	Narcisse	Pierre Richard	non définies	balles	Pétion-Ville	1
14 juin	LN 14/6, p. 24	Jean	Wisler	paysan	balles	Pierre-Payen	1
14 juin	LN 14/6, p. 24	non identifié	non spécifié	non définies	lynchage	Pierre-Payen	1
15 juin	HO 23/6, p. 2	non identifiés	non spécifié	voyageurs	balles	Morne-Cabrits	5
17 juin	LN 17/6, p. 1	Abdallah	Louis Galet	entrepreneur	balles	P-au-Pce	1
20 juin	LN 21/6, p. 32	non identifiés	non spécifié	non définies	balles	P-au-Pce	2
21 juin	LN 21/6, p. 32	Lubin	Harold	policier	balles	P-au-Pce	1
21 juin	HO 23/6, p. 2	Appolon	Volmar	comptable	balles	Cap-Haïtien	1
24 juin	HO 30/6, p.2	Bienaimé	Marie Claude	non définies	balles	Gonaïves	1
28 juin	HO 30/6, p.5	Bertin	Dérival	commerçant	balles	Carrefour	1

28 juin	HO 30/6, p.5	Loiseau	Daniel	agt sécurité	balles	Carrefour	1
29 juin	LN 21/6, p. 1	non identifiés	non spécifié	agt sécurité	balles	Cazeau	2
30 juin	HO 30/6, p.5	Léger	William	bandit	balles	P-au-Pce	1
30 juin	LN 30/6, p. 1	non identifié	non spécifié	agt sécurité	balles	Cazeau	1
2 juil.	LN 2-4/7, p. 1	non identifiés	non spécifié	non définies	balles	Titanyen	14
19 juil.	LN 19/6, p. 1	non identifiés	non spécifié	non définies	balles	P-au-Pce	2
20 juil.	LN 2-4/7, p. 1	Renard	Franciné	policier	balles	P-au-Pce	1
21 juil.	HO 28/7, p.15	non identifiés	non spécifié	bandits	balles	Léogane	2
22 juil.	HO 28/7, p.15	non identifiés	non spécifié	non définies	lynchage	Dessources	2
22 juil.	LN 23/7, p.32	Charles	Kettely	non définies	balles	P-au-Pce	1
23 juil.	LN 23/7, p.32	non identifié	non spécifié	non définies	balles	P-au-Pce	1
24 juil.	LN 26/7, p. 32	Noël	Citha	marchande	brûlé	Pétion-Ville	1
25 juil.	LN 26/7, p. 32	Pamphille	Gilbert	pharmacien	balles	Delmas	1
28 juil.	LN 28/7, p. 1	Mingot	Jérome	tailleur	balles	P-au-Pce	1
4 août	HO 11/8, p.11	Louidor	Jean Willy	entrepreneur	balles	P-au-Pce	1
4 août	HO 11/8, p.11	Benoit	Simon	entrepreneur	balles	P-au-Pce	1
4 août	HO 11/8, p.11	Max	Jean-Robert	mormons	balles	Cité Soleil	1
5 août	HO 11/8, p.11	Simon	Naomie	étudiante	balles	Delmas	1
5 août	HO 11/8, p.11	Célestin	Huguens	jeune	balles	Fort National	1
10 août	LN 11/8, p. 24	Alexandre	Patrick	policier	balles	La Saline	1
10 août	HO 18/8, p.13	Dacéus	Mme Dalismé	dite sorcière	lynchage	P t e R . Artibonite	1
22 août	HO 1-8/9, p. 7	non identifiés	non spécifié	non définies	balles	Aquin	5
24 août	^LN 25/8, p. 1	Fédel	ainsi connu	de Culligan	balles	P-au-Pce	1
30 août	HO 1-8/9, p. 23	Montalmand	Casimir	artiste-peintre	balles	P-au-Pce	1
31 août	LN 6/9, p. 1	Décatrel	Roland	commerçant	balles	P-au-Pce	1
9 sept.	LN 9/9, p. 24	Lamarre	Tira	non définies	balles	P-au-Pce	1
18 sept.	HO 22-2/9, p. 8	non identifié	non spécifié	chauffeur	balles	Cité Soleil	1
21 sept.	LN 21/9, p. 1	Charrier	Estime	non définies	balles	P-au-Pce	1
21 sept.	HO 29/9, p.1	Moïse	Frantz	bal	balles	Pélerin	1
21 sept.	HO 29/9, p.1	Thomas	Pierre Richard	non définies	balles	Pélerin	1
21 sept.	LN 21/9, p. 32	non identifié	non spécifié	non définies	balles	P-au-Pce	1
24 sept.	HO 29/9, p.1	Chéry	Edgard	policier	balles	Carrefour	1
26 sept.	HO 29/9, p.2	Chérant	Johnny	policier	balles	P-au-Pce	1
2 oct.	HO 6/10, p.16	non identifié	non spécifié	policier	balles	P-au-Pce	1

3 Oct.	HO 6/10, p.16	non identifiés	non spécifié	agts sécurité	sévices	Delmas	2
7 oct.	HO 13/10, p.11	Sidney	Jean-Robert	policier	balles	Crfour-Feuilles	1
8 oct.	HO 13/10, p.11	Léger	Mme Love	non définies	sévices	Pétion-Ville	1
8 oct.	HO 13/10, p.11	Séraphin	Cadeau	bandit	machette	Petit-Goâve	1
8 oct.	LN 11/10, p. 1	Lamy	Jean	ex-major	balles	P-au-Pce	1
9 oct.	HO 13/10, p.11	non identifié	non spécifié	bandit	balles	P-au-Pce	1
10 oct.	LN 10/11, p. 24	Georges	Eddy	entrepreneur	balles	P-au-Pce	1
13 oct.	LN 14/10, p. 32	Moïse	Nelson	non définies	balles	Cabaret	1
19 oct.	LN 21/10, p. 1	non identifié	non spécifié	non définies	balles	P-au-Pce	1
19 oct.	LN 21/10, p. 1	non identifiés	non spécifié	non définies	machette	Carrefour	5
8 nov.	LN 8/11, p. 1	Brierre	Serge	entrepreneur	balles	P-au-Pce	1
8 nov.	LN 8/11, p. 1	non identifié	non spécifié	chauffeur	balles	P-au-Pce	1
8 nov.	LN 8/11, p. 32	non identifiés	non spécifié	non définies	balles	St-Martin	2
8 nov.	LN 8/11, p. 32	non identifiés	non spécifié	non définies	machette	Bois-Patate	2
8 nov.	LN 8/11, p. 32	non identifié	non spécifié	non définies	lynchage	Tabarre	1
11 nov.	LN 4/11, p. 24	non identifiés	non spécifié	non définies	conflits	P-au-Pce	3
17 nov.	HO 24/11, p.11	Robert	Marie-Géralde	religieuse	balles	Bourdon	1
22 nov.	LN 25/11, p. 40	Jeune	Dérold	non définies	machette	Marmelade	1
22 nov.	LN 25/11, p. 40	Valcin	Vernel	bandit	lynchage	Marmelade	1
22 nov.	LN 25/11, p. 40	non identifiés	non spécifié	bandits	lynchage	Trou-du-Nord	6
27 nov.	LN 27/11, p.40	non identifié	non spécifié	prisonnier	balles	Jérémie	1
4 déc.	HO 10/12, p.3	non identifiés	non spécifié	décapités	machette	Léogane	10
5 déc.	LN 7/12, p. 1	Phanord	Edwidge	employé TNH	balles	Delmas	1
15 déc.	LN 15/12, p. 48	Hyppolite	Daniel	non définies	balles	P-au-Pce	1
16 déc.	HO 29/1, p. 19	Robert	Jean	chauffeur	balles	P-au-Pce	1
19 déc.	HO 29-5/1, p. 4	Durand	Astride	non définies	machette	Pétion-Ville	1
20 déc.	LN 20/12, p. 48	non identifiés	non spécifié	non définies	balles	Côtes-de-Fer	7
21 déc.	HO 29-5/1, p.4	Sanon	Roseline	non définies	sévices	La Tortue	1
21 déc.	HO 29-5/1, p. 4	Sanon	Milfort	non définies	sévices	La Tortue	1
27 déc.	LN 27/12, p. 40	non identifiés	non spécifié	non définies	balles	Pétion-Ville	2
27 déc.	LN 27/12, p. 40	Roland	ainsi connu	jeune	balles	Crfour-Feuilles	1
31 déc.	HO 12/1/00, p.2	St-Joy	Marjorie	non définies	balles	P-au-Pce	1

Total non exhaustif des assassinés pour l'année 1999 285

6- Les victimes de l'année 2000

Date	Référence	Nom	Prénom (s)	Identification	Procédé	Lieu	No.
10 janv.	LN 10/1, p. 24	non identifié	non spécifié	non définies	brûlé	P-au-Pce	1
11 janv.	LN 12/1, p. 1	Séjour	Elison	non définies	balles	Fort-Liberté	1
12 jan.	LN 10/1, p. 1	non identifié	non spécifié	non définies	balles	Fort-Liberté	1
12 janv.	LN 12/1, p. 24	non identifié	non spécifié	chauffeur	machette	Verrettes	1
12 janv.	LN 18/1, p. 24	Mullier	Fernand	Français	machette	Jacmel	1
12 janv.	LN 18/1, p. 24	Mullier	Céline	Française	machette	Jacmel	1
12 janv.	LN 18/1, p. 24	Obin	Aspin	artiste	machette	Jacmel	1
15 janv.	HO 26/1-2/2, p.11	Web	Sheila	Américaine	balles	Srce Puante	1
15 janv.	HO 26/1-2/2, p.11	Jean-Jacques	Hyppolite	non définies	balles	P-au-Pce	1
15 janv.	HO 26/1-2/2, p.11	Faustin	Romain	non définies	balles	P-au-Pce	1
17 janv.	HO 19-26/1, p. 1	non identifiés	non spécifié	pompistes	balles	Martissant	2
17 janv.	LN 17/1, p. 1	non identifiée	non spécifié	Américaine	balles	P-au-Pce	1
19 janv.	LN 21-22/1, p.32	non identifiés	non spécifié	non définies	lynchage	St Ls.-du-Sud	3
23 janv.	27/1, p. 24	non identifiés	non spécifié	non définies	balles	Pétion-Ville	2
31 janv.	LN 31/1, p. 1	non identifiés	non spécifié	non définies	balles	Martissant	2
4 fév.	LN 4-6/2, p. 1	Piti	ainsi connu	non définies	balles	Trou-du-Nord	1
10 fév.	LM 10/2, p.2	Lhérisson	Jean-Louis	commerçant	balles	Pte Riv. Art.	1
16 fév.	LN 16/1, p. 32	non identifié	non spécifié	non définies	balles	P-au-Pce	1
21 fév.	LN 21/2, p. 24	Valcourt	Sanders	non définies	balles	P-au-Pce	1
3 mars	LN 2/3, p. 24	Jimenez	Jose	Dominicain	balles	P-au-Pce	1
3 mars	LN 3-7/3, p. 5	non identifiés	non spécifié	non définies	balles	Matheux	4
3 mars	LN 3-7/3, p. 5	non identifié	non spécifié	borlettier	balles	P-au-Pce	1
7 mars	LN 8-9/3, p. 32	Bélizaire	Ernest	policier	balles	P-au-Pce	1
8 mars	LN 8-9/3, p. 32	non identifiés	non spécifié	bandit	lynchage	Martissant	4
13 mars	LN 16/3, p. 6	Janvier	Bienheureux	non définies	balles	Moléon	1
27 mars	HO 5-12/4, p. 4	Labissière	Nelson	meurtrier	lynchage	La Saline	1
27 mars	HO 29/3-5/4, p.16	Samedi	Jean B.	non définies	machette	La Saline	1
27 mars	HO 29/3-5/4, p.16	non identifié	non spécifié	chauffeur	balles	Delmas	1
28 mars	HO 26/4-3/5, p.15	Athis	Légitime	politique	balles	Petit-Goâve	1
28 mars	HO 26/4-3/5, p.15	Athis	Mme Légitime	politique	balles	Petit-Goâve	1

29 mars	HO 5-12/4, p. 4	Jeudy	Nétula	voleuse	lynchage	St Ls.-du-Sud	1
29 mars	HO 5-12/4, p. 4	Jeudy	Jocelin	voleur	lynchage	St Ls.-du-Sud	1
29 mars	HO 5-12/4, p. 4	Jeudy	Jean-François	voleur	lynchage	St Ls.-du-Sud	1
29 mars	HO 26/4-3/5, p.16	Dorvil	Ferdinand	politique	balles	Caracol	1
3 avril	LN 1/4, p. 16	Dominique	Jean L.	journaliste	balles	Delmas	1
3 avril	LN 1/4, p. 16	Louissaint	Jean-Claude	gardien	balles	Delmas	1
6 avril	LN 10/4, p. 20	André	Guy	commerçant	balles	Pétion-Ville	1
7 avril	LN 11/4, p. 16	Sabbat	Patrick	mineur	balles	Delmas	1
12 avril	HO 19-26/4, p. 3	Déus	Mérélus	non définies	balles	Savanette	1
13 avril	LN 13/4, p. 1	non identifié	non spécifié	jeune	balles	P-au-Pce	1
14 avril	LN 14-16, p. 29	non identifié	non spécifié	non définies	balles	Delmas	1
14 avril	HO 19-26/4, p. 1	Exaüs	Emmanuel	ex lieutenant	balles	Delmas	1
16 avril	LN 19-23/4, p. 5	François	Emana	paysanne	machette	Pte Riv. Art.	1
17 avril	LN 17/4, p. 32	Jean-Claude	ainsi connu	paysan	lynchage	Pte Riv. Art.	1
17 avril	LN 17/4, p. 32	Black Kiki	ainsi connu	non définies	balles	Pétion-Ville	1
17 avril	LN 17/4, p. 32	Désir	ainsi connu	non définies	balles	Pétion-Ville	1
22 avril	LN 24/4, p. 24	Espérance	Louiné	hougan	machette	Pilate	1
25 avril	HO 3-10/5, p. 10	Ducertain	Arnaud	politique	machette	Thomazeau	1
25 avril	LN 26/4, p. 5	Kénol	Jean-Claude	non définies	balles	Carriès	1
25 avril	LN 26/4, p. 5	Kénol	Mme	non définies	balles	Carriès	1
25 avril	LN 26/4, p. 5	Kénol	enfants	mineurs	balles	Carriès	4
26 avril	LN 26/4, p. 5	Marcelin	Thierry	mineur	balles	Cul-de-Sac	1
28 avril	LN 2/5, p. 24	Laguerre	Pierre Wilfrid	policier	balles	Delmas	1
28 avril	LN 2/5, p. 24	non identifiés	non spécifié	paysans	machette	Arcahaie	2
3 mai	LN 3/5, p. 1	Belot	Lagneau	prêtre	balles	Delmas	1
4 mai	LN 5-7, p. 5	Alexandre	Michel-Ange	policier	balles	Martissant	1
6 mai	LN 8/5, p. 1	Bordes	Ary	médecin	balles	Delmas	1
6 mai	LN 9/5, p. 6	Castin	Jérôme	chauffeur	balles	P-au-Pce	1
7 mai	V2k 8/5, 5:00 p	non identifié	non spécifié	jeune	balles	Léogane	1
7 mai	V2k 8/5, 5:00 p	non identifiés	non spécifié	paysans	machette	Cabaret	2
8 mai	V2k 8/5, 12:00 p	Sénat	Elane	non définies	balles	Savanette	1
8 mai	V2k 8/5, 12:00 p	Sénat	Grégor	fils d'Elane	balles	Savanette	1
8 mai	V2k 8/5, 12:00 p	Omilien	ainsi connu	paysan	balles	Savanette	1
12 mai	LN 12-14/5, p. 40	Sanon	Branord	politique	balles	P-au-Pce	1
13 mai	LN 16/5, p. 1	Pierre	Gumane	non définies	balles	Martissant	1

13 mai	LN 16/5, p. 1	Douze	James	dit Papouche	balles	Martissant	1
13 mai	LN 16/5, p. 1	Pierre	Alain	non définies	balles	Martissant	1
14 mai	LN 16/5, p. 32	Laurent	ainsi connu	non définies	lynchage	Dessalines	1
15 mai	LN 16/5, p. 32	non identifié	non spécifié	jeune	balles	Léogane	1
20 mai	LN 23/5, p. 32	Joseph	Walter	non définies	machette	Lascahobas	1
21 mai	LN 22/5, p. 32	non identifiés	non spécifié	HUEH	balles	P-au-Pce	2
22 mai	LN 23/5, p. 1	Alophène	Jean-Michel	politique	lynchage	P-au-Pce	1
23 mai	LN 24/5, p. 32	Lebrun	Maxo	policier	balles	P-au-Pce	1
28 mai	LN 1/6, p. 24	Salnave	Amédée	12 ans	machette	Aquin	1
28 mai	LN 1/6, p. 24	non identifiés	non spécifié	meurtriers	lynchage	Aquin	2
29 mai	V2K 29/9, 8:45 p	non identifiés	non spécifié	bandits	lynchage	P-au-Pce	4
29 mai	V2K 30/5, 7:30 a	non identifiés	non spécifié	bandits	lynchage	Petit-Goâve	3
31 mai	LN 1/6, p. 1	non identifié	non spécifié	non définies	balles	Mirebalais	1
31 mai	LN 1/6, p. 24	Pierre	Wilner	quiquagénaire	balles	Léogane	1
1er juin	LN 1/6, p. 24	Laurore	Patrick	agent sécurité	balles	P-au-Pce	1
2 juin	LN 2-4/6, p. 32	non identifié	non spécifié	non définies	sévices	Carrefour	1
3 juin	LN 5/6, p. 22	St-Hilaire	S.	employé CEP	machette	Petit-Goâve	1
11 juin	V2k, 6:00 a	Beauplan	Wilmo	jeune	balles	Ennery	1
11 juin	V2k, 6:00 a	Joseph	Wilesome	trafiquant	balles	Grand-Goâve	1
11 juin	V2k, 6:00 a	Eugène	Tadaille	trafiquant	balles	Grand-Goâve	1
11 juin	V2k, 6:00 a	Lizaire	ainsi connu	trafiquant	balles	Grand-Goâve	1
12 juin	13/6, p. 24	non identifié	non spécifié	bandits	balles	Cx-Bouquets	2
13 juin	LN 13/6, p. 24	Pierre-Louis	MacKenzie	non définies	balles	Cap-Haïtien	1
14 juin	HO 27/9-4/10, p.9	Cazeau	Roger	colonel (ret)	balles	P-au-Pce	1
21 juin	LN 21-22/6, p. 32	non identifiés	non spécifié	bandits	balles	P-au-Pce	2
2 juil.	LN 3/7, p. 24	non identié	non spécifié	non définies	machette	Ile-à-Vaches	1
3 juil.	LN 3/7, p. 24	Rousseau	Gilbert	non définies	balles	Delmas	1
4 juil.	LN 4/7, p. 24	non identifiés	non spécifié	non définies	balles	Gressier	3
9 juil.	LN 10/7, p. 24	non identifiés	non spécifié	bandits	lynchage	P-au-Pce	3
11 juil.	LN 18/7, p. 6	Présumé	Darlie	non définies	balles	Cul-de-Sac	1
17 juil.	LN 17/7, p. 1	non identifié	non spécifié	non définies	balles	Jérémie	1
17 juil.	LN 17/7, p. 24	non identifiés	non spécifié	non définies	balles	Solino	2
19 juil.	LN 19/7, p. 5	Casséus	Fritznel	non définies	balles	Léogane	1
25 juil.	LN 3/8, p. 20	Alexandre	Carmen B.	commerçante	sévices	Martissant	1
3 août	LN 4-6/8, p. 24	non identifié	non spécifié	commerçant	balles	P-au-Pce	1

3 août	LN 4-6/8, p. 24	Painson	Gabriel	non définies	balles	P-au-Pce	1
3 août	LN 4-6/8, p. 24	non identifié	non spécifié	chauffeur	balles	P-au-Pce	1
6 août	LN 7/8, p. 8	non identifié	non spécifié	jeune	non spécifié	P-au-Pce	1
7 août	LN 8/8, p. 24	Lyle	Garfield	membre ONU	balles	Tabarre	1
9 août	LN 16/8, p. 32	Huguens	Jean-Paul	policier	balles	Pétion-Ville	1
12 août	LN 14-15/8, p. 24	Timanchèt	ainsi connu	bandit	lynchage	Mirebalais	1
12 août	LN 14-15/8, p. 24	non identifiés	non spécifié	bandits	lapidation	Petit-Goâve	2
12 août	LN 14-15/8, p. 24	non identifiés	non spécifié	non définies	non spécifié	Léogane	4
15 août	LN 16/8, p. 32	non identifiés	non spécifié	jeunes	lynchage	Blle-Fontaine	10
18 août	LN 22/8, p. 24	Dieudonné	Fertil	non définies	machette	St-Marc	1
20 août	LN 22/8, p. 24	non identifié	non spécifié	non définies	machette	P-au-Pce	1
19 août	LN 22/8, p. 24	Wilner	ainsi connu	commerçant	balles	Crfour-Shada	1
21 août	LN 22/8, p. 24	non identifié	non spécifié	non définies	balles	Cité Soleil	1
26 août	LN 5/9, p. 24	non identifiés	non spécifié	bandits	balles	Cité Soleil	5
13 sept.	LN 13/9, p. 24	non identifié	non spécifié	cambiste	balles	Delmas	1
13 sept.	LN 13/9, p. 24	non identifiée	non spécifié	fillette	balles	Delmas	1
17 sept.	LN 19/9, p. 24	Gousse	Patrice	non définies	balles	P-au-Pce	1
20 sept.	LN 21/9, p. 1	Toussaint	Fritz-Gérald	policier	balles	Laboule	1
20 sept.	LN 21/9, p. 1	Grégory	ainsi connu	bandit	balles	Laboule	1
25 sept.	LN 25/9, p. 32	Jeannot	Amos	ONG Fonkoze	mutilation	P-au-Pce	1
26 sept.	LN 29/9-1/10, p.32	non identifié	non spécifié	non définies	balles	P-au-Pce	1
29 sept.	LN 3/10, p. 24	Zius	ainsi connu	non définies	lynchage	Marchand	1
29 sept.	LN 3/10, p. 24	Timadam	ainsi connu	non définies	machette	Marchand	1
2 oct.	LN 2/10, p. 24	non identifiés	non spécifié	famille Alcéus	balles	Fontamara	3
4 oct.	LN 4/10, p. 24	Julien	Marcellus	septuagénaire	balles	P-au-Pce	1
7 oct.	LN 9/10, p. 24	Lirac	John	bandit	machette	Cabaret	1
7 oct.	LN 9/10, p. 24	non identifié	non spécifié	bandit	machette	Cabaret	1
17 oct.	LN 18/10, p. 24	non identifiés	non spécifié	bandits	balles	P-au-Pce	2
17 oct.	LN 18/10, p. 24	non identifiés	non spécifié	bandits	balles	Delmas	4
20 oct.	LN 20-22/10, p. 32	non identifié	non spécifié	non définies	balles	P-au-Pce	1
23 oct.	LN 23/10, p. 24	non identifiés	non spécifié	non définies	balles	P-au-Pce	3
24 oct.	LN 24/10, p. 5	non identifié	non spécifié	écolier	balles	P-au-Pce	1
24 oct.	LN 24/10, p. 5	non identifié	non spécifié	jeune (17 ans)	balles	P-au-Pce	1
4 nov.	LN 6/11, p. 24	non identifiés	non spécifié	non définies	balles	P-au-Pce	7
7 nov.	LN 13/11, p. 32	Pierre	Ednor	paysan	balles	Belladère	1

11 nov.	LN 13/11, p. 32	non identifiés	non spécifié	non définies	balles	P-au-Pce	3
11 nov.	LN 13/11, p. 32	non identifiés	non spécifié	non définies	balles	P-au-Pce	6
13 nov.	LN 13/11, p. 32	Emmanuel	Louis-Charles	écolier	balles	Carrefour	1
14 nov.	LN 14/11, p. 24	non identifié	non spécifié	bandit	lynchage	P-au-Pce	1
22 nov.	LN 22/11, p. 1	Clervil	Nickelson	non définies	explosif	P-au-Pce	1
4 déc.	LN 4/12, p. 24	Jean-Louis	Pierre	non définies	balles	Cul-de-Sac	1
6 déc.	LN 6/12, p. 24	Dantès	Louis	non définies	balles	Gonaïves	1
7 déc.	LN 7/12, p.24	Estinfil	Luc	borlettier	balles	Delmas	1
7 déc.	LN 7/12, p.24	non identifié	non spécifié	jeune	balles	P-au-Pce	1
8 déc.	LN 8-10/12, p. 28	Emmanuel	Joseph	jeune	balles	P-au-Pce	1
8 déc.	LN 8-10/12, p. 28	François	Pierre	jeune	balles	P-au-Pce	1
12 déc.	LN 12/12, p. 32	Pognon	Sénèque	non définies	non spécifié	Belladère	1
12 déc.	LN 12/12, p. 32	non identifiés	non spécifié	sorciers	lynchage	St-Ls du Sud	2
19 déc.	LN 28/12, p. 7	Denauze	Gérard	journaliste	balles	P-au-Pce	1
19 déc.	LN 19/12, p. 40	Paillère	Ernst	gestionnaire	balles	Léogane	1
20 déc.	LN 22-25/12, p. 41	Ambroise	Reynold	gestionnaire	balles	Pétion-Ville	1
20 déc.	LN 21/12, p. 40	Guerrier	Rood Ténor	ex-député	balles	Cx-Bouquets	1
21 déc.	LN 21/12, p. 40	Toto	ainsi connu	jeune	balles	P-au-Pce	1
21 déc.	LN 21/12, p. 40	non identifié	non spécifié	prévenu	tortures	St. Marc	1

Total non exhaustif des assassinés pour l'année 2000 **223**

7- Récapitulation

Victimes de l'année 1995 272

Victimes de l'année 1996 285

Victimes de l'année 1997 239

Victimes de l'année 1998 147

Victimes de l'année 1999 285

Victimes de l'année 2000 223

Total des victimes de 1995 à 2000............................ 1.431

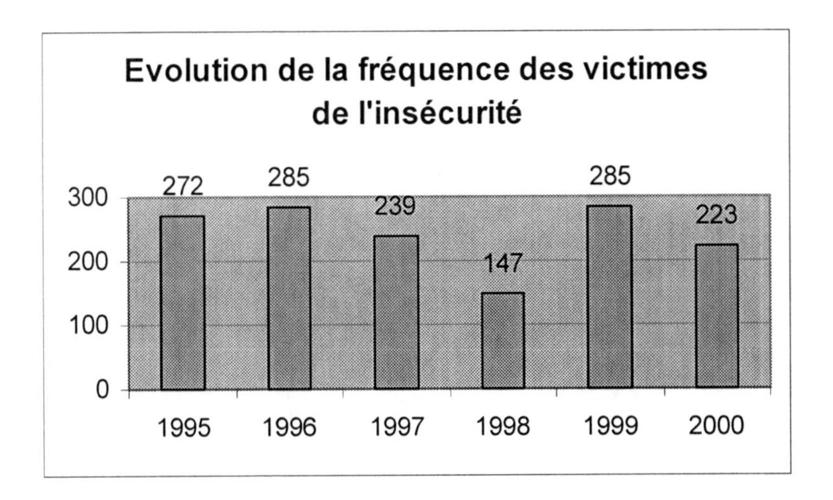

8 -Liste alphabétique des victimes identifiées
1995 - 2000

1	Abdallah	Louis Galet	17 juin 1999
2	Abraham	Alix	13 juillet 1996
3	Acloque	Yvon	25 avril 1997
4	Adonis	Carlo	7 juin 1999
5	Alcantara	Ramon	28 avril 1999
6	Alerte	Mireille	12 décembre 1995
7	Alexandre	Patrick	10 août 1999
8	Alexandre	Michel-Ange	4 mai 2000
9	Alexandre	Carmen B.	25 juillet 2000
10	Alophène	Jean-Michel	22 mai 2000
11	Altidor	Lüders	11 octobre 1998
12	Alva	Ronald	29 mars 1998
13	Amilcar	Odinette	3 octobre 1995
14	André	Rosemé	29 novembre 1995
15	André	Guy	6 avril 2000
16	Anglade	Edith S.	4 septembre 1997
17	Antoine	Jacky	13 juillet 1996
18	Antoine	Charles	13 juillet 1996
19	Antoine	Patrick	22 avril 1998
20	Appolon	Volmar	21 juin 1999
21	Arbrouet	Eddy	14 décembre 1997
22	Aristide	Charles	25 mai 1998
23	Aristide	Charles Pelé	25 mai 1999
24	Armand	André	20 juillet 1996
25	Athis	Jonas	1er juin 1997
26	Athis	Yvane	1er juin 1997
27	Athis	Légitime	28 mars 2000
28	Athis	Mme Légitime	28 mars 2000
29	Augustave	Jean	28 février 1995
30	Augustave	Mme Jean	28 février 1995
31	Auguste	Jean-Luc	6 octobre 1997

32	Augustin	Michel	19 mars 1995
33	Augustin	Founia	19 mars 1995
34	Augustin	Suzanne	19 mars 1995
35	Augustin	Shelly	19 mars 1995
36	Augustin	Gary	29 novembre 1997
37	Azémar	Coriolan	8 avril 1998
38	Azima	Jean-François	8 novembre 1997
39	Baillergeau	Eugène	28 mars 1995
40	Baltazar	Murielle	26 septembre 1998
41	Baptiste	Milcent	3 mai 1996
42	Barelli	Lucas	2 mai 1999
43	Baret	Amaguel	11 avril 1997
44	Baronville	Luckner	15 novembre 1998
45	Bayard	Laureston	7 avril 1997
46	Bazile	Berthony	7 juin 1999
47	Beaubrun	Mario	4 juillet 1995
48	Beauplan	Eliazar	2 octobre 1996
49	Beauplan	Wilmo	11 juin 2000
50	Bedonet	Charles E.	9 juin 1997
51	Bélizaire	Ernest	7 mars 2000
52	Belle-soeur	Augustave	28 février 1995
53	Bellony	Reynold	14 février 1997
54	Belot	Lagneau	3 mai 2000
55	Benoit	Elda	12 septembre 1997
56	Benoit	non spécifié	12 septembre 1997
57	Benoit	Simon	4 août 1999
58	Bernardin	Harrisson	12 mars 1997
59	Bernardin	Hurdon	27 novembre 1998
60	Bertin	Dérival	28 juin 1999
61	Bertin D.	Mireille	28 mars 1995
62	Bienaimé	Marie Claude	24 juin 1999
63	Bignac	Milcent	27 avril 1996
64	Bijou	André	7 novembre 1998
65	Black Kiki	ainsi connu	17 avril 2000
66	Blaise	Clothaire	9 juin 1995
67	Blaise	Ronald	9 mai 1997
68	Blaise	Doky	17 novembre 1997
69	Blaise	Mme Doky	17 novembre 1997
70	Blaise	Preneur	19 mars 1998
71	Blanchard	Gérard	23 octobre 1995

72	Bolville	Gérard	7 avril 1998
73	Bonaparte	Clerveau	15 mai 1995
74	Bordes	Ary	6 mai 2000
75	Borno	Jean-Marie	9 mai 1998
76	Boucard	Claudy	21 juin 1995
77	Bourcenet	Jean-Baptiste	31 janvier 1998
78	Bourdeau	Ronald	14 novembre 1996
79	Brésil	ainsi connu	16 février 1996
80	Brierre	Serge	8 novembre 1999
81	Bruno	Joudnel	2 août 1998
82	Cabrouet	Voltaire	4 mai 1995
83	Cadet	Alix	15 mai 1997
84	Cardott	Grégory	12 janvier 1995
85	Casséus	Ricardo	6 août 1998
86	Casséus	Fritznel	19 juillet 2000
87	Castin	Jérôme	6 mai 2000
88	Cauvin	Serge	15 décembre 1996
89	Cazeau	Roger	14 juin 2000
90	Céderme	ainsi connu	7 septembre 1997
91	Célestin	Michèle	7 juin 1997
92	Célestin	Huguens	5 août 1999
93	César	Félio	20 juillet 1995
94	Cétray	ainsi connu	21 mai 1998
95	Charles	Joseph Rony	5 août 1996
96	Charles	Jean Bernard	11 septembre 1996
97	Charles	Avrinel	10 mars 1997
98	Charles	Kettely	22 juillet 1999
99	Charles	Pierre-Loty	19 mars 1998
100	Charles T.	Emmanuel	19 juillet 1996
101	Charrier	Estime	21 septembre 1999
102	Chérant	Johnny	26 septembre 1999
103	Chery	Berthony	19 mars 1998
104	Chéry	Berthony	4 mai 1996
105	Chéry	Edgard	24 septembre 1999
106	Chéry	Célouinord	6 avril 1997
107	Chevenelle	Pierre	30 mars 1995
108	Chouchou	ainsi connu	2 août 1995
109	Civil	Yves Wilner	25 août 1996
110	Claude	Marc	22 mars 1995
111	Claude	Yves-Marie	4 juillet 1995

112	Clergé	Penny	12 novembre 1997
113	Clervil	Nickelson	22 novembre 2000
114	Colbert	Georges	3 janvier 1997
115	Colonne	ainsi connu	31 octobre 1995
116	Conséant	Jean Léonard	25 avril 1996
117	Coq	Hilda	11 septembre 1996
118	Coriolan	St-Jean	10 avril 1995
119	Coulanges	Micheline	22 décembre 1997
120	Dacéus	Mme Dalismé	10 août 1999
121	Damas	Ruls	11 décembre 1998
122	Dantès	Louis	6 décembre 2000
123	Dautruche	Wilner	29 décembre 1995
124	David	ainsi connu	26 décembre 1995
125	Davilmar	Philoclès	2 août 1995
126	Décatrel	Roland	31 août 1999
127	Delbal	Jean-Claude	3 novembre 1996
128	Delgrès	Dieuseul	15 novembre 1997
129	Démosthène	ainsi connu	10 mai 1999
130	Désaubry	Marc-Holly	4 juin 1996
131	Désir	Ernest	26 avril 1996
132	Désir	Anne-Marie	26 avril 1996
133	Désir	Philistin	27 avril 1996
134	Désir	Valcourt	27 mai 1996
135	Désir	Valentine	26 mars 1999
136	Désir	ainsi connu	17 avril 2000
137	Desmornes	Marie D.	30 janvier 1998
138	Desrivières	Madame	21 mai 1998
139	Dessources	Jude	29 mai 1996
140	Désulmé	Jonas	2 mai 1997
141	Déus	Mérélus	12 aveil 2000
142	Diallo	Moktar	29 octobre 1998
143	Diamand	Donald	26 mars 1996
144	Dieubéni	ainsi connu	14 janvier 1998
145	Dieudonné	Fertil	18 août 2000
146	Domersant	Louis	2 août 1998
147	Dominique	Yvel	23 janvier 1999
148	Dominique	Jean L.	3 avril 2000
149	Don Mike	Charles	27 novembre 1998
150	Dorcelin	Dieujuste	22 juin 1997
151	Dorilien	Dieusibon	26 mars 1998

152	Dorléans	Martine	6 octobre 1997
153	Dormant	Donald	27 mars 1997
154	Dorméus	Risselin	5 février 1998
155	Dorsainvil	Joséphine	29 juin 1995
156	Dorval	Stéphane	4 mars 1996
157	Dorvil	Ferdinand	29 mars 2000
158	Douval	Jean-Michel	11 octobre 1996
159	Douze	James	13 mai 2000
160	Ducertain	Arnaud	25 avril 2000
161	Durand	Astride	19 décembre 1999
162	Durogène	Moïse	9 décembre 1996
163	Duvernois	Edouard	17 décembre 1996
164	Edmond	Sofli	16 janvier 1997
165	Edouard	Louis Galet	9 mars 1999
166	El Gallo	ainsi connu	9 août 1995
167	Elie	Pierre	3 juin 1996
168	Elie	Claude	26 septembre 1997
169	Elysée	Pierre-Joseph	27 avril 1996
170	Elysée	Hippolite	17 avril 1999
171	Emmanuel	Louis-Charles	13 novembre 2000
172	Emmanuel	Joseph	8 décembre 2000
173	Enerve	Espérant	8 avril 1998
174	Ernest	Franckel	4 août 1995
175	Espérance	Louiné	22 avril 2000
176	Estève	Gérard Marcel	2 février 1997
177	Estinfil	Luc	7 décembre 2000
178	Estinval	Yves-Marie	9 novembre 1995
179	Etienne	Joël	19 mars 1998
180	Etienne	Renaud	8 avril 1998
181	Eugène	Occilien	21 avril 1995
182	Eugène	Tadaille	11 juin 2000
183	Exantus	Luckner	6 août 1998
184	Exat	ainsi connu	11 octobre 1996
185	Exaüs	Emmanuel	14 avril 2000
186	Fabien	Joseph	6 mai 1995
187	Fanfan	ainsi connu	15 mars 1995
188	Faustin	Jean-Saurel	25 octobre 1997
189	Faustin	Romain	15 janvier 2000
190	Fédel	ainsi connu	24 août 1999
191	Fénélus	Orasmin	1er août 1996

192	Feuillé	Yvon	7 novembre 1995
193	Figaro	Wilfrid	9 juin 1995
194	Figaro	Wilfrid	1er mars 1999
195	Fillette de	Augustave	28 février 1995
196	Fleurantin	Hubert	26 décembre 1995
197	Florival	Jacques	20 août 1996
198	Francis	Georges	23 février 1999
199	Francis	Roseline	6 juin 1999
200	Francisque	ainsi connu	5 août 1996
201	François	Gérard	30 mars 1995
202	François	Raymond	1er avril 1996
203	François	Islande	3 mai 1996
204	François	Frantz	11 mars 1997
205	François	Anneté	21 février 1998
206	François	Emana	16 avril 2000
207	François	Pierre	8 décembre 2000
208	Frédéric	Aurel	12 janvier 1995
209	Frédony	Wilson	10 juillet 1997
210	Gaillard	Robert	11 novembre 1997
211	Gaillard	Mme Robert	11 novembre 1997
212	Garotte	Emmanuel	6 avril 1997
213	Geatjeans	Max	8 septembre 1998
214	Geatjens	Margareth	1er mars 1997
215	Gédéon	Sony	8 mars 1997
216	Génord	Emmanuela	31 décembre 1995
217	Georges	Eddy	10 octobre 1999
218	Germain	Soimilla	6 juillet 1995
219	Germain	Shiller	6 juin 1996
220	Germain	Jean-Jérôme	5 novembre 1996
221	Germain	Brignol	22 mars 1999
222	Gilbert	ainsi connu	29 juillet 1995
223	Gilbert	Philippe	9 septembre 1998
224	Ginoh	ainsi connu	5 août 1996
225	Gonzalès	Michel	22 mai 1995
226	Gourgue	Ernestine	10 juillet 1997
227	Gousse	Patrice	17 septembre 2000
228	Gracia	Henrya	11 février 1995
229	Gracien	Chenel	5 mai 1998
230	Gracien	Mme Chenel	5 mai 1998
231	Gratien	Jean Renel	21 octobre 1997

232	Grégory	ainsi connu	20 septembre 2000
233	Grimard	Leslie	10 juin 1995
234	Guerrier	Rood Ténor	20 décembre 2000
235	Guirand	Anne-Marie	19 janvier 1995
236	Hakime	Guy	2 mars 1997
237	Harris	ainsi connu	15 décembre 1996
238	Hébert	ainsi connu	15 décembre 1996
239	Hector	Maxime	10 mai 1999
240	Hermann	Michel-Ange	24 mai 1995
241	Hérode	Pierre	2 juin 1997
242	Hervé	Jean Gérald	7 avril 1999
243	Huguens	Jean-Paul	9 aoît 2000
244	Hyppolite	Daniel	15 décembre 1999
245	Innocent	Jean	16 juillet 1998
246	Jameson	ainsi connu	25 août 1998
247	Janvier	Bienheureux	13 mars 2000
248	Jean	Occil	22 mars 1996
249	Jean	Elie	23 juin 1996
250	Jean	Edner	5 mars 1997
251	Jean	Fénaka	18 avril 1997
252	Jean	Jean-Claude	21 juillet 1997
253	Jean	Wisler	14 juin 1999
254	Jean	ainsi connu	7 septembre 1997
255	Jean-Baptiste	Saurel	5 août 1998
256	Jean-Baptiste	Jean-Robert	5 septembre 1998
257	Jean-Charles	Enock	27 juin 1995
258	Jean-Claude	ainsi connu	17 avril 2000
259	Jean-François	César	17 juin 1998
260	Jean-Jacques	Hyppolite	15 janvier 2000
261	Jean-Louis	Elan	4 juin 1997
262	Jean-Louis	Louinord	12 septembre 1997
263	Jean-Louis	Pierre	4 décembre 2000
264	Jeannot	Amos	25 septembre 2000
265	Jean-Philippe	Frantz	11 juin 1996
266	Jeantiné	Onot	9 mai 1997
267	Jeanty	Robinson	7 février 1995
268	Jérome	ainsi connu	5 août 1998
269	Jeudilien	Idilan	27 mai 1999
270	Jeudy	Lipsie	9 mai 1995
271	Jeudy	Nétula	29 mars 2000

272	Jeudy	Jocelin	29 mars 2000
273	Jeudy	Jean-François	29 mars 2000
274	Jeune	Julien	17 mars 1996
275	Jeune	Christine	19 mars 1996
276	Jeune	Vesta	12 septembre 1997
277	Jeune	Dérold	22 novembre 1999
278	Jimenez	Jose	3 mars 2000
279	Jn-François	Erla	29 mai 1996
280	Joassaint	Mario	25 février 1997
281	Joassaint	Mario	19 mars 1998
282	Jocelyn	Fritz	1er mars 1999
283	Johanne	ainsi connue	4 mai 1999
284	Joseph	Ali	13 janvier 1995
285	Joseph	Osselin	24 avril 1995
286	Joseph	Nicole	18 avril 1996
287	Joseph	Molovis	5 août 1996
288	Joseph	Renel	2 0ctobre 1996
289	Joseph	Lionel	13 mars 1997
290	Joseph	Réginald	7 septembre 1997
291	Joseph	Robert Gary	19 mars 1998
292	Joseph	Emanie	28 mai 1998
293	Joseph	Onius	10 mai 1999
294	Joseph	Walter	20 mai 2000
295	Joseph	Wilesome	11 juin 2000
296	Josias	Solane	15 septembre 1997
297	Josias	Mme Solane	15 septembre 1997
298	Julien	Marcellus	4 octobre 2000
299	Julio	ainsi connu	28 mai 1998
300	Juste	Roberson	29 juin 1995
301	Juste	Daniel	13 avril 1998
302	Kansky	Pierre	18 février 1998
303	Kébreau	Joseph	25 juin 1995
304	Kénol	Jean-Claude	25 avril 2000
305	Kénol	Mme	25 avril 2000
306	Kénol	enfants	25 avril 2000
307	Kironé	Lamousse	15 juillet 1997
308	Labissière	Nelson	27 mars 2000
309	Lacombe	Joannès	16 mai 1996
310	Ladouceur	Béril	26 mars 1996
311	Ladouceur	Béril	27 mars 1997

312	Lafrance	Pascale	18 mai 1997
313	Laguerre	Pierre Wilfrid	28 avril 2000
314	Lalanne	Jimmy	27 février 1999
315	Lamarre	Frénel	3 mai 1995
316	Lamarre	Fresnel	5 mai 1995
317	Lamarre	Tira	9 septembre 1999
318	Lambert	Jean Eric	27 novembre 1998
319	Lamothe	Eric	8 mars 1995
320	Lamour	Philogène	30 avril 1995
321	Lamy	Jean	8 octobre 1999
322	Langlais	Germain	6 novembre 1997
323	Lapin	Malherbe	21 novembre 1998
324	Laurent	ainsi connu	14 mai 2000
325	Laurore	Patrick	1er juin 2000
326	Lavache	Tony	1er avril 1998
327	Lazarre	Gary	12 août 1996
328	Lebrun	Maxo	23 mai 2000
329	Leconte	Mariette	30 juillet 1996
330	Lecorps	Frantz	13 octobre 1997
331	Léger	non spécifié	15 septembre 1997
332	Léger	William	30 juin 1999
333	Léger	Mme Love	8 octobre 1999
334	Legros	Métellus	24 février 1997
335	Léon Joseph	non spécifié	24 octobre 1997
336	Léonard	Jean	14 mai 1996
337	Leroy	Antoine	20 août 1996
338	Lespinasse	Emile	21 avril 1995
339	Lespinasse	Jacques	15 septembre 1995
340	Lhérisson	Jean-Louis	10 février 2000
341	Lirac	John	7 octobre 2000
342	Lizaire	ainsi connu	11 juin 2000
343	Loiseau	Daniel	28 juin 1999
344	Louidor	Jean Willy	4 août 1999
345	Louima	Dieusibon	20 octobre 1997
346	Louis	Jacquelin	2 janvier 1996
347	Louisdhon	Célinord	8 avril 1997
348	Louissaint	Jean-Claude	3 avril 2000
349	Lovinsky	Sévère	29 octobre 1997
350	Lubin	Mario	4 novembre 1996
351	Lubin	Harold	21 juin 1999

352	Lucito	Jean-Robert	27 janvier 1996
353	Lyle	Garfield	7 août 2000
354	Magloire	Thomas	23 janvier 1995
355	Marcelin	Thierry	26 avril 2000
356	Marie-Colas	Etienne	29 juillet 1995
357	Mathé	Avrius	17 juillet 1998
358	Mathieu	Félix	7 janvier 1995
359	Maurice	Betty	6 juillet 1995
360	Max	Jean-Robert	4 août 1999
361	Maxo	ainsi connu	7 mai 1999
362	Mayard	Max	3 octobre 1995
363	McLaney	Michael	24 juillet 1998
364	Mehring	Kurt	9 novembre 1998
365	Ménard	John	10 avril 1997
366	Mérilus	Joseph	4 août 1995
367	Mérisier	Jean-Baptiste	5 février 1998
368	Mérizier	Willy	6 décembre 1997
369	Mérizier	Alicia	6 décembre 1997
370	Métayer	Jocelyn	19 juin 1998
371	Métellus	Camélot	6 avril 1995
372	Métellus	Roland	3 septembre 1997
373	Méus	François	9 août 1997
374	Michel	Marc	12 juin 1996
375	Michelet	Dazouloute	3 mars 1999
376	Midi	Pierre-Marie	22 février 1999
377	Milcent	Datus	24 avril 1997
378	Milhomme	Dieuseul	28 avril 1999
379	Mingot	Jérome	28 juillet 1999
380	Mitton	Jacky	14 avril 1999
381	Mme Emile	ainsi connue	7 décembre 1995
382	Mme Jeune	ainsi connue	30 avril 1995
383	Moïse	Frantz	21 septembre 1999
384	Moïse	Nelson	13 octobre 1999
385	Moïse	ainsi connu	20 juillet 1996
386	Molière	ainsi connu	21 novembre 1995
387	Molière	Lefranc	28 mai 1998
388	Mompremier	Emmanuel	8 mars 1997
389	Mondésir	Oreste	31 décembre 1995
390	Money	Joseph Simon	21 février 1999
391	Montalmand	Casimir	30 août 1999

392	Montalveau	Lexi Léonel	2 février 1997
393	Montreuil	Fritz	11 décembre 1998
394	Morency	René	13 avril 1998
395	Morisseau	Charité	26 mars 1996
396	Morisset	Mad	1er mai 1999
397	Moussignac	Frantz	5 juin 1995
398	Mullier	Fernand	12 janvier 2000
399	Mullier	Céline	12 janvier 2000
400	Narcisse	Pierre Richard	8 juin 1999
401	Neptune	Ralph	30 octobre 1997
402	Noël	Joël	10 avril 1995
403	Noël	André	3 septembre 1995
404	Noël	Citha	24 juillet 1999
405	Obas	Gary	11 mars 1997
406	Obin	Aspin	12 janvier 2000
407	Odette	ainsi connu	12 novembre 1997
408	Omilien	ainsi connu	8 mai 2000
409	Pachinau	ainsi connu	15 mai 1995
410	Paillère	Ernst	19 décembre 2000
411	Painson	Gabriel	3 août 2000
412	Pamphille	Gilbert	25 juin 1999
413	Pape	Madeleine	20 août 1996
414	Papillon	Pierre	28 juin 1998
415	Paraisy	Henry	24 février 1997
416	Passe	Emilio	16 octobre 1997
417	Patrick	ainsi connu	12 octobre 1997
418	Paul	Mondésir	25 février 1997
419	Paul	Hubert	6 janvier 1999
420	Paula	ainsi connu	10 novembre 1997
421	Paulémond	Ferdinand	12 avril 1996
422	Payne	Jean Ovens	10 avril 1999
423	Pétinord	Célavi	20 avril 1998
424	Pétinord	Mme Célavi	20 avril 1998
425	Pétion	Marcel	10 septembre 1996
426	Phanor	Yves Wilner	30 août 1996
427	Phanor	Gary	30 septembre 1998
428	Phanord	Edwidge	5 décembre 1999
429	Phyllis	Michel-Ange	20 avril 1999
430	Pierre	Lexius	19 septembre 1995
431	Pierre	Germaine	3 juin 1996

432	Pierre	enfants (3)	3 juin 1996
433	Pierre	Francesca	15 juin 1996
434	Pierre	Yves	22 juin 1996
435	Pierre	Harold	2 février 1997
436	Pierre	Justin	7 juillet 1997
437	Pierre	Anne-Marie	5 juillet 1997
438	Pierre	Angela	4 septembre 1997
439	Pierre	Marie Eric	26 septembre 1998
440	Pierre	Joceline	6 mars 1999
441	Pierre	Edouane	6 mars 1999
442	Pierre	Mme Ph.	30 mars 1999
443	Pierre	André	9 avril 1999
444	Pierre	enfants André	9 avril 1999
445	Pierre	Gumane	13 mai 2000
446	Pierre	Alain	13 mai 2000
447	Pierre	Wilner	31 mai 2000
448	Pierre	Ednor	7 novembre 2000
449	Pierre-Louis	Raynald	28 avril 1998
450	Pierre-Louis	Jean	3 août 1998
451	Pierre-Louis	Bertrand	1er mai 1999
452	Pierre-Louis	MacKenzie	13 juin 2000
453	Piti	ainsi connu	4 février 2000
454	Plaisimond	Hans	28 juillet 1995
455	Plaisimond	Maryse	1er mars 1999
456	Pognon	Sénèque	12 décembre 2000
457	Poincarré	Charles	7 avril 1999
458	Prémilus	Ilméus	20 avril 1998
459	Présent	Théonique	10 février 1999
460	Présumé	Darlie	11 juillet 2000
461	Prévilon	Dieuseul	25 août 1996
462	Raynold	ainsi connu	11 juillet 1996
463	Refusé	Miguel	19 mars 1998
464	Renard	Franciné	20 juillet 1999
465	Richard	Albert Joseph	10 mars 1999
466	Richemond	Jocelyn	12 décembre 1995
467	Robert	Marie-Géralde	17 novembre 1999
468	Robert	Jean	16 décembre 1999
469	Roland	ainsi connu	27 décembre 1999
470	Romain	Venel	17 mai 1999
471	Romulus	Dumarsais	28 juiin 1995

472	Rouchon	Micheline	2 décembre 1996
473	Rouchon	Fédia	2 décembre 1996
474	Rousseau	Dumesle	7 janvier 1997
475	Rousseau	Gilbert	3 juillet 2000
476	Sabbat	Patrick	7 avril 2000
477	Saint-Cyr	Madeleine	2 juillet 1996
478	Sajous	Pierre	21 novembre 1995
479	Salnave	Dézilma	2 avril 1988
480	Salnave	Amédée	28 mai 2000
481	Salomon	Kesnel	5 novembre 1996
482	Samedi	Jean B.	27 mars 2000
483	Samuel	Sylvain	3 mai 1999
484	Sanon	Thony	11 octobre 1996
485	Sanon	Roseline	21 décembre 1999
486	Sanon	Milfort	21 décembre 1999
487	Sanon	Branord	12 mai 2000
488	Sans-Souci	Louis	13 janvier 1995
489	Séjour	Elison	11 janvier 2000
490	Sénat	Elane	8 mai 2000
491	Sénat	Grégor	8 mai 2000
492	Sérah	Jean-Victor	18 juin 1996
493	Séraphin	Cadeau	8 octobre 1999
494	Sicard	Charles Anga	12 août 1995
495	Sidney	Jean-Robert	7 octobre 1999
496	Sifré	Alain	8 novembre 1995
497	Similien	Robel	5 février 1997
498	Simon	Faudener	9 mars 1995
499	Simon	Naomie	5 août 1999
500	Smith	ainsi connu	30 mars 1999
501	Song	Yoon Ki	23 décembre 1996
502	Sonthonax	Norbert	11 février 1998
503	Stanio	Vilus Alexis	20 septembre 1997
504	St-Auguste	Altero	10 avril 1995
505	Steinmann	Hubert	3 avril 1996
506	Steinmann	Anne Kung	3 avril 1996
507	St-Fleur	Enks	10 février 1999
508	St-Fort	Guens	24 mai 1998
509	St-Georges	Milord	28 avril 1999
510	St-Hilaire	S.	3 juin 2000
511	St-Joy	Marjorie	31 décembre 1999

512	St-Pierre	Jules	10 février 1999
513	Tania	ainsi connue	7 décembre 1995
514	Tarjet	Patrick	7 avril 1997
515	Tédal	Sorel	13 août 1998
516	Thélusma	Jacqueline	21 août 1995
517	Théodore	Yolène T.	21 novembre 1998
518	Théodule	Onel	21 septembre 1998
519	Thermidor	Vania	24 novembre 1995
520	Thézine	Girald	15 décembre 1996
521	Thimothé	Jimmy	2 février 1998
522	Thomas	Fontaine	12 novembre 1997
523	Thomas	ainsi connu	12 janvier 1998
524	Thomas	Pierre Richard	21 septembre 1999
525	Ti Boulé	ainsi connu	12 mai 1999
526	Ti-blanc	ainsi connu	15 mai 1997
527	Tiga	ainsi connu	30 août 1998
528	Timadam	ainsi connu	29 septembre 2000
529	Timanchèt	ainsi connu	12 août 2000
530	Ti-Moïse	ainsi connu	20 octobre 1997
531	Tinès	ainsi connu	12 mai 1999
532	Tipa	ainsi connu	10 novembre 1997
533	Ti-Papit	ainsi connu	7 avril 1997
534	Tiyoute	ainsi connu	22 mars 1999
535	Toto	ainsi connu	21 décembre 2000
536	Toussaint	Pierre	15 septembre 1997
537	Toussaint	Yvon	1er mars 1999
538	Toussaint	Fritz-Gérald	20 septembre 2000
539	Toussaint	Orphélia	27 janvier 1998
540	Turenne	Eugène	7 juin 1995
541	Valbrun	Pilon-Jean	15 février 1995
542	Valcin	Vernel	22 novembre 1999
543	Valcourt	Sanders	21 février 2000
544	Vaval	Luc	9 novembre 1996
545	Vega	Eduardo	18 février 1997
546	Versailles	Clothaire	31 août 1998
547	Versailles	Jean-Franklin	12 janvier 1999
548	Victor	Constance	9 octobre 1996
549	Vincent	Edriss	4 novembre 1996
550	Volcy	Josué	26 décembre 1995
551	Web	Sheila	15 janvier 2000

552	Wesh	Bernard	23 juillet 1998
553	Wilner	ainsi connu	19 août 2000
554	Zius	ainsi connu	36797

BIBLIOGRAPHIE

Anglade, Georges

Cartes sur Table - Itinéraires et Raccourcis, Tome I, Editions Henri Deschamps, 1990.

Association Médicale Haïtienne

Hommage au Dr. Ary Bordes, Les Éditions Areytos, 2000

Aristide, Jean-Bertrand

Aristide, an Autobiograhy, Orbis Books, New York, 1993.

Avril, Prosper

Vérités et Révélations Tome I - Le Silence Rompu, Imprimeur II, Port-au-Prince, Haïti, 1993.

Vérités et Révélations Tome III - L'Armée d'Haïti, Bourreau ou Victime?, Imprimerie Le Natal, Port-au-Prince, 1997.

Bajeux, Jean-Claude

Pour qui sont ces Serpents...?, *Le Nouvelliste* du 3 octobre 2000, Port-au-Prince.

Bordes, Ary

Au Pays de Nelson Mandela, Le Nouvelliste du 4 janvier 1996, Port-au-Prince.

Bertin, Mireille Durocher

La Crise Haïtienne dans le Droit International Public, Editora Sarodj, Santo Domingo 1996.

Chavenet, Anaïse

Témoignage, Le Nouvelliste du 30 décembre 1996 au 2 janvier 1997, Port-au-Prince.

Conférence Episcopale d'Haïti

Présence de l'Eglise en Haïti - Messages et Documents de l'Episcopat 1980-1988, Editions S.O.S., Paris, France, 1988.

Dalencour, Patrice

Le Hideux Rictus de leur Démocratie, Le Nouvelliste du 29 mars 1995, Port-au-Prince.

Delva, Joseph Guyler C.

Le Président Préval à la rescousse du plan de Sécurité Publique, Le Nouvelliste du 11 janvier

2000, Port-au-Prince.

Diamond, Larry - Linz, Juan L. - Lipset, Seymour Martin

Les Pays en Développement et l'Expérience de la Démocratie, Nouveaux Horizons, Presses du Regional Service Center, Manille, Philippines, 1998.

Dominique, Joseph

L'OCODE et l'insécurité, Le Nouvelliste du 5 au 6 juin 1996, Port-au-Prince.

Duhamel, Olivier

Les Démocraties - Régimes. Histoire, Exigences, Edition du Seuil, Paris, France, 1993.

Dumas, Pierre-Raymond

Insécurité: et Demain?, Le Nouvelliste du 30 décembre au 2 janvier 1995, Port-au-Prince.

Débat sur la Force publique en Haïti, Le Nouvelliste du 29 novembre 1999, Port-qau-Prince.

Fignolé, Jean-Claude

1) *Criminalité?*, Le Nouvelliste du 30 décembre 1996 au 2 janvier 1997, Port-au-Prince.

2) Le Nouvelliste du 20 au 22 décembre 1996,

Port-au-Prince.

Gousse, Sabine, Olivier et Michaël

Lettre ouverte aux autorités gouvernementales et aux instances internationales et aux Haïtiens, Le Nouvelliste du 28 janvier 1998, Port-au-Prince.

Johnson, Charlmers

Déséquilibre Social et Révolution, Nouveaux Horizons, ISTRA, Paris, 1972.

Jusma, Roselor

In Memoriam Maryse Débrosse - Se taire et laissez faire, Le Nouvelliste du 9 février 1998, Port-au-Prince.

Manigat, Leslie

Les Cahiers du CHUDAC, Centre Humanisme Démocratique en Action, Port-au-Prince, 1998.

Ménard, Emmanuel

Epître aux Elites, Cosmos Communications, Port-au-Prince, avril 2000.

Cri strident de douleur et d'espoir, Le Matin du 30 septembre au 2 octobre 2000, Port-au-Prince.

Nixon, Richard

La Vraie Guerre, Editions Albin Michel, Paris, 1980.

Oriol, Paulette Poujol

Le temps des repentirs, Le Nouvelliste du 10 juillet 2000, Port-au-Prince.

Prophète, L. Jean

Inventaire de fin de Siècle, Le Editions CIDIHCA, Montréal, Canada.

Roc, François

Entre la Raison et l'Explosion, Le Nouvelliste du 17 mars 1998, Port-au-Prince.

Roché, Sébastian

Sociologie Politique de l'Insécurité - Violences urbaines, inégalités et globalisation, 2e édition corrigée, Presses Universitaires de France, 1999.

Romain, Dominique

Pour un Plan de Réforme Pénitentiaire - La Science Pénitentiaire, Histoire, Domaine et Développement, Imprimerie Le Natal, Port-au-Prince, 1989.

Toffler, Alvin

Les Nouveaux Pouvoirs, Savoir, Richesse et

Violence à la veille du XXIème Siècle, Librairie Arthème Fayard - Paris, 1991.

Valet, Daly

L'Insécurité banalisée par des Diplomates, Le Nouvelliste du 20 mars1995, Port-au-Prince.

Vilgrain, Jacques

Structure, Mécanismes et Evolution de l'Economie Haïtienne, Imprimerie Henri Deschamps, Port-au-Prince, 1995.

Le Nouvelliste

Le Matin

Haïti Observateur

Haïti en Marche

16 Décembre Magazine

Haiticonnection.com

Haitionline.com

Statedept.com

The Miami Herald

INDEX

Printed in the United States
92445LV00002B/505-522/A

9 781581 124927